GRAMÁTICA PROGRESIVA

DE ESPAÑOL PARA EXTRANJEROS

RAMÓN SARMIENTO

GRAMÁTICA PROGRESIVA

DE ESPAÑOL PARA EXTRANJEROS

SOCIEDAD GENERAL ESPAÑOLA DE LIBRERÍA, S. A.

Producción: SGEL Educación
Avda. Valdelaparra, 29
28108 ALCOBENDAS (MADRID)

ISBN: 84-7143-776-7
Depósito Legal: M. 36.108-1999
Printed in Spain - Impreso en España

CUBIERTA: Erika Hernández

Composición: Nueva Imprenta, S. A.
Impresión: SITTIC, S. A.
Encuadernación: F. Méndez

CONTENIDO

PRESENTACIÓN

La gramática progresiva del español ha sido pensada para estudiantes de español como lengua extranjera de niveles inicial e intermedio.

No es una gramática convencional, sino un ***método progresivo,*** *en el que los temas de gramática se ordenan y gradúan según la dificultad: desde lo más simple hasta lo más complejo.*

Se ha pretendido combinar el enfoque comunicativo con la exposición sencilla de las reglas de gramática cuando la descripción del uso permite prescindir de una explicación puramente gramatical. No se ha buscado tanto la exhaustividad como resaltar lo esencial.

Todas las reglas responden a la descripción del español estándar y están ejemplificadas con usos de la lengua. En su explicación se ha evitado la terminología demasiado técnica y se ha recurrido más al sentido y a la reflexión que a la argumentación estrictamente lingüística.

Se ha preferido presentar cada uno de los temas de gramática como si se tratara de un curso de español y, por ello, se han evitado muchas veces títulos que recuerdan las clasificaciones tradicionales.

La gramática progresiva del español es también una gramática de autoaprendizaje por etapas:

- *Porque en la página par presenta una exposición teórica que incluye:*
  - *oraciones sencillas que encabezan el tema e ilustran un uso representativo de la lengua;*
  - *reglas explicativas de dichos usos, seguidas de construcción, significado, uso...*
- *Porque en la página impar presenta la práctica correspondiente a dicha teoría:*
  - *con ejercicios prácticos en los que se profundiza en el aspecto o aspectos teóricos expuestos;*
  - *con una llamada que remite a la regla o uso en cuestión.*
- *Porque, al final del libro, el alumno cuenta con el solucionario de todos los ejercicios y unas tablas gramaticales resumen donde podrá consultar dudas o completar datos.*

La gramática progresiva del español es una gramática pedagógica:

- *Porque está concebida para facilitar el hallazgo, la comprensión y la adquisición.*
- *Porque cada tema prepara para comprender el siguiente.*
- *Porque los grandes temas han sido divididos en unidades menores independientes, para una mejor exposición teórica y aprovechamiento práctico.*

La ***gramática progresiva del español*** *puede ser utilizada como complemento de un método o para estudiar una dificultad concreta. También puede servir como guía de autoaprendizaje.*

Estas características: ***progresión, autoaprendizaje*** *y* ***práctica,*** *hacen de esta gramática un método siempre útil para el alumno y un recurso valioso para el profesor a la hora de afrontar temas gramaticales.*

1 LOS VERBOS *SER* Y *ESTAR* EN DIÁLOGOS BÁSICOS. USO DE LOS PRONOMBRES SUJETO

*Yo **soy** español.* *Tú **eres** estudiante.* *Ella **está** enferma.*

Normalmente, en el diálogo el verbo no va precedido de los pronombres sujeto, salvo cuando es necesario establecer una contraposición entre las personas que dialogan:

*—¿**Eres** (tú) María?*
*—No, **(yo) soy** Ana.*

*—¿**Eres** (tú) francesa?*
*—No, **(yo) soy** inglesa.*

A EL VERBO *ESTAR* SE UTILIZA:

1. Para saludar:

En un contexto informal:

*—Hola, ¿cómo **estás**?*
*—Yo **estoy** bien, ¿y tú?*

En un contexto formal:

*—Buenos días, ¿cómo **está** usted?*
—Yo, muy bien, ¿y usted?

2. Para indicar que nos encontramos en un lugar, o que estamos en compañía de alguien:

*Yo **estoy** en España solo y tú **estás** en París* con tu madre.

3. Para señalar el año, el día y el mes en que vivimos:

*—¿A cuántos **estamos** hoy?* *—Estamos a 12 de octubre.*
*—¿En qué mes **estamos**?* *—En octubre.*

4. Para expresar el precio de una cosa, la temperatura o distancia de algo:

*—¿A cómo **están** las patatas?* *—**Están a** tres ptas. el kilo.*
*—¿A qué temperatura **estamos**?* *—**Estamos a** cero grados.*
*—¿A qué distancia **está** Sevilla?* *—**Está a** 540 km de Madrid.*

5. Para indicar el estado pasajero de una persona o cosa:

*Las uvas **están** verdes.* *El tiempo **está** inestable.*
*Tu padre **está** constipado.* *Pablo **está** contento.*

6. Para expresar que una acción está transcurriendo, que se está haciendo algo en el presente, se utiliza *estar* (en presente) + gerundio:

*Juan **está trabajando**.* *Mi amiga **está durmiendo**.*
*Tú **estás esperándome**.* *Yo **estoy aprendiendo**.*

7. Para indicar una situación pasajera de algo o alguien, se utiliza *estar* + preposición *de* + nombre o adjetivo:

***Está** de novio.* ***Está** de jefe.* ***Está** de empleado.*
***Está** de broma.* ***Está** de paso.* ***Está** de maravilla.*
***Está** de buenas.* ***Está** de malas.* ***Está** de vacaciones.*

Completa los diálogos según lo expuesto en el punto A.1.:

1.	—Hola, María, ¿cómo ______ ?	—Yo ______ , ¿ ______ ?
2.	—Buenos días, ¿qué tal ______ usted?	—Bien y ¿usted?
3.	—Hola, Pablo, ¿qué tal ______ ?	—Bien, muy bien, ¿y tú?
4.	—Buenos días, don Juan, ¿cómo ______ usted?	— ______ ¿y tú?
5.	—Hola, María, ¿cómo ______ ?	—Bien, ¿y tú, qué tal ______ ?
6.	—Buenas tardes, ¿cómo ______ usted?	— ______ bien, gracias, ¿y ______ ?

Completa los diálogos según lo expuesto en el punto A.2.:

1.	—¿Dónde ______ la calle Mayor?	— ______ en esa dirección.
2.	—¿Qué ______ haciendo en Madrid?	—Yo ______ de vacaciones, ¿y tú?
3.	—Yo ______ trabajando.	—¿Dónde ______ viviendo?
4.	— ______ en un Colegio Mayor.	—Y, ¿dónde ______ el Colegio?
5.	— ______ en Avda. de La Moncloa.	—¿ ______ lejos, o cerca?

Completa los espacios con formas de *estar* (A.3.):

1.	—¿A cuántos ______ ?	— ______ a día 4 de mayo.
2.	—¿A qué día ______ ?	— ______ a martes.
3.	—¿A cómo ______ el kilo de uvas?	— ______ a 150 ptas.
4.	—¿A qué temperatura ______ ?	— ______ a 30 grados.
5.	—¿A qué hora ______ usted en casa?	— ______ a las doce.
6.	—¿A qué distancia ______ de Vigo?	— ______ a 620 km.

Pregunta para que tu pareja responda con *estar* (A.5.):

1.	—¿Los plátanos ______ verdes o maduros?	— ______ ______ .
2.	—¿Juan ______ durmiendo o trabajando?	— ______ ______ .
3.	—¿Tú ______ esperando o descansando?	— ______ ______ .
4.	—¿El tiempo ______ frío o templado?	— ______ ______ .
5.	—¿La sierra ______ nevada o soleada?	— ______ ______ .

Completa los espacios con *estar* (A.6.):

1.	—¿Juan ______ durmiendo?	—Sí, Juan ______ ______ .
2.	—¿María ______ estudiando?	—Sí, María ______ ______ .
3.	—¿El profesor ______ pensando?	—No, el profesor ______ leyendo.
4.	—¿El cartero ______ llegando?	—No, el cartero ______ enfermo.
5.	—¿ ______ lloviendo?	—Sí, ______ ______ .

Completa las expresiones idiomáticas con *estar* (A.7.):

1.	—¿ ______ de vacaciones?	—No, ______ de viaje.
2.	—¿ ______ de guardia hoy?	—Sí, ______ de guardia.
3.	—¿ ______ de buenas el profesor?	—No, hoy ______ de malas.
4.	—¿ ______ de conserje?	—Sí, ______ de conserje.
5.	—¿ ______ de compras?	—No, ______ de paseo.

B EL VERBO *SER* SE UTILIZA:

1. **Para identificar y nombrar personas:**

En un contexto informal:

—*¿Quién* ***eres****?*
—***Yo soy*** *una estudiante sueca.*

En un contexto formal:

—*¿Quién* **es** *usted?*
—*Yo* **soy** *la profesora.*

2. **Para identificar y nombrar cosas:**

—*¿Qué* **es** *eso?* —**Es** *un coche.*
—*¿De qué color* **es** *la tela?* —**Es** *verde.*

3. **Para describir la manera de ser de una persona, o las características de una cosa:**

—*¿Cómo* **es** *la torre Eiffel?* —**Es** *alta.*
—*¿Cómo* **es** *Dagmar?* —**Es** *inconstante.*
—*¿Cómo* **es** *el coche?* —**Es** *rojo.*

4. **Para informar sobre la profesión de una persona:**

—*¿Qué* **es** *tú hermano?* —**Es** *médico.*
—*¿Qué* **es** *tu novio?* —**Es** *ingeniero.*

5. **Para expresar el día de la semana, la fecha, el momento o la hora:**

Hoy **es** *lunes.*
Es *de noche.*
Es *día 2.*
Es *domingo.*
Es *temprano.*
Es *7 de julio.*
Es *de día.*
Es *tarde.*
Son las dos.

6. **Para indicar nacionalidad u origen:**

Nacionalidad:

Yo **soy** *japonés.*
Tú **eres** *alemán.*
Ellas **son** *rusas.*

Origen:

Nosotros **somos** *de El Japón.*
Vosotros **sois** *de Alemania.*
Ustedes **son** *de Rusia.*

7. **En locuciones del verbo *ser* con la preposición *de* + nombre:**

Es de *verdad.*
Es de *alivio.*
Es de *mentira.*
Es de *película.*
Es de *broma.*
Es de *pena.*

8. **Para identificar a las personas también se utilizan otros verbos, como, por ejemplo, *llamarse*:**

En un contexto informal:

—*Y tú, ¿cómo* **te llamas***?*
—**Me llamo** *Luis.*

En un contexto formal:

—*Y, ¿cómo* **se llama** *usted?*
—*Mi nombre es Juan.*

Completa los siguientes diálogos (B.1.):

Situación informal:

1. —¡Hola!, ¿cómo ______ ?
2. —Me ______ David.
3. —Y tú, ¿cómo ______ ?
4. —Me ______ Emma.
5. —Encantado.
6. — ______
7. —Hasta la vista.

Situación formal:

1. —¿ ______ usted el profesor?
2. —No, yo soy el director, David.
3. —Y usted, ¿quién ______ ?
4. — ______ la profesora de español.
5. — ______ gusto en conocerla.
6. —Mucho gusto, igualmente.
7. —Adiós.

Completa los espacios con *ser* o *estar* (A., B.):

1. —¿Qué ______ eso? — ______ un bolígrafo.
2. —¿Cómo ______ París? — ______ impresionante.
3. —¿Cómo ______ tu coche? — ______ azul.
4. —¿Cómo ______ la calle? — ______ muy ancha.
5. —Eso, ¿qué ______ ? — ______ un incendio.
6. —¿Cómo ______ tu país? — ______ muy bonito.

Completa los espacios con formas del verbo *ser* (B.4.):

1. —¿Qué ______ tu hermana? — ______ ingeniero de caminos.
2. —¿Qué día ______ hoy? — Hoy ______ lunes.
3. —¿Qué hora ______ ? — ______ las 9.30.
4. —¿Tú ______ rusa o finesa? — ______ finesa.
5. —¿ ______ usted española? — No, ______ argentina.
6. —¿De dónde ______ ? — ______ de Corea.

Haz el ejercicio según el modelo (B.6.):

Yo me llamo John. *Soy inglés, de Liverpool.*

Nombre	Nacionalidad	Ciudad de origen
John Ryan	Inglés	Liverpool
George Hagi	Rumano	Bucarest
Henri Duet	Francés	París
Herman Paul	Alemán	Trier
Kasi Omori	Japonés	Tokio
Mohamed	Tunecino	Túnez

Completa con *ser* o con *estar* (A., B.):

1. ¿Eso ______ de verdad?
2. ¿Juan ______ de broma?
3. Él mar ______ de maravilla.
4. La cosa ______ de risa.
5. La casa ______ de lujo.
6. Lo que dices ______ de mentira.
7. ¿Cómo ______ la enferma?
8. La respuesta ______ de cajón.
9. El ejercicio ______ de pena.
10. La joya ______ de buen gusto.

C SIGNIFICADOS DE *SER* Y *ESTAR* CON LAS PREPOSICIONES *EN* Y *DE*:

Pueden significar:

Origen:	*Yo **soy de** Estocolmo.*	
Modo:	*Esto **es en** broma.*	*Ella **está en** pie.*
Lugar:	*La fiesta **es en** el sexto.*	*Tú **estás en** la clase.*
Materia:	*El reloj **es de** oro.*	*El techo **está en** madera.*
Posesión:	*La casa **es de** ella.*	*La casa **está en** su poder.*
Tiempo:	***Es** la sesión **de** tarde.*	*El jefe **está de** noche.*

D *SER* Y *ESTAR* CON LOS PRONOMBRES SUJETO:

1. **Tú** se utiliza para el trato entre iguales, amigos o conocidos, en contextos familiares o en situaciones informales:

   ***Tú,** mamá, **eres** muy alta.*　　***Tú eres** mi compañero de clase.*

2. **Usted** se emplea para expresar respeto y cortesía en contextos formales, y con personas con las que no hay confianza:

   *¿**Es usted** el encargado?*　　*¿Cómo **está usted,** don Ramón?*

3. Las desinencias verbales sirven para señalar o referirse a cada una de las tres personas del singular o del plural: **-o (oy), -s, ø, -mos, -is, -n** y son comunes a todos los verbos:

   *S**oy** estudiante.*　　*Est**oy** en España.*
   *Jueg**o** al dominó.*　　*Viaja**mos** a León.*
   *Corre**s** un maratón.*　　*Iré**is** al Prado.*
   *Escribe **ø** una postal.*　　*Vive**n** en Madrid.*

4. Presente de los verbos **ser** y **estar** con pronombres sujeto:

Yo	soy	estoy	Nosotros/as	somos	estamos
Tú	eres	estás	Vosotros/as	sois	estáis
Él/ella/ello	es	está	Ellos/as	son	están

Los pronombres **yo** y **tú** señalan indistintamente personas masculinas o femeninas, que sólo el contexto permite distinguir:

***Yo** soy seri**o** (o seri**a**).*　　***Tú** eres rubi**o** (o rubi**a**).*

12 Completa con *ser* o *estar*, según el significado (C.):

1. ¿De dónde ______ ? — ______ de Estocolmo.
2. ¿La alumna ______ en casa? —No, ______ en clase.
3. ¿Dónde ______ la fiesta? — ______ en el tercero.
4. ¿Cómo ______ tu reloj? — ______ de plata.
5. ¿De quién ______ el coche? — ______ de mi hermana.

13 Responde a las preguntas según el modelo siguiente (D.):

—¿Eres americano o sueco? *—**Yo** soy american**o**.*
—¿Eres francesa o italiana? *—**Yo** soy frances**a**.*

1. —¿Eres española o portuguesa? —Yo ______.
2. —¿Eres de Berlín o de Frankfurt? —Yo ______.
3. —¿Eres alemana o austríaca? —Yo ______.
4. —¿Estáis fatigadas o descansadas? —Nosotras ______.
5. —¿Está usted contenta? —Yo ______.
6. —¿Están ustedes contentos? —Nosotros ______.

14 Utiliza los pronombres sujeto *tú* o *usted* con los verbos *ser* o *estar* (D.1., 2.):

1. —Buenos días, ¿ ______ ______ mi profesora de español?
2. —Hola, ¿ ______ ______ alemán?
3. —Luis, ______ ______ mi mejor amigo.
4. —Por favor, ______ ______ el director del curso?
5. —¿ ______ ______ contento/a en clase de español?

15 Identifica el sujeto de las siguientes formas verbales (D.3.):

Soy ciudadana norteamericana (ella).

1. —Soy estudiosa siempre. (______).
2. —Está paseando por la calle. (______ / ______).
3. —¿Eres americano? (______).
4. —Sois felices. (______ / ______).
5. —Estoy muy atento en clase. (______).
6. —Estamos en la lista. (______ / ______).

16 Completa las oraciones eligiendo la opción que concuerde con el verbo (D.4.):

1. —Yo soy ______. (americano/americana).
2. —Tú eres ______. (alemán/alemana).
3. —Tú eres ______. (japonés/japonesa).
4. — ______ es belga. (Marie/Paul).
5. — ______ es marroquí. (Hassan/Fatima).
6. — ______ somos belgas. (nosotros/nosotras).
7. — ______ sois españoles/as. (vosotros/vosotras).
8. — ______ son ingleses/as. (ellos/ellas).
9. — ______ son árabes. (los señores/as).

2 EL ADJETIVO (I): LA DESCRIPCIÓN

El adjetivo puede ser masculino o femenino, singular o plural, según el género y el número del nombre con el que se combine.

A MASCULINO Y FEMENINO:

*José es alt**o** y rubi**o**.* *María es alt**a** y rubi**a**.*
*Antonio es baj**o** y moren**o**.* *Luisa es baj**a** y moren**a**.*

1. **Los adjetivos de dos terminaciones:**

Los acabados en **o** o en **e** cambian dichas vocales por **a** para hacer el femenino:

-o → -a	*perro lind**o***	*perra lind**a***
-e → -a	*gato grandot**e***	*gata grandot**a***

Los acabados en consonante hacen el femenino añadiendo una **a**:

-l → -a	*niño españo**l***	*niña españo**la***
-n → -a	*joven burl**ón***	*joven burlon**a***
-r → -a	*hombre creado**r***	*mujer creador**a***
-s → -a	*coche franc**és***	*moto frances**a***
-z → -a	*cante andalu**z***	*casa andalu**za***

2. **Hay adjetivos de una sola terminación que no varían en femenino:**

Son los acabados en las vocales:

-a	*pueblo/aldea indígen**a***	-e	*vecino/vecina amabl**e***
-í	*campo/ciudad israel**í***	-ú	*templo/religión hind**ú***

Y los acabados en las consonantes:

-l	*hecho/hazaña idea**l***	*gesto/acción estér**il***
-n	*traje/falda marr**ón***	*cie**n** paquetes/botellas*
-r	*frío/luz lun**ar***	*piso/ciudad mej**or***
-s	*pantalón/chaqueta gri**s***	*sei**s** pollos/gallinas*
-z	*prado/tierra fera**z***	*hombre/mujer fel**iz***

17 Pon en femenino según el modelo (A.1., 2.):

Paolo es italiano. — *Mary es italiana.*

1. Franz es alemán. — Petra es ______.
2. Mi abuelo es español. — Tu abuela es ______.
3. Mi padre es inglés. — Tu madre es ______.
4. Mi hermano es rubio. — Tu hermana es ______.
5. Mi primo es alto. — Tu prima es ______.
6. Mi tío es cursi. — Tu tía es ______.
7. El niño está contento. — La niña está ______.
8. El profesor es elegante. — La profesora es ______.
9. Pablo es inteligente. — María es ______.
10. Marco es simpático. — Alicia es ______.

18 Pon en femenino según el modelo (A.1., 2.):

José es agradable y divertido. — *Loli es agradable y divertida.*

1. Raúl es fuerte y tímido. — Juana es ______.
2. El joven es cortés y amable. — La joven es ______.
3. El actor es alto y fuerte. — La actriz es ______.
4. El novio es moreno y delgado. — La novia es ______.
5. El camarero es rubio y bajo. — La camarera es ______.
6. El cocinero es gordo y feliz. — La cocinera es ______.
7. El niño es alegre y original. — La niña es ______.
8. El perro es bonito y valiente. — La perra es ______.
9. El gato es cariñoso y sensible. — La gata es ______.
10. El caballo es hermoso y dócil. — La yegua es ______.

19 Pon en femenino según el modelo (A.1., 2.):

Hace un día frío. — *Hace una noche fría.*

1. Tengo un pañuelo vienés. — Tengo una corbata ______.
2. Es un vino frío. — Es una cerveza ______.
3. Tenemos un zumo delicioso. — Tenemos una sangría ______.
4. Compré un traje azul. — Compré una camisa ______.
5. Fue un baile divertido. — Fue una fiesta ______.

20 Cambia el género de los adjetivos siguientes (A.1., 2.):

holgazán	*andaluza*	*alegre*	*débil*	*traidor*
cairota	*inglés*	*hindú*	*cortés*	*indígena*

holgazán	______	______	______
______	______	______	______
______	______	______	______

B SINGULAR Y PLURAL:

1. Los adjetivos cuya sílaba final átona termina en vocal añaden una *s* para formar el plural:

vocal + **s**	*un niño indígen**a***	*unos niños indígen**as***
	*el río grand**e***	*los ríos grand**es***
	*el niño san**o***	*los niños san**os***

2. Los adjetivos cuyas sílabas finales tónicas terminen en las vocales *í* o *ú* añaden *es*:

-í → -íes	*joven marroqu**í***	*jóvenes marroqu**íes***
-ú → -úes	*templo hind**ú***	*templos hind**úes***

3. Los adjetivos cuya última sílaba termine en consonante, sea tónica o átona, también añaden *-es*:

-l	*fáci**l***	*fácil**es***	*-s → es*	*gris*	*gris**es***
-n → es	*marró**n***	*marron**es***	*-z → es*	*veloz*	*veloc**es***
-r	*mejo**r***	*mejor**es***			

4. Observaciones:

Las palabras acabadas en **z** cambian dicha letra, en la lengua escrita,por una **c**:

*contuma**z** → contuma**c**es* *feli**z** → feli**c**es* *velo**z** → velo**c**es*
*andalu**z** → andalu**c**es* *fero**z** → fero**c**es* *capa**z** → capa**c**es*

Los adjetivos que presentan apócope de la sílaba final en singular, recuperan dicha sílaba para formar el plural:

***buen** hombre → buen**os** hombres* ***primer** piso → primer**os** pisos.*
***gran** amiga → grand**es** amigas* ***tercer** curso → tercer**os** cursos.*

Si se coordinan sustantivos de género distinto, el adjetivo común toma la terminación masculina:

*El le**ón** y la leon**a** están hambrient**os**.*
*La herman**a** y el prim**o** son list**os**.*

Si en dos oraciones coordinadas se afirma o se niega el adjetivo, podrá sustituirse por **también** o **tampoco,** respectivamente:

Juan es guapo y María (es guapa) ***también**.*
Juan no es guapo ni María (es guapa) ***tampoco**.*

21 Pon en plural según el modelo (B.1.):

	Marta es simpática.	*Marta y María son simpáticas.*
1.	Juan es alto y fuerte.	Juan y Pablo son ________ .
2.	Daniel es grande y altivo.	Daniel y Juan son ________ .
3.	Elena es rubia y delgada.	Elena y Cristina son ________ .
4.	Ahmed es marroquí.	Ahmed y Hasán son ________ .
5.	Indira es hindú.	Indira y Shamira son ________ .
6.	Alí es musulmán.	Alí y Fátima son ________ .
7.	Aurora es la mejor.	Aurora y Belén son ________ .
8.	Hiro es japonés.	Hiro y Omori son ________ .
9.	Javier es gentil.	Javier y Guillermo son ________ .
10.	El puma es veloz.	El puma y el leopardo son ________ .

22 Construye según el modelo (B.1., 2., 3.):

Manuel es inteligente y su mujer (es inteligente) → ***también***.

1. Berta es guapa y Nuria es guapa ________ .
2. Luis es rápido y Ángela es rápida ________ .
3. Alberto es madrugador y Silvia es madrugadora ________ .
4. Roberto es alegre y Carmen es alegre ________ .
5. Sara es israelí y Benjamín es israelí ________ .
6. El niño es muy llorón y la niña es muy llorona ________ .
7. Mi ejercicio es fácil y el tuyo es fácil ________ .
8. El hermano es hábil y la hermana es hábil ________ .

23 Construye según el modelo (B.4.):

Magda no está enferma y su amiga (no está enferma) → ***tampoco***.

1. Berta no es alta y Nuria no es alta ________ .
2. Luisa no es delgada y Ana no es delgada ________ .
3. Alonso no está nervioso y Sonia no está nerviosa ________ .
4. Ramón no está alegre y Carmen no está alegre ________ .
5. Ruth no es israelí y Rubén no es israelí ________ .
6. El juguete no es marrón y el papel no es marrón ________ .
7. La prueba no es difícil y la solución no es difícil ________ .
8. El sábado no es laborable y el domingo no es laborable ________ .
9. Los niños no están tristes y las niñas no están tristes ________ .
10. Lo bueno no es fácil y lo mejor no es fácil ________ .

C LA CONCORDANCIA DEL ADJETIVO CON EL PRONOMBRE:

—*¿Estás (tú) content**o-a**?*
—*¿Estamos (nosotros-as) preparad**os-as**?*
—*¿Están (ellos-as) dispuesto**s-as**?*
—*¿Están (ustedes) content**os-as**?*

El adjetivo varía según las personas señaladas por la referencia pronominal, que aquí indicamos entre paréntesis.

1. *Yo, tú* y *usted* (de cortesía):

Concuerdan en masculino o en femenino, según la referencia personal:

Yo **Tú** **Usted**	*soy list**a**.* *estás content**a**.* *parece buen**a**.*	**Yo** **Yo** **Usted**	*soy listo.* *estoy contento.* *parece bueno.*

—*¿Estás enferma?* (tú, Clara). —*Estás constipado* (tú, Pablo).

2. *Ustedes* concuerda también en masculino o femenino:

Ustedes	*parecen san**as**.*	**Ustedes**	*parecen san**os**.*

—*¿Está usted preparad**a**, señor**a**?*
—*¿Están usted**es** preparad**as**, señor**as**?*

3. El impersonal puede concordar en masculino o femenino, según el referente:

*Cuando **se** es buen**a**...* (femenino)
*Si **se** es just**a**...* femenino)
*Cuando **se** es mal**o**...* (masculino)
*Si **se** es justo...* (masculino)

4. *Se* es equivalente a *uno, -a*:

*Si **se** es humano...* *Si **se** es buena...*

Puede reemplazarse por ***uno, una***:

*Si **uno** es humano...* *Si **una** es buena...*

Pero en español coloquial tiende a usarse más el pronombre ***se***:

*Cuando **se** es joven, **se** es impaciente.*
*Cuando **se** practica el deporte, **se** gana salud.*

Pon las concordancias que faltan (C.1.):

1.	¿Estás list ___, Ana?	¿Estáis list ___, Ana y Julia?
2.	Juan y yo somos madrileñ ___.	Ella y tú, Ana, sois catalan ___.
3.	Uno se siente sol ___ a veces.	Una se siente muy cansad ___.
4.	Usted, Luz, es muy generos ___.	Ustedes, señores, son sabi ___.
5.	Usted, Juan, está desanimad ___.	Ustedes,señoras, están guap ___.
6.	Mi hermana y yo somos rubi ___.	Ellos y nosotras somos ingles ___.

Completa las oraciones con *ser* o *estar* y haz concordar los adjetivos correspondientes según el modelo (C.1.):

—¿Tú eres alemana, Dagmar? *—Sí, yo soy alemana.*
—Y vosotros, Juan y July, ¿sois alemanes también?

1. —¿Usted está casado, Antonio? —No, yo ________ soltero.
—Y ustedes, Marta y María, ¿están ________ también?
2. —¿Tú eres muy optimista, Carmen? —Yo ________.
—Y tú, Roberto, ¿eres ________ también?
3. —¿Estáis nerviosos por el examen? —Sí, ________.
—Y vosotras, Rosi y Neli, ¿estáis ________ también?
4. —¿Tú no eres inglés, Saúl? —No, yo ________ ceutí.
—Y vosotras, Ruth y Rebeca, ¿tampoco ________?
5. —¿Sois extranjeros, Juan y Luis? —No, ________.
—Y vosotras, Lucía y Luisa, ¿tampoco ________?

Según el modelo, atribuye a cada signo del zodíaco tres o cuatro adjetivos que puedas elegir entre los de esta lista (C.1., 2.):

tímido	dinámico	imaginativo	perezoso	romántico
misterioso	ambicioso	egoísta	pasivo	impaciente
agresivo	autoritario	discreto	generoso	independiente
inestable	cerebral	fiel	lento	frío
cálido	sensible	nervioso	tolerante	desordenado

Los hombres Capricornio son dinámicos y generosos, pero no son tolerantes.
Las mujeres Capricornio son dinámicas y generosas, pero no son tolerantes.
Los hombres y mujeres Capricornio son dinámicos y generosos, pero no son tolerantes.

Sustituye *se* por *uno/una* según proceda (C.4.):

1. Si **se** es imaginativa, pronto se encuentran soluciones.
2. Si **se** es impaciente, se cometen más errores.
3. Si **se** es perezoso, nunca se alcanzan las metas.
4. Si **se** es tolerante, la convivencia se hace más fácil.
5. Si **se** es discreta, se evitan los problemas.

3 LA INTERROGACIÓN SIMPLE Y LA NEGACIÓN (I)

—¿Estás estudiando en Madrid?
—No, estoy estudiando en Sevilla.

A ORDEN Y ESTRUCTURA DE LA INTERROGACIÓN:

1. **En el diálogo, la réplica negativa suele iniciarse con la negación y terminar con el sujeto: *no* + verbo + sujeto.**

   No vendrá Antonio. *Nunca llama Lucía.*

2. **La negación y la afirmación simples se coordinan como sigue:**

   La casa no está abierta y el museo, tampoco.
   Pablo es de Barcelona; yo, también.

   Los adverbios **también** o **tampoco** reproducen afirmativa o negativamente la estructura predicativa de la oración precedente:

   El profesor no es español; yo, tampoco.

3. **La pregunta simple, a la cual se responde *sí* o *no*, posee la estructura siguiente:**

   2 1 3
   verbo + sujeto + complemento

   No obstante, en la lengua oral el orden de los elementos puede variar casi libremente según las exigencias de tematización:

   1 2 3
   ¿Susana estará mañana?

   3 2 1
   ¿Aquí va a estar alguien?

   3 1 2
   ¿El viernes tus padres vienen?

   Se pronuncia con entonación ascendente:

   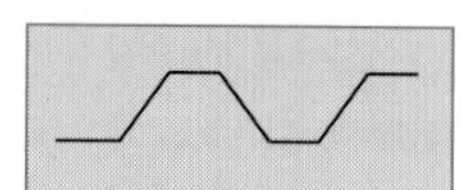

   ¿Ha venido Luisa? *¿Ha llegado tu amigo?*

   Puede formularse con el verbo seguido del sujeto, o sin él:

   ¿Estarás tú solo en casa? *¿Estarás (tú) solo en casa?*

4. **La pregunta simple negativa se forma anteponiendo el adverbio *no* a toda la estructura oracional:**

   ¿No ha subido tu padre el periódico? *¿No me has oído?*
   ¿No vendrá Luisa? *¿No sabe Luis la lección?*

   Para insistir en la confirmación de la sorpresa, también se recurre a estructuras del tipo:

   ¿Luisa no ha venido? *¿Ramón no es hijo tuyo?*

28 Responde negativamente según el modelo (A.1.):

—¿Estudias inglés? — *—No, yo no estudio inglés.*

1. —¿Es usted profesor de español? —No, ______.
2. —¿Vosotros estáis en Madrid? —No, ______.
3. —¿Están los alumnos en clase? —No, ______.
4. —¿Está la biblioteca abierta? —No, ______.
5. —¿Es difícil el ejercicio? —No, ______.
6. —¿Habla alemán la secretaria? —No, ______.
7. —¿Hacen ruido los vecinos? —No, ______.
8. —¿Está abierto hoy el museo? —No, ______.
9. —¿Está Mario en casa esta tarde? —No, ______.
10. —¿Está cerca el aeropuerto? —No, ______.

29 Responde con *yo también* o *yo tampoco*, según el modelo (A.2.):

—Yo no voy de excursión, ¿y tú? — *—Yo tampoco.*
—Yo estudio español, ¿y tú? — *—Yo también.*

1. —A mí me gusta la música, ¿y a ti? —______.
2. —Yo vivo en Madrid, ¿y tú? —______.
3. —Paula viene en coche, ¿y tú? —______.
4. —Tú vienes de turista, ¿y ella? —______.
5. —Nosotros vamos al examen, ¿y tú? —______.
6. —A mí no me gusta el cine, ¿y a ti? —______.
7. —A mí no me parece bueno, ¿y a ti? —______.
8. —Yo no soy española, ¿y tú? —______.
9. —Tú no estás contenta, ¿y él? —______.
10. —Pablo no viene a la fiesta, ¿y tú? —______.

30 Responde *sí* o *no* (A.3.):

1. ¿Estás con toda la familia? —______, sólo con mi mujer.
2. ¿Estarás en Madrid en Julio? —______, en París, con mis padres.
3. ¿Estás aquí aprendiendo español? —______, aprendiendo inglés.
4. ¿Estáis muy cansados de estudiar? —______, estamos muy cansados.
5. ¿Quieres ir al cine esta noche? —______, con mucho gusto.
6. ¿Puede decirme dónde está Correos? —______, lo siento; no soy de aquí.
7. ¿Es usted español? —______, soy belga.
8. ¿Estás libre el sábado? —______, sólo por la tarde.
9. ¿Te gusta el cine? —______, bastante.

31 Forma una pregunta simple a partir de la negación, según el modelo (A.4.):

Laura no va hoy a clase. — *¿No va hoy a clase Laura?*

1. Hoy no tenemos clase de español. —______.
2. No ha venido Luisa. —______.
3. Él no parece hijo tuyo. —______.
4. Todavía no es el día 10. —______.
5. Hoy no es martes. —______.

B EXPRESIÓN DE LA NEGACIÓN:

1. Para negar, el uso idiomático permite emplear diversas palabras:

Adverbios, pronombres y preposiciones negativos:

No salí de casa. *Jamás estuve allí.* *Nunca lo dije.*
Ninguno lo vio. *Nadie lo vio.* *Nada le interesa ya.*
Pasó la noche sin dolor. *Acabó la clase sin que se enterara.*

Locuciones que se tiñen de sentido negativo:

En mi vida lo he oído. *En parte alguna se puede ver.*
En absoluto estoy de acuerdo. *¡En modo alguno!*

2. Particularidades expresivas de la negación:

Dos o más negaciones combinadas refuerzan la negación:

No tengo nada. *No encontramos a nadie allí.*
Nunca pide nada a nadie. *Nunca jamás pide nada a nadie.*

Por regla general, *no* precede al verbo y puede ser reforzado por *nunca, jamás, nadie, en absoluto...*:

David no habla en clase. *María no sonríe.*
No habla en clase nunca. *No ha telefoneado nadie.*

Nadie, nada, ninguno, jamás, nunca, en posición preverbal excluyen el uso de *no* antes del verbo:

Nadie vio tal cosa. (No se puede decir **Nadie no vio tal cosa*).

3. Entre la negación y el verbo pueden interponerse otros elementos, como los pronombres átonos o complementos:

No se lo quiere decir. *No a todos agradó la película.*

La colocación de la negación puede modificar el sentido de la oración:

La gramática no puede aprenderse bien en la vejez.
La gramática puede no aprenderse bien en la vejez.

4. *Nada* y *nadie* pueden teñirse de sentido afirmativo:

¿Crees que no lo sabe nadie? (alguien lo sabe).
No creo que nada sea aprovechable (algo lo será).

5. A veces, el adverbio *no*, seguido de *sin* o de los prefijos negativos *des-, in-, a-,* equivale a una afirmación:

Lo hizo no sin mucho esfuerzo.
Lo hizo no desinteresadamente.

32 **Utiliza la negación que corresponda, según el modelo (B.1.):**

No salí de casa.	*Nunca salí de casa.*
Nunca jamás salí de casa.	*No salí de casa nunca.*
No salió de casa jamás.	*Jamás salió de casa.*

1. Los capricornios ______ son tolerantes.
2. Los capricornios ______ son tolerantes ______ .
3. ______ estuve en Roma ______ .
4. ______ estuve en Roma.
5. ______ le interesa ______ el asunto.
6. ______ le interesa ya del asunto.
7. ______ lo sabe todavía.
8. A él ______ lo vio ______ por allí.
9. A ella ______ la vio.
10. ______ saberlo nosotros, estuvo enferma.

33 **Rellena los huecos con las expresiones negativas que procedan (B.1.):**

En mi vida he visto cosa igual (nunca he visto cosa igual).

1. ______ estoy conforme.
2. No lo he visto ______ .
3. ______ lo he visto.
4. Me importa ______ .
5. No me importa ______ .
6. ¿Has dicho tú eso? —______ .
7. ¿Dónde se puede ver eso? —______ .
8. ¿Te importa mucho? —______ .
9. ¿Estás de acuerdo? —______ .
10. ¿Lo has oído alguna vez? —______ .

34 **Busca preguntas compatibles con las respuestas y viceversa, según el modelo (B.1., 2.):**

—¿Laura es italiana?	*—No, es española.*
—¿Hay excursión hoy?	*—Sí, hoy hay excursión.*

1. —¿______? —No, yo ______ soy deportista.
2. —¿______? —Nunca lo haré.
3. —¿______? —No, nadie sabe hablar español.
4. —¿______? —Jamás lo hemos visto.
5. —¿______? —No, estamos a 10 de julio.
6. —¿Alguien tiene examen hoy? —______ .
7. —¿Tiene alguien fuego? —______ .
8. —¿Está María enferma? —______ .
9. —Hace bueno, ¿te bañas? —______ .
10. —¿Hemos terminado la clase? —______ .

35 **Mueve la negación *no* en las oraciones siguientes, haciendo variar su sentido, conforme al modelo (B.3.):**

Jorge no puede venir.	*Jorge puede no venir.*

1. Estoy decidido a no votar.
2. Han dado permiso para que no os duchéis.
3. No espero que venga Enrique.
4. Han venido todos los que no estaban ayer.
5. El que no ha ganado el premio es Tomás.

4 EL NOMBRE Y EL ARTÍCULO (I)

Los nombres pueden ser masculinos o femeninos y van, generalmente, precedidos de un artículo determinado o indeterminado que indica el género al que pertenecen:

La Cibeles es el emblema de Madrid.

A MASCULINO Y FEMENINO:

1. En los nombres de *personas y animales*:

En los nombres de personas y de animales, el género se corresponde, en ocasiones, con el sexo:

un niño (masculino) — *una niña* (femenino)
un gato — *una gata*

El femenino de estos nombres se forma:

Cambiando la vocal final por **a**, si el nombre acaba en **o, ante, ente, ete** u **ote**:

carnicero → carnicera — *elefante → elefanta*
presidente → presidenta — *pobrete → pobreta*
hugonote → hugonota

Añadiendo una **a**, si el nombre termina en consonante:

profesor → profesora — *concejal → concejala*
león → leona — *capitán → capitana*

Excepción: *el/la joven* — *el/la mártir* — *el/la testigo.*

Estas reglas generales cuentan con numerosas excepciones:

alcalde → alcaldesa
héroe → heroína
sacerdote → sacerdotisa
diácono → diaconisa
abad → abadesa
barón → baronesa
zar → zarina
emperador → emperatriz
actor → actriz

2. En los nombres de cosas:

El género de los objetos y de los conceptos es arbitrario y se indica a través del artículo:

Un libro — *Una librería.* — *Un pueblo.* — *Una población.*
La noche. — *El coche.* — *El verano.* — *La belleza.*

36 Completa según el modelo (A.1.):

Un estudiante ruso y una estudiante rusa.

1. Un señor solo y ________.
2. Un hombre solitario y ________.
3. Un cantante griego y ________.
4. Un amigo deportista y ________.
5. Un niño guapo y ________.
6. Un gato negro y ________.
7. Un novio celoso y ________.
8. Un profesor exigente y ________.
9. Un policía malo y ________.
10. Un estudiante aplicado y ________.

37 Completa las oraciones según el modelo (A.1.):

Frank es un actor famoso.	*María es una actriz famosa.*
1. Gabriel es un escritor peruano.	Isabel ________.
2. Andrés es un cantante japonés.	Teresa ________.
3. Carlos es un corredor español.	Mónica ________.
4. Ko es un doctor coreano.	Chen ________.
5. El padre es mayor.	La madre ________.
6. Jaime es el emperador.	María ________.
7. Luis es el yerno.	Angelines ________.
8. Paolo es italiano.	Mónica ________.
9. John es inglés.	Jane ________.
10. Klaus es sueco.	Dagmar ________.

38 Pon el texto en femenino según el modelo (A.1.):

Un hijo estudiante.	*Yo tengo una hija estudiante.*
1. Un marido ausente.	________.
2. Un abuelo encantador.	________.
3. Un gato cariñoso.	________.
4. Un primo inglés.	________.
5. Un nieto ceutí.	________.
6. Un perro vegetariano.	________.
7. Un tío alemán.	________.
8. Un vecino andaluz.	________.
9. Un compañero hindú.	________.
10. Un huésped iraní.	________.

39 Completa las oraciones siguientes (A.1.):

1. Julio es un cantante español famoso.	Ana Belén ________.
2. Steffi Graf es una tenista alemana.	Boris Becker ________.
3. González es un ex presidente español.	Helmut Kohl ________.
4. Picasso es un pintor moderno.	Velázquez ________.
5. Raúl es un futbolista imaginativo.	Ronaldo ________.

3. **Las terminaciones también pueden servir para conocer el género:**

Terminación	Género	Ejemplos	Excepciones
-a	masculino femenino	*clima, esquema, magma, lema...* *arena, concha, espuma, gloria...*	
-e	masculino femenino	*buque, diente, estoque, yate ..* *especie, nave, sangre...*	
-i, -í	masculino	*bisturí, rubí, tahalí, taxi...*	*metrópoli*
-o	masculino femenino	*dedo, foco, labio, ruido...* *foto, mano, moto, radio...*	
-u, -ú	masculino	*espíritu, menú...*	*tribu*
-d	masculino femenino	*abad, césped, adalid, ataúd...* *bondad, caridad, juventud, lid...*	
-j	masculino	*boj, carcaj, reloj...*	*troj*
-l	masculino femenino	*abedul, árbol, atril, panel...* *cal, cárcel, miel, piel, señal...*	
-m	masculino	*álbum, currículum, quórum...*	
-n	masculino femenino	*almacén, avión, bastón, pan...* *lección, región, solución...*	
-r	masculino femenino	*collar, mar, olor, rumor...* *flor, labor, mar...*	
-s	masculino femenino	*anís, lunes, mes, mus...* *bilis, caries, génesis...*	
-t	masculino	*accésit, cénit, plácet...*	
-x	masculino	*clímax, fax, ónix...*	
-z	masculino femenino	*cariz, doblez, matiz, pez, arroz...* *cruz, faz, hoz, paz, vez, luz...*	

4. **Asimismo, hay terminaciones (morfemas de derivación) que implican un género fijo:**

-cia (femenino):	*astucia, falacia, gracia, peripecia...*
-ancia (masculino):	*elegancia, ganancia, importancia...*
-encia (femenino):	*presencia, confluencia, vivencia...*
-anza (femenino):	*alabanza, bonanza, esperanza, tardanza...*
-eza (femenino):	*aspereza, flaqueza, riqueza, vileza...*
-ura (femenino):	*armadura, hondura, locura, tortura...*
-ema (masculino):	*dilema, tema, esquema, anatema, teorema...*
-ie (femenino):	*efigie, planicie, calvicie, serie...*
-umbre (femenino):	*pesadumbre, muchedumbre, mansedumbre...*
-miento (masculino):	*abatimiento, pensamiento, sentimiento...*
-ismo (masculino):	*aperturismo, deísmo, fidelismo, realismo...*
-dad (femenino):	*bondad, crueldad, maldad, frialdad...*
-edad (femenino):	*sobriedad, brevedad, gravedad, necedad...*
-idad (femenino):	*habilidad, posibilidad, sinceridad...*
-tud (femenino):	*acritud, gratitud, similitud, virtud...*
-ción (femenino):	*aflicción, explicación lección, solución...*
-sión (femenino):	*alusión, decisión, fusión, tensión...*
-sis (femenino):	*tesis, hipótesis, síntesis, crisis...*

Completa con *un* o con *una*, según el modelo (A.2.):

Una *exposición nacional.* ***Un*** *acontecimiento histórico.*

1. ___ caja de plata
2. ___ moto grande
3. ___ paz duradera
4. ___ diploma personal
5. ___ lunes terrible
6. ___ lección sencilla
7. ___ árbol verde
8. ___ dolor intenso
9. ___ menú bueno
10. ___ desliz grande
11. ___ mano fina
12. ___ coche rojo
13. ___ viaje interesante
14. ___ problema difícil
15. ___ juventud ideal
16. ___ mes largo
17. ___ orden necesario
18. ___ sal mineral
19. ___ flor olorosa
20. ___ tribu desconocida
21. ___ cruz dolorosa
22. ___ vino bueno

Completa con *un* o *una*, según el modelo (A.2.):

un *niño* ***una*** *niña*

___ casa	___ traje	___ rubí	___ menú	___ vestido
___ coche	___ bisturí	___ libro	___ ropa	___ clima
___ metrópoli	___ abanico	___ río	___ tasa	___ pase
___ foto	___ sombra	___ idioma	___ nieve	___ moto
___ alfombra	___ mapa	___ base	___ radio	___ tribu
___ pluma	___ llave	___ ría	___ espíritu	___ camis

Completa con *el* o con *la*, según el modelo (A.2.):

el *día* ***la*** *clase*

___ salud	___ césped	___ debilidad	___ paz	___ unidad
___ reloj	___ sol	___ señal	___ piel	___ nieve
___ miel	___ panel	___ cárcel	___ régimen	___ sesión
___ avión	___ solución	___ revolución	___ unión	___ mes
___ labor	___ rumor	___ sabor	___ dolor	___ tos

Completa con *el* o con *la*, según el modelo (A.3.):

El *pan está sobre* ***la*** *mesa*

1. ___ disquete está en ___ ordenador.
2. ___ libro está abierto por ___ página 3.
3. ___ solución se encuentra a ___ final del libro.
4. En ___ alimentación debe buscarse ___ equilibrio.
5. ___ habitación está en ___ planta de arriba.
6. Para ___ centro de ___ ciudad tomas ___ autobús 3.
7. En ___ calle encontrarás ___ taxi que necesitas.
8. En ___ plano busca ___ dirección del museo.
9. ___ día 15 es ___ fecha señalada para ___ examen.
10. Con ___ virtud de la constancia se logra ___ meta.

5. En los nombres compuestos:

Si el nombre compuesto designa una **persona**, será masculino o femenino según el sexo de esta persona, lo cual queda indicado por el artículo correspondiente:

el/la/los/las guardabosques	*el/la/los/las lavacoches*
el/la/los/las antepasado(s),a(s)	*el/la/los/las sacamuelas*
el/la/los/las picapleitos	*el/la/los/las buscavidas*
el/la/los/las rompecorazones	*el/la/los/las trotamundos*

Cuando el nombre compuesto designa una cosa, la identificación es más compleja. Se pueden dar los casos siguientes:

Que el compuesto esté formado por un **verbo** y un **nombre**; entonces predomina, por lo general, el género masculino:

el sacacorchos	*el cortacésped*	*el quitasol*
el cortauñas	*el rompeolas*	*el rompecabezas*
el tirachinas	*el guardameta*	*el guardaespaldas*
el guardarropa	*el tapacubos*	*el sacapuntas*
el cuentagotas	*el abrelatas*	*el rascacielos*

Que el compuesto esté formado por dos **nombres**; en este caso toma el género del nombre que posee más carga semántica:

la casacuartel	*el radiocassette*	*el puntapié*
el cochecama	*la vídeocinta*	*el barcoescuela*

Que el nombre esté formado por dos **verbos;** en este caso se le asigna el género masculino:

el vaivén	*el correveidile*	*el quitapón*
el duermevela	*el hazmerreír*	*el pierdegana*

Que esté formado por un **nombre** y una palabra invariable; en este caso suele mantenerse el género del nombre:

la contraseña	*el autoservicio*	*el antebrazo*
la fueraborda	*la sobrecubierta*	*la antesala*
el supermercado	*el entretiempo*	*las entretelas*

44 Completa con *el/la* (A.4.):

____ gracia
____ alabanza
____ aislamiento
____ decrepitud
____ abundancia
____ clemencia
____ suavidad
____ prevención
____ problema
____ franqueza
____ soledad
____ crisis
____ diadema
____ llanura
____ asiduidad
____ podredumbre

45 Completa con *un* o con *una* (A.5., 6.):

____ sacacorchos
____ mediodía
____ bocamanga
____ quebrantahuesos
____ medianoche
____ tirachinas
____ quitamanchas
____ rompeolas
____ limpiabotas
____ sacapuntas
____ autoservicio
____ cortafuegos
____ vanagloria
____ casacuna
____ abrelatas

46 Completa con *el* o con *la* (A.5., 6.):

____ altavoz
____ artimaña
____ guardameta
____ sacapuntas
____ correveidile
____ bocacalle
____ cortaúñas
____ guardaespaldas
____ contraluz
____ antebrazo
____ medianoche
____ rompecabezas
____ guardarropa
____ fueraborda
____ destripaterrones

47 Completa con *el* o con *los*, según corresponda (A.5., 6.):

1. ____ rascacielos son edificios muy altos.
2. ____ cuentagotas se utiliza para medir las dosis de medicina.
3. ____ rompeolas son útiles en las grandes tempestades.
4. ____ picapleitos son personas miserables.
5. ____ rompecorazones es una especie de donjuán.
6. Mi amigo utiliza mucho ____ sacapuntas.
7. A veces ____ guardaespaldas pierden la tranquilidad.
8. Siempre que utilizo ____ cortaúñas, lo pierdo.
9. Nunca utilizo ____ guardarropa en las discotecas.
10. En los restaurantes son útiles ____ quitamanchas.

6. En los nombres genéricos:

Hay nombres —unos cuantos con raíces diferentes (heterónimos)— en los que se utiliza la forma masculina del plural para designar a los individuos de ambos sexos:

el rey	*la reina*	*los reyes (el rey y la reina)*
el señor	*la señora*	*los señores*
el conde	*la condesa*	*los condes*
el infante	*la infanta*	*los infantes*
el padre	*la madre*	*los padres*
el padrino	*la madrina*	*los padrinos*
el suegro	*la suegra*	*los suegros*
el yerno	*la nuera*	*los yernos*
el esposo	*la esposa*	*los esposos*

En los denominativos **señor, señora** o s**eñorito, señorita,** también se recurre al masculino plural para indicar ambos géneros, y se les antepone el artículo:

Los señores Sánchez *Los señores de González*

Conviene advertir, aunque sea de paso, que este artículo no se antepone a los títulos de tratamiento:

Señor Sánchez *Señora de González* *Señorita López*

Nombres cuyo género sólo se conoce por el uso.

Son masculinos los nombres:

— De montes: *el Himalaya, los Alpes, los Andes, el Pirineo.*
— De ríos y lagos: *el Guadalquivir, el Ebro, el Támesis, el Rin, el Como, el Victoria, el Ness...*
— De mares y océanos: *el Pacífico, el Adriático, el Atlántico.*
— De años, meses y días: *el 1947, el 1968, el 2000; el enero, el febrero..., el lunes, el martes...*
— De centros comerciales: *el Hipercor, El Corte Inglés.*

Son femeninos los nombres:

— De las letras del alfabeto: *la a, la be, la ce...*
— De los frutos de algunos árboles: *la manzana, la pera, la naranja...*
— De empresas y organismos: *la OTAN, la ONU, la VW, la Audi.*

Nombres que cambian de significado según el artículo masculino o femenino que les preceda.

Hay una serie de nombres con forma única, pero con significado distinto según vayan precedidos por un artículo masculino o femenino:

arte, batería, capital, clave, cometa, frente, guía, guardia,
margen, orden, parte, pez, radio...

Completa según el modelo (A.6.):

	El Rey y la Reina estuvieron allí.	*Los Reyes estuvieron allí.*
1.	El señor y la señora de Blas vinieron.	Los ______ .
2.	Nos recibieron el conde y la condesa.	Nos ______ .
3.	El infante y la infanta nos saludaron.	Los ______ .
4.	Me presentaron al padre y a la madre.	Me ______ .
5.	El padrino y la madrina estaban nerviosos.	Los ______ .
6.	No vinieron el suegro ni la suegra.	No ______ .
7.	Estaban el yerno y la nuera.	Estaban ______ .
8.	El marido y la mujer venían hablando.	Los ______ .
9.	El niño y la niña se divirtieron.	Los ______ .
10.	María jugó con el primo y la prima.	María ______ .

Completa los espacios con *el* o *la* (A.6.):

1. Por Sevilla pasa ______ Guadalquivir.
2. ______ Alpes tienen paisajes fantásticos.
3. ______ Mediterráneo es un mar tranquilo.
4. ______ **b** es la segunda letra del alfabeto.
5. ______ Pacífico es el océano más grande.
6. ______ parra nos da la mejor sombra en verano.
7. Este año tuvimos ______ agosto más caluroso del siglo.
8. Me gusta probar ______ naranja.
9. ______ ONU es una organización internacional.
10. ______ Mercedes fabrica buenos coches.

Completa los huecos con las palabras siguientes (A.6.):

Ness	*Támesis*	*Atlántico*	*Himalaya*	*2000*	*lunes*
olivo	*manzana*	*El Corte Inglés*	*Amazonas*	*Rin*	*a*

1. El ______ pasa por Londres.
2. En el ______ se oculta un monstruo, según dicen.
3. En el ______ está el techo del mundo.
4. Los huracanes más devastadores se forman en el ______ .
5. Pasa el tiempo y faltan menos de cien días para el ______ .
6. Relaciona el ______ con la paloma mensajera de la paz.
7. El peor día de la semana para el trabajador es el ______ .
8. La primera letra del alfabeto es la ______ .
9. El fruto del manzano es la ______ .
10. Un gran centro comercial es ______ .
11. Por Alemania pasa el río europeo más caudaloso. Es el ______ .
12. El ______ es el río más largo del mundo.

Completa los espacios con la forma adecuada (A.6.):

1. Todavía no hemos oído ______ (el/la) parte.
2. No encontré ______ (un/una) guía que me enseñara el museo.
3. Tenemos reunión, pero falta ______ (el/la) orden del día.
4. En el cruce no hemos visto ______ (el/la) guardia de tráfico.
5. Juan no heredó ______ (el/la) capital.
6. Quiero escuchar ______ (el/la) parte final del concierto.
7. Encontrarás mi número en ______ (el/la) guía.
8. Colóquense por ______ (el/la) orden que se les indique.
9. Las tropas han tomado ______ (el/la) capital.

5 EL NOMBRE Y EL ARTÍCULO (II)

El nombre, salvo contados casos, siempre ha de ir precedido de un artículo o de un determinante.

__La__ ciudad y __el__ campo son __dos__ realidades distintas.

B FORMAS:

Artículos	singular		plural		
	masculino	femenino	masculino	femenino	neutro
Determinado	*el*	*la*	*los*	*las*	*lo*
Indeterminado	*un*	*una*	*unos*	*unas*	

El artículo determinado sirve para identificar personas o cosas, previamente introducidas en la esfera de los hablantes:

__la__ clase *__la__ plaza* *__el__ colegio* *__el__ coche*

El artículo indeterminado sirve para designar cosas o personas e introducirlas en la esfera de los hablantes:

Apareció __un__ mendigo que pedía limosna.

Un/una expresan también la unidad:

Sólo tengo __un__ hijo. *Déme __una__ docena de huevos.*
Había __un__ millar de personas. *Lleva aquí __una__ semana.*

El artículo neutro se utiliza con adjetivos o formas equivalentes para reproducir la referencia nominal:

__Lo__ bueno, si breve, dos veces bueno.

1. Los artículos contractos *(al/del).*

La contracción se da sólo entre el artículo **el** y las preposiciones **a** o **de**:

Fue a casa __del__ (de + el) profesor.
Recibió __al__ (a + el) estudiante.

2. Usos especiales de *el/un.*

Se utiliza **el** en lugar de **la**, o **un** en vez de **una**, ante nombres femeninos que empiezan por **a** o **ha** tónicas:

singular: ***el** aula* ***las** aulas* ***el** águila* ***las** águilas*
plural: ***el** agua* ***las** aguas* ***el** alma* ***las** almas*

Completa con un artículo determinado o indeterminado (A.):

1. ______ Gran Vía es ______ calle más conocida de Madrid.
2. En ______ paseo del Prado está ______ museo del mismo nombre.
3. ______ vino, bebido con moderación, es bueno para ______ salud.
4. ______ hombres y ______ mujeres son ______ seres más complejos.
5. ______ tolerancia es ______ cualidad muy rara.
6. ______ primavera es ______ estación de ______ flores y ______ amor.
7. ______ buen libro es ______ mejor amigo del hombre.
8. ______ vida es breve y ______ arte, largo.
9. ______ coche es imprescindible en ______ civilización de consumo.
10. ______ día y ______ noche se suceden sin darnos cuenta.

Completa con un artículo determinado o indeterminado, según proceda (A.):

1. ______ invención de ______ imprenta revolucionó ______ mundo.
2. En Madrid, ______ aparcamiento es ______ problema permanente.
3. Esta noche, en ______ televisión reponen ______ buena película.
4. ¿Quién es ______ autor de ______ novela *Don Quijote de la Mancha?*
5. ¿Hay en Madrid ______ periódico denominado *El País?*
6. ______ amistad y ______ amor son ______ sentimientos muy fuertes.
7. Hay ______ calle en Madrid donde ______ enamorados se desengañan.
8. ______ perro es ______ mejor amigo del hombre.
9. ¿Puedes darme ______ cigarrillo, por favor?
10. Más vale ______ *te doy*, que dos *te daré*.

Sustituye la preposición y el artículo, cuando sea posible, por la forma contracta correspondiente (A.1.):

1. Mañana vamos a El Escorial. ______________________.
2. Iré a trabajar a el periódico *El Mundo*. ______________________.
3. Nos despedimos de el amigo de el verano. ______________________.
4. Pensamos no salir en todo el día de El Prado. ______________________.
5. Se hace camino a el andar. ______________________.
6. El horario de el curso es agotador. ______________________.
7. Lo sabré a el final de la semana. ______________________.
8. Nos vemos cerca de el parque de El Retiro. ______________________.
9. A el final de el verano volvemos a el campo. ______________________.
10. Con el calor de el fuego sudamos. ______________________.

Completa con los artículos que faltan (A.2.):

______ mejor de todo fue que estábamos en ______ aula y entró ______ águila negra, que asustó mucho a todos. Su vuelo con ______ ala izquierda herida recordaba ______ imagen de ______ alma en pena. Curamos un poco ______ heridas que tenía y la devolvimos a ______ naturaleza.

C USOS DEL ARTÍCULO:

1. Con nombres propios:

Los nombres propios de personas, los de naciones y los de ciudades no llevan ordinariamente artículo:

Luis, Juan, Francia, Alemania, Madrid, París.

Algunos incluyen el artículo en la propia denominación:

***El** Perú, **La** Coruña, **Los** Ángeles, **El** Japón.*
***Las** Palmas es la ciudad de la luz.*

Los nombres propios sólo llevan artículo cuando van acompañados de un adjetivo o de un complemento:

***El** río Ebro, **la** España de la Edad Media, **la** Rusia actual.*

2. Con los nombres comunes contables:

El artículo indeterminado introduce por primera vez la referencia significativa dentro de la esfera de los hablantes:

*Leí **un** libro. Saludé a **un** amigo. Llega **un** profesor.*

El artículo determinado identifica la referencia significativa real, previamente presentada:

*Leí **el** libro. Saludé **al** amigo. Llega **el** profesor.*

Fuera de contexto, aporta un valor de generalización:

*El libro es **el** mejor amigo **del** hombre.*

La ausencia de artículo permite expresar el valor genérico o de la especie:

Dejé (la) mujer e (y los) hijos por seguiros a vos, señor.

3. Con nombres comunes incontables:

Suele utilizarse el artículo determinado, que indica la totalidad de la sustancia significativa:

*Se ha acabado **el** vino. Va a subir **el** azúcar.*

Sin artículo, se expresa una porción de la sustancia significativa, que puede ser precisada por signos partitivos:

*Dame **ø** vino. Sírvales **ø** agua. Quiero **ø** café.*

Con la ausencia de artículos, se puede también indicar la referencia genérica:

*Quería **ø** vino y no **ø** agua.*

Completa con artículos determinados e indeterminados (B.1.):

Hemos llegado a Madrid y visitamos _____ monumentos y _____ museos más importantes. De _____ ciudad, lo que más nos llamó _____ atención fue _____ recorrido que hicimos por _____ Madrid de los Austrias. Estas calles son únicas y no son comparables a _____ de París, o de Londres, o de _____ Habana, o de _____ Ángeles, en California. En _____ meses de enero y de febrero es cuando hace en Madrid más frío, porque _____ nieve se presenta en _____ Sierra, no nos abandona hasta entrada _____ primavera y, a veces, llega hasta _____ verano. _____ Sierra nevada a _____ lejos es _____ estampa típica de _____ Madrid actual.

Completa con los artículos determinados cuando sea necesario (B.1., 2.):

1. Me encantan _____ cruceros por _____ Mediterráneo.
2. _____ montañeros iniciaron _____ ascensión _____ Aconcagua.
3. _____ Ferrol no queda lejos de _____ Coruña.
4. _____ Alemania y _____ Francia son países muy poderosos.
5. _____ Cairo es la capital de Egipto.
6. —¿Que desea beber? —_____ agua y _____ café.
7. Por _____ mañanas sólo tomo _____ leche y _____ Colacao.
8. —¿Qué acostumbras a tomar en la discoteca? —Sólo _____ Coca-cola.
9. ¿Te gustaría comer _____ paella _____ domingo?
10. ¿Y no quieres probar _____ tortilla española?

Elige la forma verbal que concuerde con los nombres propios precedidos de artículo (B.1.):

1. Los Ángeles es/son una ciudad llena de contrastes.
2. Los Pirineos es/son montes muy altos.
3. Me encanta/encantan Las Palmas.
4. Los Andes es/son una enorme cadena montañosa.
5. Las Canarias es/son unas islas cálidas y tranquilas.
6. Las Antillas es/son un conjunto de islas.
7. Las Baleares es/son islas españolas en el Mediterráneo.
8. Los Rodeos es/son el aeropuerto de Tenerife.
9. Los Alpes austríacos es/son lugar de vacaciones.
10. Las Islas Vírgenes es/son un archipiélago.

Completa los espacios con al artículo que proceda (B.1., 2., 3.):

1. Vamos a visitar en Madrid _____ museo de _____ Prado.
2. He recibido _____ carta urgente.
3. Pídeme _____ café con _____ leche.
4. No quiero comprar _____ coche, sino _____ moto.
5. No tengo _____ piso, sino _____ apartamento.
6. Beber _____ agua es siempre saludable.
7. _____ vino alegra el corazón de _____ hombre.
8. Nos dieron a probar _____ vino Rioja muy bueno.
9. Ha llamado _____ señor que preguntaba por ti.

4. Con los nombres abstractos:

El artículo determinado sirve para identificar la totalidad de la extensión significativa:

Conviene decir siempre ***la*** *verdad.*

La ausencia de artículo ante un nombre abstracto permite entenderlo como nombre genérico o de clase:

Cree que logrará **ø** *éxito provocando* **ø** *envidia.*

El artículo indeterminado convierte un nombre abstracto en concreto:

Tiene ***una*** *sinceridad que le va a dar* ***un*** *disgusto.*

5. Con nombres colectivos:

Suele utilizarse el artículo determinado, como en el caso de los nombres abstractos:

El *ejército,* ***la*** *docena,* ***el*** *bosque,* ***la*** *colmena.*

El artículo indeterminado puede expresar la unidad o una colectividad indefinida:

España tiene ***un*** *ejército profesional.*
En el bosque hay ***una*** *colmena.*

La referencia colectiva del singular subsiste en plural:

El ejército *lucha →* ***Los ejércitos*** *luchan.*

6. Los nombres de los días de la semana y los de las estaciones del año se utilizan normalmente con el artículo determinado:

el *lunes,* ***el*** *martes...;* ***el*** *otoño,* ***el*** *invierno...*

Cuando estos nombres se utilizan sin artículo, remiten a la referencia genérica, no concreta:

¡Vaya ***ø lunes****!* *Por fin es* ***ø sábado****.*
En ***primavera*** *todo renace.* *Nunca viaja en* ***invierno****.*

Los nombres de meses suelen utilizarse sin artículo:

No estaremos hasta ***mayo****.* *En* ***febrero*** *busca la sombra el perro.*

Se usan con artículo si van seguidos de un adjetivo o complemento:

Ha sido ***el*** *enero* ***más frío*** *del siglo.*
Vamos a tener ***un*** *marzo* ***lluvioso****.*

Completa los espacios con el artículo que proceda (B.4.):

1. ____ libertad es un tesoro muy apreciado.
2. El sabio busca siempre ____ verdad.
3. Hay momentos en que ____ responsabilidad abruma.
4. El estudio aumenta ____ sabiduría.
5. ____ multitudes me agobian.
6. ____ rosaleda está florida.
7. ____ profesorado está descontento.
8. En ____ colmena hay zánganos y una sola reina.
9. España sólo debería tener ____ ejército.
10. No hay más que ____ verdad: ____ pura verdad.

Completa los espacios con artículos (B.4., 5.):

1. A decir ____ verdad, no me di cuenta de lo que decías.
2. ____ verdad te hará libre.
3. A ____ libertad se llega por ____ ejercicio de ____ responsabilidad.
4. Lo que cuentas me produce ____ lástima y ____ compasión.
5. Los filósofos antiguos alabaron ____ amistad.
6. Dime con quién tienes ____ amistad y te diré quién eres.
7. El rumor de ____ bosque no es como el rumor de ____ bosques.
8. Machado cantó a ____ arboledas de los campos de Soria.
9. En la playa hay ____ arena y ____ arenales.
10. Cuando ves ____ pinar, parece que has visto todos ____ pinares.

Completa los espacios con los artículos que procedan (B.6.):

1. ____ jóvenes solemos salir ____ viernes y ____ sábados por ____ la noche.
2. En ____ invierno, ____ noches son más largas.
3. Algunas personas temen ____ martes y trece.
4. Me reúno con mis amigos en ____ verano en ____ playa.
5. En ____ mayo nos iremos y no volveremos hasta ____ mes de julio.
6. Tengo que comprarme ____ gafas.
7. Las lechuzas tienen ____ ojos impresionantes.
8. ¡Vaya ____ mes que llevamos!
9. Hemos pasado ____ mes más caluroso del año.
10. No empezaremos las clases hasta ____ octubre.

Busca la diferencia de significado que hay entre las expresiones siguientes e indica en qué contextos pueden ser utilizadas:

1. Tengo coche / tengo un coche / tengo el coche.
2. Llevaba alfiler de corbata / llevaba un alfiler de corbata.
3. Compró una docena de libros / compró la docena de libros.
4. Dijo verdad / dijo la verdad / dijo una verdad.
5. Quiero café / quiero el café / quiero un café.

6 EL NÚMERO DE LOS NOMBRES

A FORMACIÓN DEL PLURAL:

El plural de los nombres se forma de manera similar al de los adjetivos:

singular:	**plural:**
Un estudiante japonés.	*Unos estudiant**es** japones**es**.*

1. Añaden una *s* a la forma del singular:

Los nombres terminados en vocal no acentuada:

*cam**a** → cam**as*** *llav**e** → llav**es*** *safar**i** → safar**is***
*cant**o** → cant**os*** *trib**u** → trib**us***

Los terminados en **é** u **ó** tónicas o acentuadas:

*caf**é** → caf**és*** *canap**é** → canap**és***
*domin**ó** → domin**ós*** *compl**ó** → compl**ós***

2. Añaden *es* a la forma del singular los nombres acabados:

En las consonantes finales (**d, j, l, n, r, z**):

huésped → huéspedes *reloj → relojes* *portal → portales*
rehén → rehenes *manjar → manjares* *lápiz → lápices*

En **z**, cambian ésta por **c**:

vez → veces *luz → luces* *arroz → arroces*

En las sílabas agudas finales (**ás, és, ís, ós, ús**):

compás → compases *revés → reveses* *país → países*
adiós → adioses *patatús → patatuses*

En las vocales finales agudas:

bajá → bajaes *zahorí → zahoríes* *rondó → rondoes* *tabú → tabúes*

(Se exceptúan **mamá, papá** y **sofá**, que hacen **mamás, papás** y **sofás**; **menú** y **champú**, que hacen **menús** y **champús**.)

3. Permanecen invariables en plural los nombres:

No agudos de dos o más sílabas acabados en **as, es, is, os, us, ax, ps**:

*el/los atl**as*** *el/los lun**es** (mart**es**...)* *la/las cari**es***
*el/las cris**is*** *el/los cosm**os*** *el/los cortapur**os***
*el/los vir**us*** *el/los antr**ax*** *el/los fórce**ps***

4. Vacilan entre *es* o *s* los monosílabos y los polisílabos agudos acabados en a*y, ey, oy, uay, uey*:

ay** → ay**es *l**ey** → ley**es*** *bu**ey** → buey**es*** *paip**ay** → paip**áis***

64 **Pon los nombres y los adjetivos en plural (A.1.):**

1. Una casa blanca. .
2. Un parque verde. .
3. Un café dulce. .
4. Un dominó nuevo. .
5. Un espíritu tranquilo. .
6. Una tribu salvaje. .
7. Una semana blanca. .
8. Una mujer maravillosa. .
9. Un día inolvidable. .
10. Una impresión fuerte. .

65 **Pon los nombres y los adjetivos en plural (A.2.):**

1. Un reloj viejo. .
2. Un revés inesperado. .
3. Un patatús fulminante. .
4. El dos de copas. .
5. El tabú tradicional. .
6. El papá protector. .
7. El champú suave. .
8. El menú previsto. .
9. Un cosmos feliz. .
10. Un bíceps fuerte. .

66 **Pon las oraciones en plural (A.3., 4.):**

1. El atlas es detallado. .
2. La crisis fue muy grande. .
3. El virus era resistente. .
4. Hay que cuidar el tórax. .
5. El ay ha sido sincero. .
6. El jersey es gris. .
7. El rey estaba contento. .
8. Habrá un brindis final. .
9. Se armó un buen guirigay. .

B PLURAL DE LOS NOMBRES PROPIOS Y EXTRANJEROS:

1. El plural de los nombres extranjeros no sigue regla fija:

Los **latinismos** permanecen invariables:

el/los ínterin *el/los desiderátum* *el/los accésit* *el/los plácet*
el/los superávit *el/los déficit* *el/los currículum*

Los **anglicismos** y **galicismos** acabados en **é** siguen la regla general y añaden una **s al singular**:

el bisté (bifteck) → bistés *el carné (carnet) → carnés* *el clisé (cliché) → clisés*
el chaqué (jaquette) → chaqués *el corsé (corset) → corsés*

Algunas palabras carecen de plural fijo:

esquí → esquís/esquíes *telesquí → telesquís/telesquíes* *tabú→ tabús/tabúes*

2. Los nombres propios forman el plural con *s* o *es*:

Los apellidos que se usan en un sentido genérico:

los Grecos, los Goyas (cuadros), *los González* (familia)

Los nombres que designan la familia vacilan entre el singular y el plural:

los Habsburgo(s), los Borbón(es), los Sarmiento(s), los Alonso(s), los Martín(es)

Los nombres terminados en **z** o en **s** no varían en plural:

los Díaz, los Ibáñez, los Rivas, los Molins...

Tampoco varían los apellidos compuestos:

los Valle-Inclán, los García-Lorca...

Asimismo, se utilizan sin variación en plural los nombres extranjeros:

los Churchill, los Bismark, los Ford...

Pon en plural el nombre y el adjetivo (B.1.):

1. Una casa blanca. ______________.
1. El currículum presentado. ______________.
2. El plácet regio. ______________.
3. El déficit presupuestado. ______________.
4. El carné universitario. ______________.
5. El chaqué alquilado. ______________.
6. Un corsé incómodo. ______________.
7. El bisté tierno. ______________.
8. El clisé roto. ______________.
9. El ínterin transcurrido. ______________.
10. El accésit obtenido. ______________.

Pon en plural los nombres siguientes (B.2.):

1. César ______________
2. Carmen ______________
3. González ______________
4. García ______________
5. Menéndez y Pelayo ______________
6. Cicerón ______________
7. Luis ______________
8. Borbón ______________
9. Sánchez ______________
10. Bismark ______________

Pon en plural las oraciones siguientes (B.2.):

1. El Audi rojo es bonito. ______________.
2. La oficina de Luis es espaciosa. ______________.
3. El Monte Perdido tiene árboles. ______________.
4. El esquí de Juan está roto. ______________.
5. La pluma Parker escribe bien. ______________.
6. El jardín está lleno de flores. ______________.
7. El chalé de Díaz es rojo. ______________.
8. Contemplo mi Goya. ______________.
9. Moncayo es una cumbre. ______________.
10. Mont-Blanc es una marca de plumas. ______________.

Completa los espacios con el artículo correspondiente (B.1., 2.):

1. Entregué todos _____ currículum.
2. El embajador de España recibió _____ plácet.
3. Mi cuenta anual acaba con _____ superávit.
4. En el siglo XVIII llegaron _____ Borbones a España.
5. _____ Martínez compraron un coche nuevo.
6. Les multaron por no llevar _____ carnés.
7. Éste es el palacio de _____ Hernández.
8. El museo es famoso por _____ Grecos que posee.
9. _____ déficit del Estado ha sido imprevisto.
10. En realidad, _____ Bach eran todos grandes músicos.

C PLURAL DE LOS COMPUESTOS Y OTRAS CURIOSIDADES:

1. Las reglas que dicta el uso son las siguientes:

En los compuestos de dos nombres sólo pluraliza el último:

bocacalle → bocacalles *madreperla → madreperlas*
sordomudo → sordomudos *sietemesino → sietemesinos*

En los compuestos con forma de plural no varía más que el artículo:

el limpiaparabrisas → los limpiaparabrisas

En los compuestos de verbo más nombre sólo toma el plural el nombre:

pasatiempo → pasatiempos *portabandera → portabanderas*

Hay compuestos no fijados todavía por el uso, que se escriben separados por el guión, o bien sin él:

casa cuna → casas cuna *café teatro → cafés teatro*

2. Hay nombres que carecen de singular (los *pluralia tamtum*):

los víveres, las nupcias, las exequias, las albricias

3. Curiosidades:

Pueden cambiar de significado al pasar a plural:

la calva → las calvas *el celo → los celos*
la honra → las honras *la parte → las partes*
el resto → los restos *la miga → las migas*

Cambian de sílaba tónica al formar el plural:

régimen → regímenes *carácter → caracteres* *espécimen → especímenes...*

Nombres con significado de dualidad:

los alicates, los calcetines, las esposas, las narices, los pulmones, los bigotes, las tijeras, las gafas...

Los nombres terminados en **z** forman el plural en **ces**:

vez: veces *solidez: solideces* *pez: peces...*

Hay plurales genéricos, tipo **padres**, que engloban el singular **padre** y **madre**:

*Ayer te vi con tus **suegros**.*
*Los **novios** se están acercando al altar.*

71 **Pon en plural estas oraciones (C.1.):**

1. Chocó violentamente en la bocacalle. ______.
2. Se estropeó el limpiaparabrisas. ______.
3. El parabrisas estalló por el golpe. ______.
4. Hay un cortafuegos en el monte. ______.
5. He visitado la casa cuna. ______.
6. El sordomudo ha hecho un gesto. ______.
7. Nos paró el guardia civil. ______.
8. Estaremos en un café teatro. ______.
9. Rellena este pasatiempo. ______.
10. Hay que pintar ese rodapiés. ______.

72 **Completa los huecos con la opción que te parezca más adecuada (C.2.):**

1. Lo he leído en ______ (el anal/los anales).
2. Está casado en ______ (primera nupcia/primeras nupcias).
3. En el primer día de la Creación había ______ (tiniebla/tinieblas).
4. Al final, todo fueron ______ (albricia/albricias).
5. En el bosque había ______ (calva/calvas).
6. Este animal está en ______ (celo/celos).
7. Asistiremos a ______ (la honra fúnebre/las honras fúnebres).
8. El sargento va a dar ______ (el parte/ los partes).
9. Hay que retirar ______ del pollo (el resto/los restos).
10. Parece un hombre de ______ (mucha letra/muchas letras).

73 **Completa los espacios con uno de los siguientes pares, según lo permita el contexto (C.3.):**

padres/madres, calva/calvas, esposa/esposas, carácter/caracteres, víspera/vísperas

1. Algunos hombres sufren al ver su/sus ______ en el espejo.
2. Es conveniente prepararlo todo la/las ______.
3. Los niños deben ser educados por su/sus ______.
4. Entre vosotros hay incompatibilidad de ______.
5. Al detenido se le ha liberado de la/las ______.

7 «HAY... HE AQUÍ... ESTO ES... ÉSTE ES... ES...»

*En la calle **hay** un coche verde: es un Mercedes.*

A diferencia de otras lenguas (como el inglés o el alemán), el español no utiliza el verbo **ser**, sino la construcción impersonal **hay**, para expresar la existencia de una persona o de una cosa.

A PARA INDICAR LA EXISTENCIA O PRESENCIA DE PERSONAS, ANIMALES U OBJETOS:

1. *Hay* señala la existencia de un ser o de una cosa:

*En la calle **hay** un niño.*
***Hay** perros que molestan.*
*En el jardín **hay** plantas en flor.*
*Mira si **hay** agua en la nevera.*

Se dice:

*En la calle **hay** gente.*

No se dice:

En la calle **es gente.*

El objeto no tiene que estar necesariamente visible:

*En la televisión **hay** buenos profesionales.*
*Cuando llueve, en su casa **hay** goteras.*

2. *Aquí...* sirve para identificar una cosa, persona o animal visibles:

*He **aquí** a nuestro director.*

B PARA PRESENTAR A PERSONAS:

1. En una situación formal, protocolaria, se recurre a las fórmulas:

—Le presento a...
—Me complace presentarle a...
—Permítame presentarle a...
—Me gustaría/desearía/quisiera conocer...
—Es un honor presentar a...
—Tengo el gusto de presentarle a...

2. En una situación informal, se usan expresiones como éstas:

—Te presento a Vicente.
—Mira, ésta es María, una amiga.
—Aquí Joaquín, un amigo mío.
—Susana, una amiga.

74 Completa con *hay*, según el modelo (A.1.):

*En la calle **hay** gente.*

1. En la clase no _____ nadie.
2. En la calle _____ niños.
3. _____ un libro sobre la mesa.
4. ¿Qué _____ en el parque?
5. ¿Qué _____ esta noche en la TV?
6. ¡Hola!, ¿qué _____ ?
7. _____ nubes por el norte de la Península.
8. En mi país _____ muchos árboles.
9. Aquí _____ lagos y montañas.
10. No _____ clase hoy.

75 Responde con una oración según el modelo (A.1.):

—¿Qué hay en el patio? *—En el patio hay mucho ruido.*

1. ¿Qué hay para cenar? —_____.
2. ¿Qué hay para leer? —_____.
3. ¿Qué hay aquí? —_____.
4. ¿Qué hay en la mesa? —_____.
5. ¿Quién hay en la clase? —_____.
6. ¿Quién hay en la calle? —_____.
7. ¿Quién hay por ahí? —_____.
8. ¿Quién hay para llamar por teléfono? —_____.
9. ¿Quién hay aquí para informar? —_____.
10. ¿Quién hay para entregar instancias? —_____.

76 Completa las oraciones con fórmulas de presentación informal (B.2.):

1. Te _____ a Elena.
2. Mira, éste _____ Miguel, un amigo.
3. Voy a _____ a alguien.
4. (_____), Pablo; _____, Nerea.
5. Quiero _____ a mi novia.

77 Completa las oraciones con fórmulas de presentación formal (B.1.):

1. ¿ _____ ? —Todavía no. No he tenido el placer de conocerle.
2. Le _____. —Tanto gusto, señor.
   —El gusto _____.
3. _____ al señor Pérez. —Me alegro de conocerle.
   —Es un _____.
4. Me _____. —Mucho gusto.
5. Es un honor _____. —Me alegro de conocerle.

C LA IDENTIFICACIÓN Y LA PROFESIÓN:

1. **Para identificar cosas, se utilizan las fórmulas siguientes: *¿qué es?, ¿qué es esto, eso o aquello?***

Y se responde: **esto es/son** + el nombre en singular o en plural:

—*¿Qué es **esto**?*	—***Esto** es una revista de moda.*
	—***Esto** es Sevilla.*
	—***Esto** son modelos de casas.*

2. **Para identificar a las personas, se usa el verbo *ser* + el nombre, precedidos del pronombre *quién*:**

—*¿**Quién** es David?*	—***Es** aquel joven de la esquina.*
—*¿**Quién** es el profesor?*	—***Es** aquel de traje azul.*
—*¿**Quiénes** son los niños?*	—***Son** Marta y su novio, de niños.*

3. **Para identificar la categoría profesional de alguna persona se utiliza el interrogativo *qué* + el verbo *ser* + el nombre:**

—*¿**Qué** es David?*	—***Es** ingeniero de caminos* (categoría).
—*¿**Qué** es María?*	—***Es** médico* (categoría).

La ausencia de artículo antes de los nombres que indican nacionalidad, religión, profesión, aporta un sentido genérico y categorizador (próximo al del adjetivo):

*Ángel es **médico**.*	*Ése es **ingeniero**.*	*Es **católico**.*
*Es **soltero**.*	*Yo soy **secretaria bilingüe**.*	*¿Sois **americanas**?*

Los mismos nombres utilizados con el artículo añaden un detalle o precisan algo sobre la categoría, profesión, religión... (clasifican):

*Ángel es un **médico**.*	*Es un **ingeniero** afamado.*
*Ángel es un **católico**.*	*Yo soy una buena **secretaria**.*

4. **Para la identificación de la tercera persona en español no se utiliza el pronombre personal salvo en caso de ambigüedad:**

¿Quién es + **N** con **artículo**? **(clase)**	*¿Qué es* + **N** sin **artículo**? **(categoría)**
Es la profesora.	*Es profesora.*
Es el vecino.	*Es vecino.*
Es un cantante.	*Es cantante.*

78 Responde con una oración según el modelo (C.1.):

¿Qué es esto? *Es un libro.* *Es el libro del profesor.*

1. Libro/profesor
2. Llave/Marina
3. Cuaderno/alumna
4. Gato/vecino
5. Vestido/amiga
6. Ruta/autobús
7. Guantes/asistenta
8. Coche/Antonio
9. Línea/Metro

79 Formula la pregunta con *quién(es) es(son)* o *qué es esto, eso, aquello*? (C.2.):

—¿Quién es? *—Es el Presidente del Gobierno.*
—¿Qué es eso? *—Eso son mis juguetes.*

1. ¿ ? —Es Pablo, el profesor de Literatura.
2. ¿ ? —Es una escultura de Miguel Ángel.
3. ¿ ? —Ana y yo, a los siete años.
4. ¿ ? —Aquello son los juguetes de entonces.
5. ¿ ? —Son nuestros invitados de hoy.
6. ¿ ? —Eso es una espada del siglo XVII.
7. ¿ ? —Esto es el cepillo de dientes de Miriam
8. ¿ ? —Es Julia, mi vecina.
9. ¿ ? —Es la música que escucha alguien.
10. ¿ ? —Soy yo.

80 Formula la pregunta correspondiente según el modelo (C.3., 4.):

—¿Qué es Juan? *—Profesor.*
—¿Quién es Juan? *—Mi vecino.*

1. ¿ ? —Un médico muy famoso.
2. ¿ ? —Mi amigo de la infancia.
3. ¿ ? —Profesor.
4. ¿ ? —La profesora de español.
5. ¿ ? —María.
6. ¿ ? —Una secretaria.
7. ¿ ? —Una secretaria simpática.
8. ¿ ? —Una fiesta muy alegre.
9. ¿ ? —El nuevo director.
10. ¿ ? —Director del instituto.

LOS POSESIVOS

A LA IDENTIFICACIÓN DE LA RELACIÓN PERSONAL:

1. **El adjetivo posesivo concuerda con el nombre y, para indicar una relación personal, cambia de forma según el poseedor:**

un poseedor	mas. fem. sing.	mas. fem. plural
Yo Tú (usted) Él, ella	*mi (mío, a)* *tú (tuyo, a)* *su (suyo, a)*	*mis (míos, as)* *tus (tuyos, as)* *sus (suyos, as)*
varios poseedores	**mas. fem. sing.**	**mas. fem. plural**
Nosotros,as Vosotros,as/ustedes Ellos,as	*nuestro, a* *vuestro, a* *su (suyo, a)*	*nuestros, as* *vuestros, as* *sus (suyos, as)*

2. **El adjetivo puede ir antepuesto o pospuesto al nombre:**

   mi** coche, el coche **mío ***su** libro, el libro **suyo**...*

3. ***Mi(s), tu(s), su(s),* formas apocopadas, van siempre antepuestas al nombre y sólo concuerdan con él en número:**

   ***mi** primo, **mis** primos* ***mi** prima, **mis** primas...*

4. ***Nuestro(a)* y *vuestro(a)* concuerdan en género y en número:**

   ***nuestro** tío, **nuestra** tía* ***nuestros** tíos, **nuestras** tías...*

5. **Las formas *su(s), suyo(s), suya(s)* son ambiguas: pueden corresponder a *de él, de ella, de ellos, de ellas, de usted* y *de ustedes*:**

   *Vi **su** coche (de él, ella, de usted(es), ellos, ellas).*
   *Vi a **sus** padres (de él, ella, usted(es), ellos, ellas).*

6. **No se utilizan los posesivos cuando es evidente que la relación personal de posesión remite al sujeto oracional:**

   ***Me** duele **la** cabeza.* No: **Me** duele **mi** cabeza.*
   ***Nos** lavamos **los** pies.* No: **Nos** lavamos **nuestros** pies.*

7. **En los vocativos, la norma estándar tiende a usar la forma plena:**

   *Amigo **mío** (vocativo)* *¡Dios **mío**! ¡Madre **mía**!*

   En vez de:

   ***Mi** amigo (vocativo)* *¡**Mi** Dios! ¡**Mi** madre!*

8. **Artículo + *de* es equivalente al posesivo o al artículo más el posesivo:**

   *Toma **el de** tu hermano → toma **su** libro; toma **el suyo**.*

81 Completa los huecos con la forma simple o plena del posesivo de primera persona (A.1.):

__Mi__ hermano no ha llegado. *El profesor __mío__ está enfermo.*

1. ____ padre está de viaje.
2. El coche ____ está sucio.
3. ____ autobús no llega.
4. El tren ____ está ahí.
5. Los libros ____ son estos.
6. ____ gafas se han perdido.
7. ____ llaves están aquí.
8. ____ apartamento es pequeño.
9. La amiga ____ es María.
10. ____ trabajos me agobian.

82 Rehaz el ejercicio anterior con *su,sus/suyo,suya/suyos,suyas* (A.4., 5.):

1. ____
2. ____
3. ____
4. ____
5. ____
6. ____
7. ____
8. ____
9. ____
10. ____

83 Completa el texto con *su/sus, suyo/suya, suyos/suyas* (A.5.):

Marco y Silvia se van de viaje de novios: han confirmado ya ____ reservas; han hecho ____ maletas y tienen prevista ____ llegada a Venecia el día 15 de febrero. Silvia está nerviosa, porque no le ha podido peinar ____ peluquero ni tampoco ha podido llevarse ____ vestido preferido. Por otra parte, ____ amiga más íntima le envió un saludo desde Roma, lo que ha aliviado un poco ____ intranquilidad y levantado ____ ánimo en esta etapa muy especial de ____ vida. Marco, por el contrario, está más tranquilo; ____ experiencia es mayor. Todos ____ proyectos van saliendo bien y este viaje ____ le hace ilusión, tanta que ____ amigos les desearon un feliz viaje y les dijeron que a ____ regreso les volverían a ver.

84 Completa según el modelo (A.5.):

—¿Son estas llaves de Juan? *—Sí, son las suyas.*
—No, no son las suyas.

1. ¿Este jersey es el de María? —No, ____.
2. ¿Las gafas son las del Profesor? —Sí, ____.
3. ¿No son vuestros estos papeles? —Sí, ____.
4. ¿Son los libros de Marta? —No, ____.
5. ¿Es éste el coche del director? —No, ____.
6. ¿Es de Luis esta pluma? —Sí, ____.
7. ¿No es éste tu pueblo? —No, ____.
8. ¿Son éstos sus amigos? —Sí, ____.
9. ¿Es aquélla su cartera? —Sí, ____.
10. ¿No es ésta nuestra clase? —No, ____.

B EL PRONOMBRE POSESIVO:

1. El pronombre posesivo concuerda con el nombre al que sustituye y varía según los poseedores:

	singular		plural	
	masculino	femenino	masculino	femenino
(yo)	*el mío*	*la mía*	*los míos*	*las mías*
tú (usted)	*el tuyo*	*la tuya*	*los tuyos*	*las tuyas*
(él)	*el suyo*	*la suya*	*los suyos*	*las suyas*
(nosotros)	*el nuestro*	*la nuestra*	*los nuestros*	*las nuestras*
(vosotros/ustedes)	*el vuestro*	*la vuestra*	*los vuestros*	*las vuestras*
(ellos)	*el suyo*	*la suya*	*los suyos*	*las suyas*

2. Para referirnos a algo indeterminado en relación con las personas que hablan, usamos el neutro *lo* + posesivo:

> ***Lo mío*** *y* ***lo tuyo*** *son mejores que* ***lo suyo****.*
> ***Lo nuestro*** *y* ***lo vuestro*** *son mejores que* ***lo suyo****.*

3. Los posesivos con el artículo neutro dan origen a expresiones peculiares, como las siguientes:

> *A cada uno hay que darle* ***lo suyo*** (... lo que le corresponde).
> ***Lo tuyo*** *no son los negocios* (tu especialidad no son...).

También pueden expresar cantidad:

> *Ya se ha divertido* ***lo suyo*** (mucho).
> *Todos hemos sufrido* ***lo nuestro*** (bastante).

4. El posesivo sin artículo se utiliza para responder a la pregunta *¿de quién es algo?*:

> *Es* ***tuyo****, es* ***nuestro****, es* ***mío****, es* ***vuestro****.*

Esta expresión con el verbo **ser** es la más común en el español moderno para indicar la posesión o pertenencia de algo a alguien:

> *¿De quién es el coche?* — *Es* ***mío****.*
> *¿De quién es hijo, Juan?* — *Es hijo* ***suyo*** *(de María).*

5. Con artículo determinado, se emplea para responder a preguntas del tipo *¿qué libro tienes?*:

> *El* ***mío****, el* ***suyo****, el* ***vuestro****, el* ***nuestro****...*

85 Completa según el modelo (B.1.):

***Tu** profesora es española, **la mía** es francesa.*

1. Tu hermana es rubia, ______ es morena.
2. Mis hermanos son pequeños, ______ son mayores.
3. Tus ojos son azules, ______ son negros.
4. Vuestro coche es gris, ______ es azul.
5. Nuestros padres son profesores, ______ son administrativos.
6. Sus niños son listos, ______ son vagos.
7. Vuestras fiestas son divertidas, ______ son aburridas.
8. Nuestras clases son nuevas, ______ son viejas.
9. Sus vacaciones se acabaron, ______ van a empezar ahora.
10. Donde acaba tu libertad, empieza ______.

86 Completa las oraciones según el modelo (B.4.):

—¿De quién es el coche?	*—Es **mío**.*
—¿Es éste nuestro tren?	*—No, no es **el nuestro**.*

1. ¿De quién es el lápiz? — ______.
2. ¿De quién es la pluma? — ______.
3. ¿Es ésta nuestra clase? — ______.
4. ¿Es éste tu autobús? — ______.
5. ¿De quién son estas llaves? — ______.
6. ¿Son éstas tus botas? — ______.
7. ¿Son ésas mis gafas? — ______.
8. ¿De quiénes eran los bolsos? — ______.
9. ¿Son aquéllos tus hermanos? — ______.
10. ¿Mis cosas son aquéllas? — ______.

87 Completa con *lo* y explica su significado contextualizando (B.3.):

*A cada uno hay que darle **lo** suyo* (lo que le corresponda).

1. Luis ha pasado ______ suyo.
2. ______ mío es estudiar lenguas.
3. El deporte no es ______ tuyo.
4. Juan tiene suficiente con ______ suyo.
5. ¿Qué hay de ______ mío?
6. Yo voy a ______ mío.
7. ______ nuestro tiene poco futuro.
8. Ocúpate de ______ tuyo.
9. Lo ocurrido no es nada comprado con ______ mío.
10. Me olvidé de ______ tuyo.

9 LOS NOMBRES DE PARENTESCO Y DE GRUPO

A EL PARENTESCO:

El padre - la madre	= los padres.
El hijo - la hija	= los hijos.
El hermano - la hermana	= los hermanos.
El primo - la prima	= los primos.
El tío - la tía	= los tíos.
El sobrino - la sobrina	= los sobrinos.
El abuelo - la abuela	= los abuelos.
El nieto - la nieta	= los nietos.
El bisabuelo - la bisabuela	= los bisabuelos.
El bisnieto - la bisnieta	= los bisnietos.
El tatarabuelo - la tatarabuela	= los tatarabuelos.

El nombre de parentesco en singular señala a cada uno de los miembros de la familia; el masculino plural puede, además, ser el nombre genérico:

Llegaron los niños sin sus ***padres*** (sin el padre ni la madre).
Les acompañaron las ***madres****, pero no lo hicieron los* ***padres****.*
(plural de *madre* y de *padre*, respectivamente).

Para expresar el parentesco por matrimonio se utiliza:

el marido (esposo) *la mujer* (esposa)

el suegro *la suegra*
(padre o madre del marido o de la mujer)

el cuñado *la cuñada*
(hermano o hermana del marido o de la mujer)

el yerno (marido de la hija) *la nuera* (mujer del hijo)

B LOS NOMBRES DE GRUPO:

Gente/gentío/pandilla (colectivos de personas):

Hay ***gente*** *en la calle.*
Se congregó un ***gentío*** *en la puerta.*
Sois una ***pandilla*** *muy simpática.*

Multitud/banda/bandada (colectivos de personas o animales):

Concurrió una ***multitud*** *a la final de aquel año.*
Esta ***banda*** *ha cometido varios atracos.*
En el cielo hay una ***bandada*** *de cigüeñas.*

Todo el mundo (la gente):

Todo el mundo *desea las vacaciones en verano.*

88 Completa con un término de parentesco según el modelo (A.):

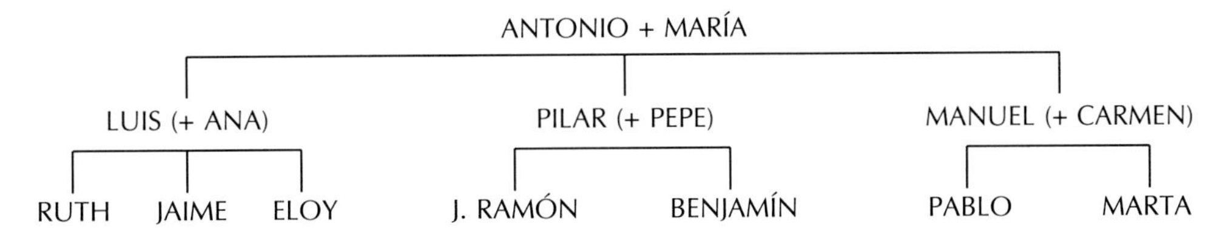

—¿Qué es Eloy para Carmen? *—Es su sobrino.*

1. —¿Cuál es el parentesco de J. Ramón con Manuel?
2. —¿Cuál es al parentesco de Antonio con Pepe?
3. —¿Cuáles son los parentescos de Luis, Pilar y Manuel con Antonio y María?
4. —¿Cuál es el parentesco de Ana con Manuel?
5. —¿Cuáles son los parentescos de Antonio y María con Ruth y Pablo?
6. —¿Cuál es el parentesco de Carmen con Manuel?
7. —¿Cuál es el parentesco de Ana con Pilar?
8. —¿Cuál es el parentesco de Jaime con Benjamín?
9. —¿Cuáles son los parentescos de Luis, Pilar y Manuel entre sí?
10. —¿Cuáles son los parentescos de Antonio y María con Eloy?

89 Presenta a tu familia según el modelo (A.):

—Ésta es Nuria, mi hermana. Es ingeniero de caminos.
—Éste es José Ramón, mi hermano. Es estudiante de ESO.
—Éstos son mis padres, Ángel y Luisa. Mi padre es médico y mi madre, farmacéutica.

90 Completa el texto con *gente, banda, pandilla, todo el mundo* o *multitud* (B.):

Mi madre es reportera. Envía crónicas que la ______ ve en la TV. Habla muchas lenguas y se entrevista con ______ de personas que, al oírla hablar inglés, creen que es americana. Cuando va por la calle, la ______ la reconoce y le saluda. Ayer, una ______ de chiquillos le rodeó para pedirle un autógrafo. La ______ cree que dispone de tiempo para ______. Es un fastidio.

10 LOS DEMOSTRATIVOS

Sirven para situar los nombres en el tiempo, el espacio o el contexto, en relación con las personas que hablan.

A EL ADJETIVO DEMOSTRATIVO:

yo aquí	**tú** ahí	**él** allí	**nosotros** aquí	**vosotros** ahí	**ellos** allí
este *esta*	*ese* *esa*	*aquel* *aquella*	*estos* *estas*	*esos* *esas*	*aquellos* *aquellas*
aquí ahora	cerca	lejos ayer	aquí ahora	cerca	lejos entonces

1. **Puede preceder o seguir al nombre, con el que concuerda en género y en número:**

   este *niño* ***estos*** *niñ**os*** ***esta*** *niñ**a*** ***estas*** *niñ**as***
   *el niñ**o** **este*** *los niñ**os** **estos*** *la niñ**a** **esta*** *las niñ**as** **estas***

2. **Localiza en el tiempo y en el espacio: *este/a,* señala una persona o cosa cercana al que habla; *ese/a,* próxima al que escucha, y *aquel/la,* lejana al que habla y al que escucha:**

   *Mira **este** coche.* *¿Ves **ese** coche?* *¡Fíjate en **aquel** coche!*

B USOS DE LOS ADJETIVOS DEMOSTRATIVOS:

1. **Sin artículo, deben ir antepuestos al nombre:**

   Este *libro.* ***Esa*** *mesa.* ***Aquel*** *bolígrafo.*

2. **Con artículo, deben ir pospuestos a él:**

   *La mosca **esta**.* *El lápiz **ese**.* *La noche **aquella**.*

3. **Si dos adjetivos demostrativos preceden a dos sustantivos iguales, éstos se reducen a uno, que va con el primer adjetivo, como en el ejemplo:**

   * ***Esta*** *casa y **aquella** casa son bonitas.*
   = ***Esta*** *casa y **aquélla** son bonitas.*

4. ***Este* y *ese*, además de los valores espaciales y temporales, pueden comportar un valor afectivo de desprecio:**

   *¡Qué se ha creído **ese** pobrecillo!*
   *¿Quién piensa **esta** mujer que es?*

Completa la oración con *este(a), estos(as)* (A.1.):

*¡**Este** café es excelente!*

*Me tienen harto **estas** niñas.*

1. ______ problema es complejo.
2. Es un maestro ______ actor.
3. ______ cuentos son admirables.
4. Es muy fuerte ______ vino.
5. ______ puerta da a la calle.
6. ______ naranjas están muy ácidas.
7. Me gustan ______ sortijas.
8. ______ película es apasionante.
9. ______ día ha amanecido caluroso.
10. ¿Son viejos ______ libros?

Completa con un adjetivo demostrativo (A.2.):

***Esta** aula es muy amplia.*

1. Mira ______ acta y ______ papel.
2. ______ sombreros y ______ camisas me gustan.
3. Quisiera ______ tarta de chocolate y ______ surtido de pasteles.
4. Colocad en la mesa ______ platos y ______ cuchillos.
5. Dame ______ libro de ahí.
6. ______ árbol de allá es muy alto.
7. Tengo aquí ______ bolígrafo.
8. Durante ______ últimos días ha hecho mal tiempo.
9. ¡No me darás ______ alegría!
10. ______ coches son modelos bonitos.

Pon estas oraciones en femenino (A.1., 2.):

1. Este artista es agradable.
2. Este niño es muy serio.
3. Este actor bate el récord.
4. Es muy sencillo este rey.
5. Este duque, ¿es pintor?
6. Este nuevo vendedor es eficiente.
7. Es fantástico este bailarín.
8. Este poeta no me gusta.
9. Este príncipe es muy querido.
10. ¿Es muy fiero este perro?

Vuelve a hacer el ejercicio anterior, pero poniéndolo en plural, según el modelo (A.1., 2.):

Estas artistas son agradables.

Completa con el adjetivo que mejor se acomode al contexto (B.1., 2.):

*En **esa** época yo era todavía un niño.*

1. ¡Qué se habrá creído ______ hombre!
2. ¡Qué tiempos ______!
3. Aquí traigo ______ ramo de flores para ti.
4. Allí te espera ______ señor del abrigo negro.
5. Por favor, retira de ahí ______ piedra.
6. Me parece mejor el libro ______, que éste.
7. Nunca se debe decir de ______ agua no beberé.
8. Ven aquí y completa ______ acta de la reunión.
9. ______ ruinas que ahí ves, fueron antes un grandioso monumento.
10. ¿Te acuerdas de ______ vacaciones que pasamos en la playa?

C EL PRONOMBRE DEMOSTRATIVO:

1. **Permite evitar la repetición del nombre:**

   —¿Quieres este pastel? *—No, yo prefiero* ***éste****.*

yo aquí	tú ahí	él allí	nosotros aquí	vosotros ahí	ellos allí
este *esta* *esto*	*ese* *esa* *eso*	*aquel* *aquella* *aquello*	*estos* *estas* —	*esos* *esas* —	*aquellos* *aquellas* —
aquí ahora	cerca	lejos entonces	aquí	cerca ahora	lejos entonces

2. **Se utiliza la alternancia adjetivo/pronombre para distinguir dos objetos presentes en el contexto:**

   Este *cuadro es de Goya y* ***éste****, de Velázquez.*
   Este *edificio es el del Congreso y* ***aquél****, el del Senado.*

3. **Las formas neutras se utilizan para referirse a objetos sin determinar su género:**

   Esto/eso (lo circundante, aquí y ahora/entonces).
   Aquello (lo circundante, allí y ahora/entonces).

   Se me ocurre ***esto****.* *De* ***aquello*** *no me acuerdo.*

D USOS DE LOS PRONOMBRES DEMOSTRATIVOS:

1. **Fue norma colocar tilde en las formas masculina y femenina, pero ha dejado de ser obligatoria:**

   Estas *que te remito son las cartas de Luis.*

2. ***Esto*** **en la Península, y** ***este*** **en Hispanoamérica, se utilizan coloquialmente como muletillas de relleno cuando se vacila sobre lo que se va a decir:**

   *—**Esto**... te quería decir que...*
   *—**Este**... ¿querés bailar un tango?*

3. **Se utilizan para identificar objetos y personas:**

   —¿Qué es ***esto****?* (cosas). *—Es un reloj despertador.*
   —¿Quién es ***ése****?* (personas). *—Es mi primo Juan.*
   —¿Qué es ***éste****?* (profesión). *—Es ingeniero de minas.*

4. **A veces, el artículo +** ***de*** **+ adverbio cumple la misma función que el demostrativo:**

   Mi coche y ***el de ahí*** (ese) *son iguales.*
   Coge tu pluma y ***la de allí*** (aquella) *y dámelas.*

5. **Expresiones pronominales:**

   Eso sí que no (no lo acepto).
   Eso mismo *digo yo* (igual).
   En esa (casa, capital, lugar).
   A eso de *las once* (aproximadamente).
   Ni por esas (ni así).
   Nada de eso (de ningún modo).

96 Completa con el adjetivo o el pronombre según el modelo (C.2.):

A ti te gusta ***esta casa*** *y a mí,* ***ésa****.*

1. No bebo ______ coñac porque es fuerte; prefiero ______ otro.
2. Toma ______ pluma, que yo tomo ______ .
3. Devuelve ______ pedido, porque es mejor ______ .
4. Yo tomo partido por ______ joven y tú, por ______ .
5. ______ niños son primos míos y ______ , hermanos.
6. ______ iglesia que ves ahí es moderna y ______ , antigua.
7. ______ noticias no son tan buenas como ______ de ayer.
8. Responde ______ pregunta y ella responderá ______ otra.
9. —¿Prefieres ______ vino o ______ otro? —______ otro.
10. ______ historia nos gusta más que ______ .

97 Pregunta utilizando *qué es éste(o)* o *quién(es) es(son) éste(a)/os(as)* (D.3.):

—*¿**Qué es éste**?* —*Es ingeniero de montes.*

1. ¿______? —Es director general.
2. ¿______? —Es mi novia.
3. ¿______? —Es un trabajo de clase.
4. ¿______? —Es un camarero.
5. ¿______? —Es camarera.
6. ¿______? —Mis primas.
7. ¿______? —Las hojas de que te hablé.
8. ¿______? —Jefes de seguridad.
9. ¿______? —Un rompecabezas.
10. ¿______? —Mi juego preferido.

98 Busca un contexto referencial para las oraciones siguientes (D.5.):

No me gusta nada oírte ***eso*** (oír que digas esas cosas).

1. Quedamos en vernos a **eso** de las once.
2. **Eso** mismo quiero yo, que me sirva.
3. **Esto** no lo puedo permitir.
4. De **eso**, ni hablar.
5. **Aquello** era impresionante.

99 Haz oraciones según el modelo (D.3.):

Postales / CD / pluma / viaje / cassette

Yo escribiré estas postales en el viaje con esta pluma.
Quiero este CD y ese cassette.

______

______

______

11 SITUACIÓN EN EL ESPACIO (I)

A PARA SITUAR LAS PERSONAS Y LAS COSAS EN EL ESPACIO:

Suele recurrirse al verbo *estar* o a otros verbos similares.

1. **Seguidos de la preposición *en*, se utilizan:**

   Para situar a alguien o algo en un lugar:

   Estoy en *Madrid.* ***Nació en*** *España.* ***Vivió en*** *Europa.*

   Para situar una acción, persona u objeto dentro de unos límites determinados. En este caso es compatible con la preposición ***por***, aunque indica una relación de movimiento:

   Pasea ***en*** *el patio.* *Pasea* ***por*** *el patio.*

   También puede ser compatible con la preposición ***sobre***:

   El libro está ***sobre/en*** *la mesa.*

2. **Seguidos de la preposición *a*, se emplean:**

   Para indicar dónde está o dónde se sitúa algo o alguien:

   El atril está ***a*** *la derecha.*
   Los invitados ya están sentados ***a*** *la mesa.*

   Para señalar la distancia a la que se encuentra algo:

   Las Canarias están ***a*** *2.000 km de Madrid.*
   El Escorial queda ***a*** *48 km de la capital.*

   Para fijar el lugar en donde se concierta una cita con alguien:

   Quedamos ***a*** *la entrada del cine.*
   Nos vemos ***a*** *la salida del metro.*

3. **Seguidos de la preposición *por*, se utilizan:**

   Para señalar los límites dentro de los que se sitúa una persona o un objeto:

   La estación ***queda por*** *aquel lado del pueblo.*

4. **Seguidos de la preposición *entre*, se usan:**

   Para explicitar los límites y la extensión existente entre ellos:

   Está ***entre*** *los alumnos.*
   Se halla ***entre*** *Madrid y Sevilla.*

100 **Haz oraciones según el modelo (A.1.):**

El Escorial (España): El Escorial está en España.

1. Los Ángeles (EE.UU.)
2. La Haya (Holanda)
3. Las Palmas (España)
4. Buenos Aires (Argentina)
5. Oslo (Noruega)
6. La Habana (Cuba)
7. El Cairo (Egipto)
8. Tokio (Japón)
9. Lima (Perú)
10. Seúl (Corea)

101 **Completa con los posesivos, con *estar* y con *en* (A.1.):**

***Mis** compañeros estuvieron **en** Tokio, **en** El Japón.*

1. _____ padres _____ _____ el museo del Louvre, _____ París.
2. _____ abuelo _____ _____ Buenos Aires, en Argentina.
3. _____ tío _____ _____ La Habana.
4. _____ primo _____ _____ Santiago de Compostela, _____ España.
5. _____ novio _____ _____ La India.
6. _____ profesora _____ _____ Madrid.
7. _____ compañero _____ _____ Miami, _____ los Estados Unidos.
8. _____ tías _____ _____ Tenerife, _____ España.
9. _____ madre _____ _____ A Coruña, _____ Galicia.
10. _____ casa _____ _____ Málaga.

102 **Completa con *a* o con *en,* según el contexto (A.1.,2.):**

1. Viajaré _____ París.
2. El Fuji-Yama está _____ El Japón, _____ Asia.
3. Me voy de vacaciones _____ Palma de Mallorca.
4. El Kilimanjaro está _____ África.
5. Las Pirámides están _____ Egipto.
6. Se ha marchado _____ Río de Janeiro, _____ Brasil.
7. Machu Pichu está _____ El Perú.
8. El Teide está _____ las Islas Canarias, _____ Tenerife.
9. Las Rías Bajas están _____ Galicia.
10. El museo de El Prado está _____ Madrid.

103 **Completa con *a, en* o *entre,* según proceda (A.1., 2., 4.):**

1. Quedamos en vernos _____ la salida del cine.
2. Nos vimos por vez primera _____ la universidad.
3. Se encontraba _____ los niños.
4. La ciudad queda _____ 38 kilómetros.
5. El paraguas está _____ la entrada.

B PARA EXPRESAR DÓNDE ESTÁ O A DÓNDE SE DIRIGE ALGUIEN O ALGO:

1. Dónde está algo o alguien, se expresa:

Con adverbios, que señalan un lugar respecto a los hablantes:

arriba	*abajo*	*aquí*	*allí*
cerca	*lejos*	*fuera*	*dentro*
detrás	*delante*	*encima*	*debajo*

*La casa queda muy **cerca**.*
*El libro se pone **debajo**.*
*La universidad se halla **lejos**.*
*La clase está **arriba**.*

Con preposiciones o locuciones prepositivas:

a	*cerca dede*	*bajo de*	*delante de*
dentro de	*detrás de*	*en*	*encima de*
entre	*fuera de*	*hacia*	*lejos de*
por	*sobre*	*hasta*	*por entre*

*La ciudad queda **a** cien kilómetros, **lejos de** Madrid.*
*Está **en** Murcia, **cerca de** la ciudad.*
*Viaja **por** España, **dentro de** la Comunidad de Cantabria.*
*Eso queda **hacia** el sur de la Península.*
***Por entre** unas matas corría el conejo.*

Con verbos de movimiento, del tipo ***bajar, ir, salir**...*:

*El despacho está **saliendo**, **a** la derecha.*
*Mi casa está **bajando por** la cuesta.*
*La farmacia está **pasada** la plaza, **a** la derecha.*

2. Adónde va alguien o algo, se indica:

Con los adverbios de arriba, precedidos de preposición:

*Voy **hacia arriba**.*
*Iremos **por allí**.*
*Viene **desde atrás**.*
*Pasa **para adentro**.*

La expresión del lugar ***hacia dónde*** carece de adverbios propios, y necesita una preposición que indique la relación correspondiente:

*—¿**Por dónde** vais a casa?* *—**Por** allí, **por** arriba...*
*—Fue **hasta** allí / **hacia** atrás / **para** allá.*

3. Expresiones de lugar que, por su frecuencia, conviene memorizar:

A la entrada (de)	*A la salida (de)*
A la derecha (de)	*A la izquierda (de)*
Al frente (de)	*A (las) espaldas de*
A lo lejos	*Al lado (de)*

104 Completa con estos adverbios según el contexto (B.1.):

abajo	*arriba*	*cerca*	*debajo*	*delante*
detrás	*encima*	*fuera*	*lejos*	*dentro*

1. El piso 4.° está ________ del 6.°
2. El día 2 va ________ del día 5.
3. La cocina está ________ de la casa.
4. No lo pude ver; pasó por ________.
5. La azotea de la casa está ________.
6. El garaje está ________ de la casa.
7. El mantel se pone ________ de la mesa.
8. El maletero del coche está ________.
9. El ruido de ________ no se oye dentro.
10. Madrid y Tokio están ________.

105 Completa con estas preposiciones según el contexto (B.1.):

a	*cerca de*	*debajo de*	*delante de*
dentro de	*detrás de*	*en*	*encima de*
fuera de	*lejos de*	*por*	*sobre*

1. La Puerta del Sol está ________ los suburbios.
2. Sevilla queda ________ 540 kilómetros de Madrid.
3. El perro se perdió ________ el parque.
4. La ciudad está ________ el nivel del mar.
5. La torre sobresale por ________ las casas.
6. La mina está ________ la montaña.
7. La plaza está ________ el Ayuntamiento.
8. La plaza de toros queda ________ el casco urbano.
9. Las cafeterías están ________ la ciudad.
10. La calle Mayor está ________ el centro.

106 Completa con estos adverbios según el contexto (B.2.):

arriba	*abajo*	*adelante*	*atrás*
adentro	*afuera*	*allá*	*acá*

1. Vinimos calle ________.
2. El guía va siempre ________.
3. América queda ________.
4. Estaba a la puerta y pasó ________.
5. Nos echamos a correr calle ________.
6. Los niños viajan siempre ________.
7. España está ________.
8. Llamaron y salí ________.

107 Haz oraciones según el modelo (B.3.):

*Llamé a Juan y quedamos **a la entrada del** teatro.*

A la entrada (de)	A la salida (de)
A la derecha (de)	A la izquierda (de)
A lo lejos	Al lado (de)

12 LOS VERBOS *HABER* Y *TENER*

A *HABER* SE UTILIZA SEGÚN ESTE ESQUEMA:

Yo	*he*	Nosotros/as	*hemos*
Tú	*has*	Vosotros/as	*habéis*
Usted Él/ella	*ha* *hay*	Ustedes Ellos/as	*han* *hay*

Como auxiliar para formar los tiempos compuestos:

*Yo **he sido** alumno.* *Tú **habrás estado** en España.*

Para expresar la existencia de algo (***hay/había/hubo***...):

***Hay** gente.* ***Había** toros.* ***Hubo** fiesta.*

Para formar perífrasis que expresan obligación o necesidad:

***He de** estar allí a las diez.* ***Hay que** hacer un presupuesto.*

B *TENER* SE UTILIZA SEGÚN ESTE ESQUEMA:

Yo	*tengo*	Nosotros/as	*tenemos*
Tú	*tienes*	Vosotros/as	*tenéis*
Usted Él/ella	*tiene (que)*	Ustedes Ellos/as	*tienen (que)*

Para expresar la idea de posesión:

***Tengo** una moto.* *¿**Tenéis** dinero?*

Para indicar la edad:

*—¿Qué edad **tienes**?* *—(**Tengo**) diecinueve años.*
*—¿Cuántos años **tienes**?* *—(Yo **tengo**) veinte años.*

Como auxiliar en perífrasis de obligación (***tener que***):

***Tengo que** verte inmediatamente.*

1. ***Tener hambre/tener frío...* son locuciones que se usan para expresar sensaciones, sentimientos...:**

Seguidas de un nombre sin artículo, con sentido genérico:

Tengo calor. *Tengo frío.* *Tengo celos.* *Tengo hambre.*
Tengo envidia. *Tengo sed.* *Tengo sueño.* *Tengo miedo...*

Seguidas de un nombre con artículo:

Tengo un calor infernal. *Tengo un frío insoportable.*
Tengo unos celos terribles. *Tengo un sueño que me caigo.*

108 Responde a estas preguntas (B.):

1. —¿Cuántas plazas tiene tu coche? —Mi coche ______________ .
2. —¿Tiene pintura metalizada, o normal? —Mi coche ______________ .
3. —¿Tiene aire acondicionado, o climatizador? —Mi coche ______________ .
4. —¿Tiene airbag para dos, o para uno? —Mi coche ______________ .
5. —¿Tiene cinturones de seguridad? —Mi coche ______________ .

109 Completa con *haber* o *tener* (A., B.):

1. —¿ __________ hoy excursión? —No, hoy no __________ excursión.
2. —¿ __________ los vecinos un perro? —Sí, __________ un perro y un gato.
3. —¿ __________ Marta piso en Madrid? —Sí, __________ un piso muy amplio.
4. —¿ __________ exámenes en junio? —No, los __________ en septiembre.
5. —¿Qué carrera __________ hecho ella? —Ella __________ hecho Filología.

110 Construye oraciones, según lo exija el contexto, con una de las expresiones siguientes (B.):

tener calor	*tener suerte*	*tener frío*	*tener hambre*
tener sed	*tener sueño*	*tener miedo*	*tener dolor*

1. Son las dos ya y huele a comida: *Tengo un hambre terrible.*
2. Hay cinco grados bajo cero: ______________ .
3. Es verano y no funciona el climatizador: ______________ .
4. He jugado a la lotería y me ha tocado: ______________ .
5. Ayer no dormisteis suficiente: ______________ .
6. En la oscuridad de la noche, todos ______________ .
7. La comida estaba muy salada: ______________ .
8. Me dieron un golpe en la pierna: ______________ .

111 Responde libremente:

1. —¿Qué edad tienes? —*Tengo dieciocho años.*
2. —¿Cuántos años tiene Mónica? —______________ .
3. —¿Qué clima tiene España? —______________ .
4. —¿Cuánto tiempo tiene el bebé? —______________ .
5. —¿Cuantos años tiene la humanidad? —______________ .
6. —¿Cuánto tiempo tienes para estudiar? —______________ .
7. —¿Cuánto tiempo libre tienes ? —______________ .
8. —¿Qué hora tienes? —______________ .
9. —¿Tienes un momento, por favor? —______________ .
10. —¿Qué años tiene este vino? —______________ .

2. *Tener tiempo/tener costumbre:*

Estas locuciones exigen artículo cuando el nombre va seguido de un adjetivo o de un complemento y está tomado con un sentido concreto:

*No **tengo** tiempo.*	→	*No **tengo el** tiempo necesario.*
***Tengo** mucha paciencia.*	→	***Tengo la** paciencia de Job.*

Otras expresiones y locuciones cuyo significado debe conocerse:

Tener fuego.
Tener buen o mal aspecto.
Tener el honor de...
Tener a bien.
Tener clase.
Tener permiso.
Tener mucha cara.
Tener ganas.
Tener dificultades.
Tener dinero suficiente.
Tener razón.
Tener cariño.
Tener presente.
Tener estilo propio.
Tener éxito.
Tener la negra.
Tener buena estrella.
Tener tiempo por delante.

3. Uso de *tener* con ciertos nombres, en preguntas y respuestas:

Si se pregunta por un objeto no concreto, la pregunta debe ser formulada con un nombre genérico y respondida también con un nombre sin artículo:

*—¿**Tienes** coche?* *—No **tengo** coche.*

Si se pregunta por un objeto concreto, el nombre debe ir precedido por un artículo y la contestación, también:

*—¿No **tenía un** Mercedes?* *—No, **tenía un** BMW.*
*—¿**Tienes el** pasaporte?* *—Sí, y **tengo** también **el** DNI.*

112 Responde a las preguntas según el modelo (B.2.):

—¿Tienes ocasión de hablar español en tu país?
—Sí, tengo ocasión de hablar español.

1. —¿Has tenido el honor de ser presentado al rey?
2. —¿Tienes a bien comunicarme la decisión que habéis tomado?
3. —¿Has tenido presente mi recomendación?
4. —¿La tienes tomada con algún compañero?
5. —¿Con quién se las tiene tiesas ?

Responde en forma negativa (B.3.):

—¿Tienes coche?
—No, no tengo coche.

—¿Tiene usted carné de conducir?
—No, no tengo carné de conducir.

1. —¿Tenéis perro?
2. —¿Tenéis jardín en el chalé?
3. —¿Tienen teléfono en esa casa?
4. —¿Tienen estación de tren en este pueblo?
5. —¿Tenemos tiempo para divertirnos?
6. —¿Tienes ocasión de practicar español?
7. —¿Tenemos reunión hoy por la mañana?
8. —¿Tienes paciencia para repasar todos esos temas?
9. —¿Tenemos el jardín limpio?
10. —¿Tenéis el teléfono desconectado?

13 EL ADJETIVO (II)

1. El adjetivo tiene dos posibilidades de colocación:

Pospuesto al sustantivo, sirve para describir algo:

La ventana ***verde****.* *La casa* ***blanca****.* *El árbol* ***alto****.*

Antepuesto, suele expresar algo inherente al nombre:

La ***blanca*** *nieve.* *El* ***ardiente*** *fuego.* *La* ***húmeda*** *niebla.*

2. Repercusiones de la colocación en el significado:

Hay adjetivos que pueden ir indistintamente antes o después del nombre sin que el significado varíe:

El libro ***primero****.* *El* ***primer*** *libro.*
El ***último*** *día.* *El día* ***último****.*

Hay otros adjetivos cuya colocación acarrea variación de significado:

alto, bueno, cierto, grande, nuevo, pobre, raro, simple, solo, triste, viejo...

La ***alta*** *cuna* (categoría). *La cuna* ***alta*** (altura física).
Un ***gran*** *hombre* (mérito). *Un hombre* ***grande*** (corpulencia).
Una ***vieja*** *casa* (antigüedad). *Una casa* ***vieja*** (deterioro).

Hay algunos que han de figurar después del nombre:

guerra ***civil*** *producto* ***lácteo*** *ganado* ***porcino***
mesa ***redonda*** *líder* ***político*** *piedra* ***angular***
carne ***mortal*** *central* ***nuclear*** *interés* ***compuesto***

Y unos pocos figuran siempre antes de él:

mera *hipótesis* ***sendas*** *cajas* ***ambos*** *hermanos*

3. Peculiaridades:

Gran(grande) y **pequeño** pueden tener un valor cuantitativo de *intensidad* o de *reiteración*:

Un ***gran*** *viajero* (que viaja mucho).
Un ***pequeño*** *ahorrador* (que ahorra en pequeñas cantidades).

114 Haz oraciones según el modelo y explica el significado (1.):

Niño pequeño / ojos azules: Era un niño pequeño con los ojos azules.

1. Señor viejo / piernas largas ______________________.
2. Piso soleado / terraza pequeña ______________________.
3. Señora rubia / gafas negras ______________________.
4. Coche negro / maletero grande ______________________.
5. Cinco ejercicios / ejemplos fáciles ______________________.
6. Whisky doble / dos vasos ______________________.
7. Casa nueva / dos habitaciones ______________________.
8. Mesa rectangular / diez personas ______________________.
9. Semana última / viaje agradable ______________________.
10. Mera casualidad / acierto fácil ______________________.

115 Coloca los adjetivos antes o después del nombre, según te parezca adecuado (2.):

1. Las ________ guerras ________ siempre son lamentables (civil).
2. Las ________ acciones ________ son propias de ________ hombres ________ (bueno/noble).
3. Me gustan los ________ productos ________ (lácteo).
4. Las ________ mesas ________ tienen más capacidad (redondo).
5. El niño necesita una ________ cuna ________ para dormir (alto).
6. Obras son amores y no ________ razones ________ (bueno).
7. No te preocupes por sus amenazas: es un ________ hombre ________ (pobre).
8. Lo ocurrido fue ________ casualidad ________ (mera).
9. Hay ________ rumores ________ que no son verdaderos (cierto).
10. Me gusta aquella ________ casa ________ (blanca).

116 Responde a estas preguntas usando los mismos adjetivos (2.):

1. —Esta actriz ¿es guapa? — ______________________.
2. —¿Es joven tu profesor? — ______________________.
3. —El anfiteatro ¿es grande? — ______________________.
4. —¿Hubo una guerra civil? — ______________________.
5. —¿Es una buena persona? — ______________________.
6. —¿Eres un gran viajero? — ______________________.
7. —¿Eres un pequeño ahorrador? — ______________________.
8. —¿Es John un viejo cliente? — ______________________.
9. —¿Vives en la nueva casa? — ______________________.
10. —¿Tienes alta la tensión? — ______________________.

14 LOS ADJETIVOS NUMERALES

A LOS NÚMEROS CARDINALES:

0	*cero*	11	*once*	22	*veintidós*	50	*cincuenta*
1	*uno*	12	*doce*	23	*veintitrés*	60	*sesenta*
2	*dos*	13	*trece*	24	*veinticuatro*	70	*setenta*
3	*tres*	14	*catorce*	25	*veinticinco*	80	*ochenta*
4	*cuatro*	15	*quince*	26	*veintiséis*	90	*noventa*
5	*cinco*	16	*dieciséis*	27	*veintisiete*	100	*cien*
6	*seis*	17	*diecisiete*	28	*veintiocho*	101	*ciento uno*
7	*siete*	18	*dieciocho*	29	*veintinueve*	200	*doscientos*
8	*ocho*	19	*diecinueve*	30	*treinta*	500	*quinientos*
9	*nueve*	20	*veinte*	31	*treinta y uno*	1.000	*mil*
10	*diez*	21	*veintiuno*	40	*cuarenta*	1.000.000	*millón*

A partir del *dieciséis* y hasta el *treinta* se escriben sin separación.

ciento (100): es la forma nominal: un ciento.
cien: es la forma adjetiva y siempre va seguida de un nombre:

ciento uno; ciento dos; ciento tres...
cien mil; cien mil uno; cien mil dos...
cien millones; ciento un millones; ciento dos millones...
% = tanto por ciento; 2 % = dos por ciento...

Desde 200 a 900 son números variables en género:

200 doscientos/as — 300 trescientos/as
400 cuatrocientos/as — 500 quinientos/as...

Son irregulares:

700 setecientos/as (siete → *sete-*)
900 novecientos/as (nueve → *nove-*)

1.000: *mil,* es invariable como numeral: *Hay **mil** ovejas.*
es variable, en singular y plural, como sustantivo: *Había **miles** de personas.*
1.000.000: *un millón,* es variable en singular y plural: *Dos **millones** de pesetas.* *Tres **millones** de habitantes.*

Cuando **millón/millones** van seguidos de un nombre, requieren la preposición **de**, como se puede ver en los ejemplos precedentes.

117 **Escribe con letras los números de teléfono siguientes (A.):**

El número del aeropuerto es el noventa y uno, trescientos cinco, ochenta y tres, cuarenta y tres.

Aeropuerto de Barajas: (91) 305 83 43
Farmacia: (91) 45 03 02 01
SAMUR (ambulancias): 061
Estación de tren: (91) 328 90 20
Radio Taxi: (91) 475 61 62
Telefónica: 002
Policía: 092
Insalud (centro de salud): 112
Bomberos: 080
Información horaria: 094

118 **Escribe con letras tu número de teléfono, el de tus padres y el de un amigo o amiga (A.):**

119 **Completa las oraciones según el modelo (A.):**

En un año hay doce meses.

1. En un mes ______ días.
2. En un día ______ horas.
3. En un minuto ______ segundos.
4. En una semana ______ días.
5. En una hora ______ minutos.
6. En una docena ______ objetos.

120 **Escribe con letra las frecuencias de estas emisoras, según el modelo (A.):**

Radio 1: 91.0. *Radio uno es el noventa y uno punto cero.*

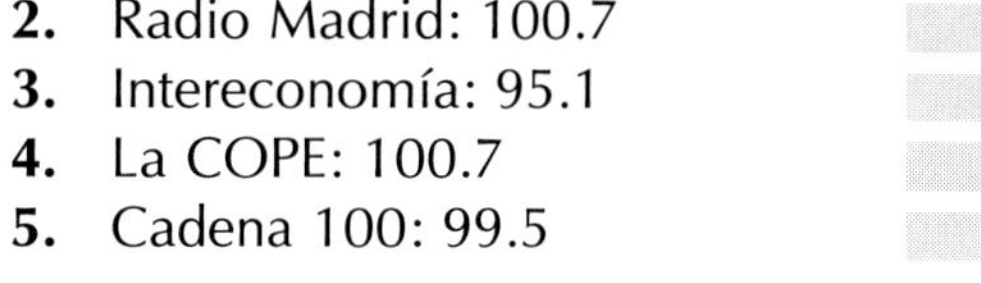

1. Cuarenta Principales: 93.9 ______.
2. Radio Madrid: 100.7 ______.
3. Intereconomía: 95.1 ______.
4. La COPE: 100.7 ______.
5. Cadena 100: 99.5 ______.

121 **Realiza operaciones (suma, resta, multiplicación y división) según los modelos (A.):**

6 *seis*
+25 *más veinticinco*
=31 *igual a treinta y uno*

47 *cuarenta y siete*
–20 *menos veinte*
=27 *igual a veintisiete*

129
+46
=175

98
–23
=75

72 setenta y dos
×2 multiplicado por dos
=144 da ciento cuarenta y cuatro

36 treinta y seis
:4 dividido por cuatro
=9 da nueve

44
×8
=352

81
:9
=9

B LOS ORDINALES:

1. **Son nombres o adjetivos:**

   *El **primero** de clase* (nombre). *La **primera** de sus compañeras* (nombre).
   *La **segunda** vez* (adjetivo). *El **primer** día* (adjetivo).

2. **Como adjetivos, varían de género y de número:**

   *Los **primeros** cursos.* *Los **terceros** puestos.*
   *Se ha casado en **segundas** nupcias.*

3. ***Primero** y **tercero*** **pierden la vocal final *o* antes de un sustantivo, aunque se interponga un adjetivo:**

   *Al **primer** intento lo logré.* *Es el **tercer** buen médico que visito.*

4. ***Primero*** **puede ser usado:**

   Como adverbio, con el significado de ***antes***:

   ***Primero** tienes que acabar ese informe.*

   En combinación con ***que***; entonces equivale a ***antes que***:

   *He llegado **primero que** tú.*

Formas simples		Formas compuestas		
1.º	*primero*		13.º	*decimotercero*
2.º	*segundo*		14.º	*decimocuarto*
3.º	*tercero*		15.º	*decimoquinto*
4.º	*cuarto*		16.º	*decimosexto*
5.º	*quinto*		17.º	*decimoséptimo*
6.º	*sexto*		18.º	*decimoctavo*
7.º	*séptimo*		19.º	*decimonoveno*
8.º	*octavo*	(simples)	20.º	*vigésimo*
9.º	*noveno*		30.º	*trigésimo*
10.º	*décimo*		40.º	*cuadragésimo*
11.º	*undécimo*		50.º	*quincuagésimo*
12.º	*duodécimo*		60.º	*sexagésimo...*

Se usan desde el **1.º** hasta el **10.º** para designar siglos, dinastías, monarcas, papas, emperadores, capítulos, días del mes...

*Siglo **segundo**.* *Juan Carlos **primero**.* *Benedicto **quinto**.*
*Iván **segundo**.* *Capítulo **tercero**.* *Día **primero** de julio.*

En la lengua hablada, e incluso literaria, hay tendencia a evitar el uso de los ordinales a partir del **12.º:**

*Alfonso **décimo,*** pero *Alfonso **doce*** o *Alfonso **trece.***
*Siglo **cuarto,*** pero *siglo **diecisiete*** o ***diecinueve**.*

C PARA EVITAR CONFUSIÓN:

Algunos sustantivos pueden confundirse con ciertos adjetivos ordinales:

*Un minuto tiene sesenta **segundos**.* *Dormirás en el **cuarto** del fondo.*
*Goya vivió en la **quinta** del Sordo.* *Licenciaron a los **quintos**.*
*Empieza la **novena** a San José.* *Déme tres **décimos** de lotería.*

(*Quinta*: finca en el campo; *Novena*: oraciones a un santo durante nueve días; *Cuarto*: habitación; *Quinto*: soldado; *Décimo*: participación).

122 Contesta a estas preguntas según el modelo (B.1., 2.):

—¿El concierto es en el primer piso? *—Sí, es en el primero.*

1. —¿El médico es en el 2.º? —______.
2. —¿Las oficinas son en el 24.º? —______.
3. —¿Está el director con los 3.os cursos? —______.
4. —¿La calle del Pez tiene el D.P. 28034? —______.
5. —¿Has leído la página 31 del libro? —______.
6. —¿Es ésta la 3.ª mujer de Carlos? —______.
7. —¿Es el 500 aniversario del Descubrimiento? —______.
8. —¿Es éste el 150 ejercicio? —______.
9. —¿El verano es la 3.ª estación? —______.
10. —¿La fiesta es en el 5.º? —______.

123 Completa las oraciones con primer(o), tercer(o) (B.3.):

Yo estoy en el ***tercer*** *nivel de español.*

1. Juan vive en el piso ______ de este edificio.
2. Lo más difícil de esta carrera es el ______ curso.
3. Pablo y Berta celebran el ______ aniversario de su boda.
4. Daniel es nuestro ______ hijo.
5. Laura es la ______ de su clase.
6. Los ______ niveles de español son los más difíciles.
7. Al ______ intento ningún deportista abandona.
8. La comedia estaba ya en el ______ acto.
9. Y resucitó al ______ día.
10. ______ es la obligación y luego, la devoción.

124 Completa estas oraciones según el modelo (B.3., 4.):

El mes de enero es el ***primer*** *mes del año.*

1. El lunes es el ______ día de la semana.
2. Marzo es el ______ mes ______.
3. El otoño es la ______ estación ______.
4. El viernes es ______.
5. Octubre es ______.
6. El verano es ______.
7. El invierno es ______.
8. Mayo es ______.
9. El dedo anular es ______ de la mano.
10. Las 12 son ______ hora del día.

125 Completa los espacios (C.):

1. Acostumbra a echar la siesta en el ______ del fondo.
2. Concluyó la ______ en honor de la Virgen.
3. Llegaron al cuartel los nuevos ______.
4. Perdí un ______ de la lotería de Navidad.
5. Batió el récord de velocidad, que estaba en ocho ______.

15 EL TIEMPO (I)

A EL DÍA, LA FECHA Y LAS ESTACIONES DEL AÑO:

1. **Para indicar una fecha, se utiliza *estamos a* o *es* + la fecha:**

   Estamos a *viernes.* *Hoy* ***es*** *4 de noviembre.*

   - No se utiliza artículo antes de la fecha que se fija en cartas, actas y demás documentos:

     Madrid, ***2*** *de octubre de 1999.*

   - En los demás casos de identificación de fechas, se usa el artículo, como se ve en estos ejemplos:

     *—¿**Qué día** es hoy?* *—Es **el 5** de diciembre.*
     *—¿**Cuándo** se celebró la boda?* *—Fue **el 7** de agosto de 1976.*

2. **Los días de la semana: *lunes, martes, miércoles, jueves, viernes, sábado, domingo*:**

   - Tomados en sentido genérico, no requieren el uso del artículo:

     La clase de español: lunes y miércoles, de 5 a 8.
     Este museo cierra sábados y domingos por la tarde.

   - Usados en sentido concreto, deben ir precedidos de artículo:

     *No estaré en Madrid **el** lunes.* *Regresaré **el** martes.*

3. **Los meses del año: *enero, febrero, marzo, abril, mayo, junio, julio, agosto, septiembre, octubre, noviembre* y *diciembre:***

   - Tomados como denominación genérica de tiempo, se emplean sin artículo:

     Iremos en julio. *Las vacaciones las disfrutamos en agosto.*

   - Para indicar la duración, se utilizan las expresiones **en el mes de, durante el mes de...,** seguidas del nombre del mes de que se trate:

     *Fue **en el mes de** enero.* *Viajaremos **durante el mes de** julio.*

4. **Las estaciones: *primavera, verano, otoño, invierno:***

   - Tomadas como denominación genérica de tiempo, se utilizan sin artículo:

     Trabajamos en primavera y descansamos en verano.

   - Para expresar la duración temporal, hay que anteponer el artículo y añadir la preposición **de,** más la fecha correspondiente:

     *Fue en **el** verano **de** 1998, durante **el** otoño **de** 1900...*

5. **Para los años y los siglos se utiliza *en,* o *a mediados, a principios, a finales, durante, hacia:***

   *Ocurrió **en** 1998.* *Nació **a principios** del siglo XX.*

126 **Escribe estas fechas según el modelo (A.1.):**

Hoy es martes veinticuatro. Estamos a veinticuatro. Estamos en mayo.

Martes, 24 de mayo
Domingo, 15 de agosto
Lunes, 11 del 3
Sábado, 17/6.
Jueves, once de enero
Viernes, 12/12
Miércoles, 19 de febrero

127 **Escribe con letra según el modelo (A.3.):**

Madrid, 10/07/1947:
Madrid, diez de julio de mil novecientos cuarenta y siete.

1. La Coruña, 19/02/1983: ______________________.
2. Barcelona, 11/03/1978: ______________________.
3. Salamanca, 17/06/1946: ______________________.
4. Sevilla, 22/08/1912: ______________________.
5. New York, 13/12/1913: ______________________.

128 **Completa el texto con las palabras que faltan (*el, la, los, a, por*):**

Mi padre no es demasiado viejo (nació ____ 5 de mayo de 1920); es un amante del mar. ____ verano último pasamos ____ domingos en el mar. ____ finales de agosto siempre hay mucha gente en la playa: salimos ____ ____ mañana y regresamos ____ ____ tarde. Por el contrario, ____ otoño y ____ invierno no hay nadie en la playa.

129 **Escribe con letra según el modelo:**

Marilyn Monroe (1/06/1926): *Nació el uno de junio de mil novecientos veintiséis.*

1. Albert Einstein (14/03/1879): ______________________.
2. Pablo Ruiz Picasso (13/06/1881): ______________________.
3. Diego Velázquez (10/07/1599) : ______________________.
4. Francisco de Goya (25/11/1746): ______________________.
5. Sofía de Grecia (4/11/1938): ______________________.

130 **Responde a las preguntas según el modelo:**

—¿Cuándo has nacido?
—He nacido el 20 de agosto de mil novecientos setenta y dos.

1. —¿A qué día estamos?
   —______________________.
2. —¿Estamos a principios o a finales de mes?
   —______________________.
3. —Di la fecha completa con el día, mes, año y siglo en que estamos.
   —______________________.
4. —¿Cuándo has nacido?
   —______________________.
5. —¿En qué mes estamos?
   —______________________.

B LA HORA (EL TIEMPO CRONOLÓGICO):

1. **Para indicar la hora se utilizan las construcciones impersonales *es* o *son*, seguidas del artículo femenino singular o plural:**

   *Es **la** una. Son **las** dos, **las** cinco, **las** doce...*

2. **Se indica la hora exacta como sigue:**

   9h.00: *Son las nueve.*
   8h.55: *Son las nueve menos cinco.*
   8h.45: *Son las nueve menos cuarto.*
   8h.40: *Son las nueve menos veinte.*
   24h.00: *Son las doce. Es medianoche.*
   9h.05: *Son las nueve y cinco.*
   3h.15: *Son las tres y cuarto.*
   9h.30: *Son las nueve y media.*
   12h.00: *Son las doce. Es mediodía.*

3. **En los horarios oficiales, en la radio y TV, se dice:**

   20h.45: *Son las veinte horas y cuarenta y cinco minutos.*
   17h.30: *Son las diecisiete horas y treinta minutos.*

4. **Para señalar una hora concreta de encuentro, de cita, de reunión... se utiliza la preposición *a*:**

   *—¿**A** qué hora nos vemos?*
   *—**A** las ocho y media.*

5. **Expresiones útiles:**

   La reunión es a las doce.
   Estaré a las doce en punto.
   Vendré a las doce menos cuarto.
   Llegaré tarde, a las doce y cuarto.

C EL TIEMPO METEOROLÓGICO:

Para describir el tiempo, se utilizan las construcciones impersonales siguientes:

1. ***Hacer/haber* + adjetivo o sustantivo, responde a preguntas del tipo *¿qué tiempo hace/ hará/hubo, ...?*:**

   ***Hace** bueno.* ***Hace** calor.* ***Hizo** frío.*
   ***Hay** viento.* ***Hace** frío.* ***Hizo** calor.*
   ***Ha hecho** bueno.* ***Hace** viento.* ***Habrá** nubes.*
   ***Hará** malo.* ***Hace** sol.* ***Haría** frío.*

2. ***Hay* + nombre responde a la pregunta *¿cómo está el día*?:**

   ***Hay** nubes. **Hay** niebla. **Hay** lluvia. **Hubo** nubes.*
   ***Habrá** neblina. **Habrá** lluvia. **Había** nevadas.*

3. ***Estar* + adjetivo responde a la pregunta *¿cómo está el tiempo*?:**

   ***Está** nublado.* ***Está** lluvioso.* ***Está** soleado.*

131 **Transcribe la hora según el modelo (B.2.):**

7h.45: Son las siete horas y cuarenta y cinco minutos. Son las ocho menos cuarto.

1. 9h.10: ______
2. 12h.25: ______
3. 15h.45: ______
4. 18h.30: ______
5. 15h.12: ______
6. 4h.15: ______
7. 0h.16: ______
8. 20h.35: ______
9. 24h.00: ______
10. 2h.30: ______

132 **Completa las oraciones con *tarde* o *temprano, retraso, puntual* o *adelanto*:**

1. Levantarse al mediodía es levantarse ______.
2. Date prisa: es demasiado ______.
3. Como hay niebla, llegarás ______.
4. Miguel no ha llegado aún: va con ______ como de costumbre.
5. Nosotros siempre llegamos ______ al trabajo.
6. Nos paramos mucho; llevamos diez minutos de ______.
7. El niño se despertó muy ______ ¡Son las cinco de la mañana!
8. El tren, por una vez, va a llegar con ______.
9. Son las cinco. El avión llegará con diez minutos de ______.
10. Te espero a las dos. ¿Vas a ser ______?

133 **Responde a estas preguntas (B.1., 2., 3.):**

1. ¿Qué hora es? — ______.
2. ¿Qué hora es en Tokio? — ______.
3. ¿Qué tiempo hace? — ______.
4. ¿En qué año estamos? — ______.
5. ¿En qué estación estamos? — ______.
6. En Madrid, en enero, ¿hace frío o calor? — ______.
7. ¿Hace frío en Brasil en febrero? — ______.
8. ¿Qué tiempo hace en agosto en Galicia? — ______.
9. ¿Qué temperatura hay en la sala? — ______.
10. ¿Cuántos grados hay en la calle? — ______.

134 **Completa con *son, hace, hay, es, está,* etcétera (C.1., 2., 3.):**

1. Cuando ______ las doce en Madrid, ______ las ocho en Río de Janeiro.
2. Hoy ______ mucho frío y ______ neblina.
3. En Grecia, en verano, ______ calor, pero ______ siempre viento.
4. Es la hora del telediario: ______ las tres de la tarde.
5. Hoy es el primer día de invierno: no ______ nieve ni ______ calor.

16 LOS ADJETIVOS Y PRONOMBRES INDEFINIDOS

A EL ADJETIVO INDEFINIDO:

Precede, salvo excepciones, al nombre sustantivo.

1. **Sirve para reducir indeterminadamente el significado del nombre:**

Algún(a)/os(as):	***Algún*** *libro te gustará.*
Cierto(a)/os(as):	***Ciertas*** *obras son inútiles.*
Cual(es)quier(a):	***Cualquier*** *día es mejor que hoy.*
Otro(a)/os(as):	*Me gustarían* ***otros*** *zapatos.*
Un(a)/os(as):	***Una*** *alumna paseaba por el parque.*

2. **Sirve para ampliar indeterminadamente el significado del nombre en plural:**

Unos(as):	*Vinieron a verme* ***unos*** *alumnos.*
Varios(as):	*Recibí* ***varias*** *cartas.*

3. **Señala una parte indeterminada de algo:**

Bastante(s):	*Perdimos* ***bastante*** *tiempo.*
Demás:	*Nietos, primos y* ***demás*** *familia...*
Demasiado(a)/os(as):	*Aquí hay* ***demasiados*** *niños.*
Más:	*Deberíamos esforzarnos* ***más****.*
Mucho(a)/os(as):	*No por* ***mucho*** *madrugar...*
Poco(a)/os(as):	*Tengo* ***poca*** *fuerza en esta mano.*
Tan(to/a)/os(as):	*Gasta* ***tanto*** *dinero como yo.*
	*¿****Tan*** *cansado estás?*
Ø	*Comieron* ***Ø*** *pan y saborearon* ***Ø*** *vino.*

4. **Afirma o niega la totalidad del significado del nombre:**

Ningún(a)/os(as):	*No veo aquí* ***ningunas*** *gafas.*
Todo(a)/os(as):	*Ni son* ***todos*** *los que están, ni están* ***todos*** *los que son.*

5. **Expresa el significado del nombre, distribuido por elementos individuales:**

Cada:	*A* ***cada*** *día, su afán.*
Sendos(as):	*Escribí* ***sendas*** *postales a mis amigas.*
Ambos(as):	*Venían* ***ambos*** *con sus hijos.*

6. **Sirve para señalar el significado del nombre por su identidad, similitud o cualidad:**

Tal(es):	*A* ***tal*** *señor,* ***tal*** *honor.*
Igual(es):	*Es* ***igual*** *lo que tú pienses.*
Semejante(s):	*No deben repetirse* ***semejantes*** *hechos.*

135 Completa con alguna o con varias de estas palabras: *cualquier(a), uno(a), cierto(a), otro(a), algún(o/a)* (A.1.):

1. ______ alumna paseaba por el parque.
2. Supongo que ______ libro te gustará, ¿no?
3. El profesor contestó con ______ ironía.
4. Ya te dije que me gustaba ______ coche.
5. ______ día es mejor que hoy para hacer una excursión.
6. Entró en el aula ______ mendigo pidiendo.
7. Lo dejamos para ______ ocasión mejor.
8. ¿Habéis visto esos ______ libros de allí?
9. ______ día te arrepentirás de eso que estás diciendo.
10. ¡He vuelto a equivocarme ______ vez!

136 Completa con uno de los indefinidos *mucho(a), poco(a), tan(to/a), bastante(s), más, Ø* (A.3.):

1. Nosotros acostumbramos a beber ______ agua en las comidas.
2. Los empresarios no siempre ganan ______ dinero.
3. En diciembre, en Madrid, suele hacer ______ frío.
4. Después de haber trabajado duramente, me queda ______ fuerza.
5. No gasta ______ dinero como sus hermanos.
6. En esta cafetería hay ______ mujeres que hombres.
7. Comieron ______ pan y luego, bebieron ______ vino.
8. No seas ______ riguroso con tu hija.
9. No sólo se aprende leyendo ______ libros y ______ revistas.
10. Por ______ que insistas, no me vas a convencer.

137 Completa con *todo(a)/os(as), ningún(o/a) (os/as), sendos(as), cada, tal(es), igual(es)* (A.4., 5., 6.):

1. ______ vuestras ideas son interesantes.
2. Me he leído ______ el Quijote en ocho días.
3. No te he visto ______ día en clase de Literatura.
4. ______ día que pasa, aprendes más.
5. Julia y Teresa dieron ______ regalos a Juan y a Tomás.
6. De ______ palo, ______ astilla.
7. ______ los viernes voy a la peluquería.
8. ______ viernes vamos al cine los cuatro juntos.
9. No aceptaron ______ propuesta mía.
10. Recibo el periódico ______ día, por la mañana.

138 Responde según el modelo:

—¿Están cerradas todas las tiendas? *—Sí, están todas cerradas.*

1. —¿Están atentos todos los estudiantes? — ______.
2. —¿No está contento ningún cliente? — ______.
3. —¿Son reciclables todos los productos? — ______.
4. —¿Has hecho todos los ejercicios? — ______.
5. —¿Tenemos prácticas algún día? — ______.
6. —¿Has aprendido bastante vocabulario? — ______.
7. —¿Están guardados todos los diccionarios? — ______.
8. —¿Estás dispuesto a hacer cualquier cosa? — ______.

B EL PRONOMBRE INDEFINIDO:

Coincide con el adjetivo indefinido en algunas formas y se diferencia de él en que nunca acompaña al nombre sustantivo.

1. **Son invariables:**

Alguien/nadie:	—*¿Ha venido* ***alguien****?*	—*No,* ***nadie****.*
Algo/nada:	—*¿Has comprado* ***algo****?*	—*No,* ***nada****.*
Mucho/poco:	—*¿Has aprendido* ***mucho****?*	—*No,* ***poco****.*

2. **Doble negación:**

No ... nada:	—***No*** *pude hacer* ***nada*** *por ellos.*
No ... nadie:	—*Aquí no se ve a* ***nadie****.*

3. **Son variables:**

Alguno(a)/os(as):	—***Alguna*** *se habrá enterado.*
Bastante:	—*Con lo que me dices, tengo* ***bastante****.*
Cada uno(a):	—*Que* ***cada*** *uno haga su ejercicio.*
Cual(es)quiera:	—*¡****Cualquiera*** *sabe dónde estará!*
Muchos(as)/pocos(as):	—*¿Quedan* ***muchos*** *pasteles?* —*No,* ***pocos****.*
Ninguno(a)/os(as):	—*No me quedo con* ***ninguna*** *de ellas.*
Quien(es)quiera:	—*Que entre,* ***quienquiera*** *que sea.*

4. **Admiten artículos y demostrativos:**

Uno(a):	—*Si* ***el uno*** *es tonto, la otra lo es más.*
Otro(a)/os(as):	—*Esas ya son las* ***otras*** *cuestiones.*
Tal(es):	—*Ha llamado* ***un tal*** *Ernesto.*

5. **Formas de la impersonalidad:**

Uno(a):	—*¡Le pones a* ***uno*** *de un humor...!*

6. **Otros indefinidos:**

fulano, zutano, mengano, perengano...

C ADVERBIOS:

Los indefinidos cuantitativos *algo, nada, poco, mucho, demasiado, bastante, tanto* ... pueden funcionar también como adverbios:

1. **Con verbos intransitivos o utilizados como tales:**

Lloraba ***mucho.***	*He comido* ***algo.***	*Duermes* ***bastante.***
Habla ***demasiado.***	*No grites* ***tanto****.*	*Venís* ***poco*** *por aquí.*

2. **Con verbos transitivos, dependiendo del contexto:**

Leía ***mucho*** (muchos libros, o con mucha frecuencia).
Vivió ***mucho*** (muchos años, o muy intensamente).

139 **Completa las oraciones con alguna de estas palabras: *alguien, nadie, algo, nada* (B.1):**

1. —¿Ha llamado ________? —No, no ha llamado ________.
2. —¿Pasa ________? —No, no pasa ________.
3. —¿________ sabe qué ha ocurrido? —No, ________ lo sabe.
4. —¿________ lo ha visto? —No, ________ lo ha visto.
5. —¿Ocurre ________? —No, ________.

140 **Completa con una doble negación: *no ... nadie, no ... nada,* según corresponda (B.2):**

1. María ____ sabe hacer ________ sin ayuda.
2. Paula ____ vio a ________ paseando por el jardín.
3. Susana ____ quiso comer ________ en todo el día.
4. Con este mal tiempo ____ se puede hacer ________.
5. Que yo sepa, ____ ha pasado ________ en esta casa.

141 **Completa las oraciones con una de estas palabras: *uno(a)/os(as), cualquiera, quienquiera, bastante(s), alguno(a)/os(as), ninguno(a)/os(as), mucho(a)/os(as)* (B.3., 4.):**

1. ________ que llame, obtendrá la información necesaria.
2. Vinieron varios estudiantes y ________ me lo comunicó.
3. Hicieron muchos ejercicios, pero ________ estaba bien.
4. Compramos manzanas muy ricas, pero ________ se pudrieron.
5. De las cosas perdidas, ¿ha aparecido ________?
6. ¿No ha llamado por teléfono ________ de las chicas?
7. De toda la clase, ¿ha venido solo ________?
8. ________ que haya sido, que se atreva a decirlo.
9. Mirando al solucionario, ________ lo sabe.
10. ________ de vosotros ya sabréis la noticia.

142 **Completa con las formas de impersonalidad *uno/una,* según corresponda (B.5.):**

1. A veces, ____ no sabe qué pensar del prójimo.
2. Dos no se pelean si ____ no quiere.
3. ¿Tiene ____ que planchar la ropa porque lo hacen todas?
4. ____ no lo dice por ser hombre, sino por ser persona.
5. ____ no se salva si Dios no quiere.

17 PRESENTE DE LOS VERBOS REGULARES

Los verbos regulares presentan las terminaciones siguientes en el paradigma de presente de indicativo:

	habl-ar	**respond-er**	**escrib-ir**
yo	*habl-**o***	*respond-**o***	*escrib-**o***
tú	*habl-**as***	*respond-**es***	*escrib-**es***
él	*habl-**a***	*respond-**e***	*escrib-**e***
nosotros	*habl-**amos***	*respond-**emos***	*escrib-**imos***
vosotros	*habl-**áis***	*respond-**éis***	*escrib-**ís***
ellos	*habl-**an***	*respond-**en***	*escrib-**en***

1. **Se observa que lo que varía en las terminaciones verbales es la vocal temática *a, e, i,* de los tres paradigmas *-ar, -er ,-ir.* Las desinencias son comunes a los tres:**

   -o, -s, (-), -mos, -is, -n

2. **Como estos verbos, se conjugan muchos; por ejemplo:**

aprender	*comer*	*contestar*
copiar	*correr*	*dirigir*
elegir	*enseñar*	*estudiar*
insistir	*leer*	*partir*
preguntar	*remitir*	*residir*
saludar	*temer*	*vivir*

3. **Las distintas formas temporales de los verbos permiten parcelar el tiempo cronológico y convertirlo en tiempo lingüístico:**

Tiempo real	**pasado**		**presente**	**futuro**	
Tiempo lingüístico	*anteayer ← ayer*		*← hoy →*	*pasado mañana → mañana*	
Tiempo gramatical	**Pretérito Perfecto**	**Pretérito Imperfecto**	**presente**	**Futuro Imperfecto**	**Futuro Perfecto**

4. **El presente exige los adverbios *ahora, hoy* y las expresiones *en este momento, en este día, esta mañana, esta semana, este mes, este año, actualmente...* cuando hay necesidad de precisar el tiempo:**

   ***Este año** aprendemos español.*

143 **Responde libremente a estas preguntas:**

1. —¿Desayunas a las ocho, a las nueve o a las diez?
   —______.
2. —¿Vives en Madrid, en Londres o en Tokio?
   —______.
3. —¿Cenas a las siete, a las ocho o a las diez?
   —______.
4. —¿Vives en el centro de la ciudad, en un barrio o en el campo?
   —______.
5. —¿Estudias español solo, o con un profesor?
   —______.

144 **Formula preguntas según el modelo:**

Por lo general yo camino mucho; y tú, ¿caminas también mucho?

1. Normalmente, comienzo el trabajo a las nueve; y tú, ¿______?
2. Acostumbro a acabar el trabajo a las seis; y tú, ¿______?
3. De ordinario, como mientras veo el telediario; y tú, ¿______?
4. Por costumbre, ceno muy ligeramente; y tú, ¿______?
5. Generalmente, no veo la TV hasta después de comer; y tú, ¿______?

145 **Completa el diálogo en la forma afirmativa y después, en la negativa:**

—¿Trabaja Roberto con Ana? *—Sí, trabaja con Ana.*
—No, no trabaja con Ana.

1. —¿Cenamos hoy con los amigos? —______. —______.
2. —¿Entras tarde hoy al trabajo? —______. —______.
3. —¿Paula vive ahora aquí? —______. —______.
4. —¿Pasáis aquí este fin de semana? —______. —______.
5. —¿Luis y Juan tienen ahora vacaciones? —______. —______.

146 **Completa con las terminaciones que faltan:**

1. ¿Vosotros fuma______?
2. ¿Llor______ mucho el bebé?
3. ¿Tú no nos escuch______?
4. ¿Dibuj______ tú?
5. ¿Habl______ tú en clase?
6. ¿Ellas trabaj______?
7. ¿Nosotros estudi______?
8. ¿Cant______ yo?
9. ¿Mir______ el profesor?
10. ¿Practic______ tú español?

18 EL TIEMPO (II)

A EXPRESIÓN DE LA DURACIÓN:

1. **Para expresar la duración de una acción en tiempo presente, suelen utilizarse expresiones como las siguientes:**

   actualmente, en la actualidad, en el momento actual, hoy, hoy en día, hoy por hoy, en nuestros días, en nuestro tiempo, en nuestra época, en el momento presente, por ahora, de momento, ...

Ahora está aquí.	
Pasado desde	**Presente** durante **Futuro**
Está en Madrid desde enero.	*Está en Madrid durante este mes.*

2. **Para situar preguntando, se usa un presente atemporal:**

   *¿Cuándo nos **vamos** a casa?* *¿Cuándo **acabamos** el trabajo?*

3. **Para situar en el momento actual del habla:**

   *Ahora **estudio** español.* *En este momento no **trabajo**.*
   *Ahora mismo **voy** de paseo.* *En este instante no **está**.*

4. **Para situar en el día actual:**

   *Hoy por hoy no **he terminado**.*
   *Esta mañana/tarde/noche **estoy** muy ocupado.*
   *Por la mañana/tarde/noche, **trabajamos**.*
   *De noche/de día/a mediodía/a medianoche/al amanecer no **estoy**.*

5. **Para indicar una acción pasada interrumpida en el tiempo en que se habla:**

   *Óscar no **está** ahora con nosotros.*
   *María ya no **trabaja** en esta empresa.*

B EXPRESIÓN DEL ORIGEN TEMPORAL:

1. **Para expresar el origen temporal de una acción o proceso que perdura en el presente:**

   *¿Desde cuándo **estudias** español?*
   ***Soy** profesor desde 1974.*

Responde libremente a estas preguntas:

—¿Vives en Madrid desde los tres meses, o desde los seis años?
—Vivo en Madrid desde los dos meses de edad.

1. —¿Estás en la Universidad desde 1993, 1995 o 1997?
2. —¿Tienes la misma dirección desde hace cinco, diez o veinte años?
3. —¿Estás en esta clase desde hace diez minutos, media hora o doshoras?
4. —¿Desde cuándo lees este libro, desde hace cinco días, un mes o dosmeses?
5. —¿Desde cuando estás estudiando?

Haz oraciones, según el modelo, con estos datos:

ONU (1945); Especie humana (dos millones de años); El Banco Mundial (1944); La Tierra (cuatro mil millones de años).

La ONU existe ***desde*** *mil novecientos cuarenta y cinco.*

Completa los huecos con *desde (hace), durante* o *en*:

Mi madre cocina ***durante*** *dos horas, para toda la semana.*

1. Estudio español ________ dos horas por las mañanas.
2. Mi marido no fuma ________ dos meses.
3. Mi primo trabaja como guarda ________ toda la noche.
4. Los niños ven la televisión ________ dos horas diarias
5. Corrió la Maratón ________ dos horas y cuarto.

Haz oraciones con los verbos y expresiones de tiempo que has aprendido, basándote en estos datos:

Tres ejercicios (cinco minutos); gimnasia (dos horas); *footing* (una hora); natación (media hora); respiración (doce minutos); flexiones de abdomen y rodillas (un cuarto de hora).

Yo hago tres ejercicios en cinco minutos.

19 SITUACIÓN EN EL ESPACIO (II)

La localización en el espacio de las personas y de los objetos se expresa mediante signos que indican proximidad o lejanía al que habla o al que escucha:

1. **Por mayor o menor proximidad al hablante:**

Aquí, ahí, allí; acá (con precisión); ***allá*** (sin precisión);

> ***Aquí*** *tengo las notas del examen.*
> ***Ahí*** *tienes la lista.*
> *Tus compañeros están por* ***allá***.

2. **Por la posición respecto a los hablantes:**

Superior (arriba, encima):

> *El pueblo queda allí* ***arriba.***
> *La piedra está* ***encima.***

Inferior (abajo, debajo):

> *El valle está* ***abajo***.
> *La hoja está* ***debajo***.

Anterior (delante):

> *El jefe va* ***delante***.

Posterior (detrás):

> *Los soldados van* ***detrás***.

Exterior (fuera):

> *El perro está* ***fuera***.

Interior (dentro):

> *El gato está* ***dentro***.

Central (en medio/en el centro):

> *Va por la fila de* ***en medio***.
> *La mesa está* ***en el centro***.

Frontal (enfrente):

> *La facultad está* ***enfrente***.

Dorsal (de espaldas):

> *Tú no ves; estás* ***de espaldas***.

Lateral (a la derecha, a la izquierda):

> ***A la derecha*** *del río hay flores y* ***a la izquierda****, barro.*

Circundante (alrededor):

> *La policía se situó* ***alrededor*** *del parque.*

Separada (aparte):

> *Dejé tus libros y apuntes* ***aparte***.

Indefinida (en algún sitio, en cualquier parte):

> *Eso lo puedes comprar* ***en cualquier parte***.

Determinada (en):

> *Luis está* ***en*** *el sótano.*
> *Disfrutó mucho* ***en*** *París.*

Indeterminada (por, hacia):

> *Luis está* ***por*** *el campo.*
> *Juan va* ***hacia*** *Asia.*

3. **Para preguntar por un lugar, se usa *dónde* + verbo:**

> —*¿**Dónde dejo** este libro?*
> —*¿**Dónde está** Correos?*

Completa con *aquí, ahí* o *allí* (1.):

1. —Dame la llave que está ______, a tu lado.
2. —Cuando fui a Madrid no vi nada ______.
3. —Tú, desde ______, no verás bien el horizonte.
4. —¡Alto! ¿Quién anda por ______?
5. —¿Estuviste en Roma? —No, no estuve ______.
6. —Tráeme el libro ______ cuando vengas.
7. —¿Dónde estás? Dime: ¿qué tiempo hace por ______?
8. —Desde Marbella hasta ______ hay 500 kilómetros.
9. —¿Piensas venir desde ______ hasta ______?
10. —Cuando tú y yo estuvimos ______, en Río, lo pasamos bien.

Completa el texto con *en* o con *por* (2.):

1. Madrid está ______ España.
2. El Guadalquivir pasa ______ Sevilla.
3. Los Andes se encuentran ______ Chile.
4. Guinea está ______ África central.
5. Mongolia está ______ Asia.
6. El sol se pone ______ el oeste.
7. Nos paseamos ______ el puerto.
8. ______ el sur de España hace más calor que ______ el norte.
9. Vivo ______ una ciudad moderna.
10. El Louvre está ______ París.

Completa las frases siguientes (2.):

1. El sótano de la casa está ______ (en la parte inferior).
2. En España los coches circulan por ______ y en Inglaterra, por ______
3. Los coches llevan el maletero ______.
4. Los pasajeros de taxi suelen viajar en los asientos de ______.
5. Las alas de los aviones van ______.
6. La plaza mayor está ______ del pueblo.
7. Los pájaros, cuando se hacen mayores, vuelan ______ del nido.
8. Cuando hace frío, las personas permanecen ______ de sus casas.
9. Las cruces de las torres están ______.
10. No me ves porque estoy ______ de la puerta.

4. Para indicar la distancia respecto de los hablantes:

Próxima (cerca):

*La Universidad está **cerca**.*

Lejana (lejos):

*El Japón está **lejos**.*

Ni cercana ni lejana (entre):

*La casa está **entre** el parque y el colegio de Juan.*

5. Para indicar la dirección de un movimiento:

Proximidad en relación con el hablante:

*Ha **salido de aquí**.* *¿No ha **llegado** aún **ahí**?*

Lejanía en relación con el hablante:

*Tampoco ha estado **allí**.* *No ha salido de **allá**.*

6. Para indicar movimiento de acercamiento o alejamiento:

Acercamiento sin término (hacia): *Voy **hacia** Madrid.*
Acercamiento con término (para): *Salgo **para** Madrid.*
Alejamiento sin delimitación del origen: *Salgo **hacia** Burgos.*
Alejamiento con delimitación del origen: *Salgo **desde** aquí.*

7. Para indicar el origen y el término de un movimiento:

Con precisión: *Viajó **desde** París **hasta** Tokio.*
Sin precisión del origen: *Viajó **a** Tokio.*
Sin precisión del destino: *Salió **de** Madrid.*

8. Para indicar el modo de desplazamiento:

Por tierra: *Hizo el camino de Santiago **a pie**.*

Andar: Ir a pie / andando.
Conducir: Ir en coche / en moto.
Pasear: Andar por.../dar una vuelta por...
Viajar: Ir en tren, en autobús, en metro.
Hacer *footing*, alpinismo, montar en bicicleta, a caballo, escalar la montaña.

Por mar: *Navegó* *desde Palma a Nápoles e **hizo vela** en verano.*

Navegar: Ir en barco.
Embarcarse: Subir a un barco.
Hacer vela, submarinismo, natación...

Por aire: *Voló de Madrid a Tokio en abril.*

Volar: Ir en avión.
Hacer *parapente*, ala delta...

Completa con los adverbios *cerca, lejos, ahí, aquí, allí* y *entre* (4.):

1. Barcelona está más __________ de Madrid que París.
2. Tokio está más __________ de Madrid que Nueva York.
3. Pequín queda __________ Tokio y Moscú.
4. Dame ese libro que está __________ de ti.
5. ¿Quieres visitar aquel museo que ves __________?
6. Hace un poco Juan ha salido de __________ hacia ahí.
7. Este libro que llevo __________ es mío.
8. Cien km. es la distancia que hay __________ las dos ciudades.
9. Berlín está lejos de __________, donde vivo.
10. Al ir para __________ de viaje, lo pasamos bien; al venir para __________, nos cansó mucho el trayecto.

Completa con las preposiciones *hacia, para, de, desde, cerca de, en torno a,* según el modelo (6.):

*El tren ha salido **hacia** Sevilla hace unos minutos.*

1. El tren procedente de Sevilla __________ Barcelona, va a salir.
2. Mi amigo Luis se marchó __________ México la semana pasada.
3. La empresa me hizo venir __________ Madrid.
4. A Madrid vendré __________ América del Norte.
5. Volaremos __________ Madrid __________ Nueva York por la noche.
6. Pasaré en avión __________ Roma __________ Madrid.
7. El partido de tenis se retransmitirá __________ Londres.
8. Salió __________ París.
9. Volvió __________ Londres ayer.
10. Viajó __________ Bruselas __________ Roma.

Completa según el modelo (8):

María caminó a Santiago → María hizo a pie el camino a Santiago.

1. Juan anduvo de Pamplona a Santiago. Juan ____________________.
2. Luis navega de Barcelona a Nápoles. Luis ____________________.
3. Tú vuelas de Roma a París.
4. Raquel condujo desde Berlín a Frankfurt.
5. Luisa paseó por la ciudad.
6. María ha buceado toda la mañana.
7. Ángel, como buen motorista, fue a Barcelona en ____________________.
8. Daniel se subió al coche cama y fue hasta París en ____________________.
9. Rosa se embarcó la primera.
10. Ana fue a la estación de ferrocarril para viajar a la universidad. Ana fue a la estación para ____________________.

20 EL ADJETIVO (III)

A EXPRESIÓN DEL GRADO DE LA CUALIDAD O DE LA CANTIDAD:

1. Para formar el comparativo se colocan *tan(to), más* o *menos*, seguidos del adjetivo o del adverbio y las formas *que/como*, antes del término que se compara:

— de igualdad:	*Juan es **tan** rápido **como** Raúl.*
— de superioridad:	*Juan es **más** rápido **que** Pablo.*
— de inferioridad:	*Juan es **menos** rápido **que** Luis.*

En algunos casos, la segunda parte de la comparación se puede suprimir:

*Juan es **más** rápido.*

2. Comparativos especiales:

— **Anterior**	(tiempo):	*Nos vimos el día anterior.*
	(espacio):	*Está en un puesto anterior al tuyo.*
— **Posterior**	(tiempo):	*Fue algo posterior al accidente.*
	(espacio):	*Está en el banco posterior al tuyo.*
— **Superior**	(calidad):	*Es un coñac superior.*
	(espacio):	*Estaremos en el piso superior.*
	(tiempo):	*Esto es del Paleolítico Superior.*
— **Inferior**	(espacio):	*La oficina está en el piso inferior.*
	(tiempo):	*Un fósil del Neolítico Inferior.*
	(calidad):	*Aquí se produce un vino muy inferior.*

B EL SUPERLATIVO:

1. El superlativo relativo se forma colocando *el* o *la* antes del adjetivo, y *de* delante del grupo nominal comparado:

artículo determinado + | ***más* / *menos*** | + adjetivo + ***de*** + nombre:

*Es el **más** listo **de** la clase.*
*Es el **menos** listo **de** la clase.*

artículo determinado + | ***más* / *menos*** | + adjetivo + ***que*** + verbo:

*Es el **más** inteligente **que** hay.*
*Es el **menos** caro **que** tenemos.*

2. Para formar el superlativo absoluto, o bien se coloca *muy* antes del adjetivo, o bien se le añade la terminación *-ísimo*:

muy + adjetivo:	*Tu novia es **muy** simpática.*
Adjetivo en ***-ísimo***:	*Este chico es alt**ísimo**.*

157 Compara *hoy* con *antes*, llenando los espacios del texto, según el modelo (A.1.):

(–) Hoy los trabajos manuales son ***menos*** *duros* ***que*** *antes.*

1. (+) El nivel de vida es ______ alto ______ antes.
2. (–) Los alimentos son ______ naturales ______ antes.
3. (+) Las mujeres son ______ independientes ______ antes.
4. (–) Los viajes son ______ peligrosos ______ antes.
5. (–) La naturaleza es ______ salvaje ______ antes.
6. (=) El ser humano es ______ misterioso ______ antes.
7. (+) Las noticias circulan ______ rápido ______ antes.
8. (+) El hombre vive ______ tiempo ______ antes.
9. (=) Los hombres siguen matándose ______ ciegamente ______ antes.
10. (–) Hoy la vida es ______ ecológica ______ antes.

158 Completa el texto con *tan(to) ... como* (A.1.):

Los perros no son ***tan*** *independientes* ***como*** *los gatos.*

1. Pablo lee ______ libros ______ su amigo.
2. María gana ______ ______ Marisa.
3. Luis es ______ eficiente ______ su compañero.
4. Mi hija es ______ responsable ______ su hermano mayor.
5. El agua es ______ barata ______ el vino.
6. Raúl gana ______ ______ Clara.
7. ¿Tú eres ______ veloz ______ piensas?
8. ¿Te gusta el deporte ______ ______ el estudio?
9. Los estudiantes madrugaron ______ ______ el profesor.
10. ¿Te gusta ______ la gaseosa ______ para no beber otra cosa?

159 Haz oraciones con el comparativo y ponlas en superlativo, según el modelo (B.1.):

	Salario	horas de trabajo
Juan	2500 euros/mes	35 horas semanales
Lucía	1800 euros/mes	30 horas semanales
Julia	3000 euros/mes	41 horas semanales
Eva	2000 euros/mes	35 horas semanales
Daniel	2500 euros/mes	40 horas semanales

Lucía gana menos que Eva, pero trabaja menos que ella.
La que más gana es Julia, pero también es la que más trabaja.

Adjetivos con formaciones especiales del superlativo:

3. Adjetivos acabados en vocal:

-**a**: *Una pared blanc**a*** → *bla**nquísima**.*
-**e**: *Un hombre torp**e*** → *torp**ísimo**.*
-**i**: *Un joven curs**i*** → *curs**ilísimo**.*
-**o**: *Un profesor neci**o*** → *nec**ísimo**.*
*Un día fr**ío*** → *fri**ísimo**.*
*Un libro antig**uo*** → *anti**quísimo**.*

4. Adjetivos terminados en consonante:

-**n:** *Una persona jove**n*** → *joven**císima**.*
-**r**: *Un pueblo acogedo**r*** → *acogedor**císimo**.*
-**z**: *Un corredor velo**z*** → *velo**císimo**.*

5. Algunos adjetivos con diptongo *ue* en la raíz:

*F**ue**rte* → ***fue**rtísimo/f**o**rtísimo.*
*B**ue**no* → *b**ue**nísimo/b**o**nísimo.*

6. Adjetivos con superlativos cultos:

*Míser**o*** → *mis**érrimo**.*
*Célebr**e*** → *celeb**érrimo**.*
*Pobr**e*** → *paup**érrimo**.*
*Libr**e*** → *lib**érrimo**.*

C COMPARATIVOS Y SUPERLATIVOS IRREGULARES:

1. Adjetivos:

bueno	*mejor*	*óptimo*	**malo**	*peor*	*pésimo*
grande	*mayor*	*máximo*	**pequeño**	*menor*	*mínimo*

2. Adverbios:

mucho	*más*	*muchísimo*	**poco**	*menos*	*poquísimo*

Responde utilizando un superlativo, según el modelo (B.3.):

—Julio Iglesias es el cantante español más conocido.
—Sí, pienso que es ***conocidísimo****.*

1. —El museo de El Prado es el más importante de España.
2. —El Escorial es el monumento más grande.
3. —La Universidad de Salamanca es la más antigua.
4. —Sevilla es la ciudad más alegre del mundo.
5. —Madrid es la ciudad más acogedora de todas.

Forma los comparativos de los adjetivos, de forma que concuerden con el nombre, según el modelo (A.1.):

El aceite/el agua (+) denso.
El aceite es más pesado que el agua.

1. El oro/la plata (+) valor.
2. El hierro/el acero (–) resistente.
3. La seda/el lino (+) suave.
4. La gasolina/la electricidad (+) ecológica.
5. La lana/el poliéster (+) caliente.
6. Las patatas/las manzanas (–) caras.
7. El tigre/el perro (+) peligroso.
8. El platino/el uranio (–) escaso.
9. La máquina de escribir/ordenador (–) buena.
10. La moto/el coche (–) buena.

D OTRAS MANERAS DE FORMAR SUPERLATIVOS:

1. **Con adverbios**: sumamente, extraordinariamente, inmensamente:

   Es sumamente sabio.
   Es inmensamente sabio.

   - **Con los prefijos**: archi-, re-, requete-:
     Está archirreconocido.
   - **Por la repetición del adjetivo**:
     Era un camión grande, grande.
   - **Por el sentido ya superlativo del adjetivo:** bárbaro, formidable, estupendo:
     El actor es formidable.

2. **Expresiones comparativas que equivalen a un superlativo**:

   Dormir como un angelito (dormir muchísimo).
   Ser cobarde como una gallina (ser muy miedoso).
   Ser fresco como una lechuga (ser muy sinvergüenza).
   Tener la cabeza como un bombo (estar cansadísimo).
   Ser más bueno que el pan (ser buenísimo).
   Quedarse blanco como la pared (muy pálido).
   Ponerse rojo como un tomate (sonrojadísimo).
   Ser un hombre como una torre (ser muy grande).
   Estar borracho como una cuba (totalmente borracho).

3. **Comparativos con valor superlativo**:

   ¡Es usted más antipático...!
   ¡Tengo más hambre...!
   ¡Es una chica más guapa...!
   ¡Estoy más cansado...!

4. **Superlativos con la preposición *de***:

   Es un español ***de*** *primer orden.*
   Me viene ***de*** *perlas.*
   Tiene una salud ***de*** *hierro.*
   Tiene cara ***de*** *pocos amigos.*
   Es ***de*** *narices.*
   Es una casa ***de*** *mala muerte.*
   Es ***de*** *armas tomar.*
   Es ***de*** *toma pan y moja.*

162 **Completa las oraciones con expresiones comparativas que posean un valor superlativo (D.2.):**

1. Eva duerme como ______.
2. Daniel es fresco como ______.
3. Ella se puso roja como ______.
4. José es tan bueno como ______.
5. Pablo es cobarde como ______.
6. Yo tengo la cabeza como ______.
7. Era un hombre como ______.
8. Estaba tan borracho como ______.

Haz oraciones en superlativo con estos datos, según el modelo (D.):

actor bueno, ciudad antigua, persona joven, trabajo sucio, personaje célebre, suceso importante, vino de más calidad, premio más alto, conducta mala, mujer amable, día especial.

1. *Según mi criterio, Robert Redford es un* ***actor buenísimo****.*
2. ______.
3. ______.
4. ______.
5. ______.
6. ______.
7. ______.
8. ______.
9. ______.
10. ______.

21 EXPRESIÓN DE LA CANTIDAD (I)

A PARA INDICAR CANTIDADES INDETERMINADAS:

Tú comes pescado con ensalada y tomates.

1. **Los partitivos**:

Para señalar una parte indeterminada de un conjunto se utiliza el artículo **cero ø** o los determinantes partitivos:

	aceite.		*agua.*
Compramos **ø**	*carne.*	*Bebimos* **bastante**	*vino.*
	pescado.		*leche.*

El artículo determinado designa el conjunto, la totalidad; el artículo **ø** indica sólo una parte de esa totalidad:

***El** vino, bebido con moderación, es bueno para la salud.*
*Antonio bebe **ø** vino.*

El artículo determinado también se usa para identificar la referencia, y en este caso contrasta con el partitivo:

*Voy a tomar **té*** (parte). *Es la hora de tomar **el té*** (consabido).

2. **Para evaluar la cantidad partitiva, hay una gradación del significado referencial, desde cero hasta la totalidad:**

- **Con nombres de personas y cosas** (cantidad nominal):

nula	ningún(a)	*No tengo **ningún** dinero.*
indefinida	**ø**	*Tengo **ø** dinero para ti.*
insuficiente	poco(a)	*Tengo **poco** dinero para eso.*
suficiente	bastante	*Tengo **bastante** paciencia.*
restringida	menos	*Tengo **menos** tiempo que tú.*
agregada	más	*Aquí tengo **más** espacio.*
considerable	mucho(a)	*Tienes **mucho** valor.*
ponderada	tanto(a)	*Allí no hace **tanto** calor.*
excesiva	demasiado(a)	*Tengo **demasiada** sed.*
total	todo(a)	*Tengo **todo** lo que necesito.*

En lenguaje familiar, **mucho(a)**:

*Gasta **un montón de, mogollón de, cantidad de** papel.*

3. **Con estos signos se puede indicar pronominalmente la misma gradación de la referencia, desde cero hasta la totalidad:**

nula	nada	*No digo **nada** sobre la cuestión.*
indefinida	algo	***Algo** ha ocurrido en la calle.*
total	todo	*Perdió **todo** con el huracán.*

164 **Completa este texto con los signos partitivos que faltan (A.1.):**

Por la mañana, Paula desayuna ______ pan con ______ mantequilla y ______ mermelada. Su hermano Roberto toma ______ café con ______ leche. Su padre, solamente ______ zumo de naranja. Al mediodía, suelen comer ______ carne con ______ ensalada o ______ pescado con ______ guarnición.

De bebida, tomamos ______ vino o ______ agua mineral y el pequeño, ______ cocacola. En la cena solemos tomar ______ sopa y ______ fruta, aunque los pequeños prefieren ______ patatas fritas con ______ salsa de tomate y, algunas veces, ______ dulces. En España se come ______ fruta; sobre todo, ______ naranjas, porque aportan ______ vitamina C al organismo y a las chicas jóvenes les permite aligerar ______ kilos o no coger ______ peso.

165 **Forma oraciones según el modelo, con los platos de este menú (A.1.):**

MENÚ

Entrantes:	Pulpo a la gallega.	Pescados:	Merluza rebozada.
	Jamón serrano.		Dorada a la sal.
	Salpicón de marisco.		Besugo al horno.
	Pimientos a la riojana.		Lenguado en salsa.
Carnes:	Entrecot.	Postres:	Tarta de Santiago.
	Chuletas de cordero.		Flan de la casa.
	Filete de ternera.		Fresas con nata.

—¿Qué desean ustedes para ir picando?
—Queremos pulpo a la gallega.

166 **Describe la producción agrícola de estos países, según el modelo (A.1.):**

España: *aceite, vino,* ______ .
Brasil: *café, mango,* ______ .
Guinea: *cacao, piña,* ______ .
Cuba: *caña de azúcar, tabaco,* ______ .
El Japón: *arroz, naranjas* ______ .
Argentina: trigo, maíz ______ .

En España se produce ø aceite, ______ .

167 **Gradúa la *paciencia* que tienes, según las situaciones (A.2.):**

Para ir de compras, tengo ______ paciencia.
Para solucionar problemas, tengo ______ paciencia.
Para cuidar niños pequeños, tengo ______ .
Para visitar exposiciones de arte, ______ .
Para preparar la comida, ______ .
Para asistir a reuniones de trabajo, ______ .

B PARA EXPRESAR CANTIDADES DETERMINADAS:

*En verano tomo **las** aguas en un balneario cercano.*
*Bebimos **muchos** vinos y **tres** cafés.*

1. **El signo de plural implica cantidades numerables de la referencia nominal, que pueden ser expresadas tanto con los signos indefinidos como con los numerales:**

Incontables: *Ayer tuvo **mucha fiebre**.* *Bebo **un litro de leche.***
Contables: *Tengo **muchos discos.*** *Leo **bastantes libros.***

Pepe tomó	*unos* *pocos* *bastantes* *muchos* *(...)*	*cafés* *vinos*	cantidades indeterminadas
Pepé bebió	*dos* *tres* *(...)*	*cafés* *vinos*	cantidades determinadas

2. **La ausencia de signos determinantes con los nombres en plural se utiliza más para señalar la referencia genérica del significado nominal, que para indicar una cantidad indeterminada:**

*Me conviene más comer **grasas** que **azúcares**.*
*Pasan **vacas, terneras** y **becerros**.*

3. **Hay expresiones coloquiales que sirven para indicar cantidad indeterminada de la referencia nominal:**

*Con eso no hay **ni para empezar*** (poco).
*Te has pasado **un pelín*** (algo).
*Allí no cabía **ni un alma*** (nadie más).
*No le hizo **ni pizca de** gracia* (ninguna, nada).

C PARA PREGUNTAR POR LA CANTIDAD:

1. **Con nombres incontables, se responde con partitivos:**

—¿Cuánta gente cabe aquí? *—**Mucha**.*
—¿Cuánto dinero cuesta esto? *—**Poco**.*
—¿Qué distancia hay a Jaén? *—**Demasiada**.*

2. **Con nombres contables, se contesta con numerales:**

—¿Cuántas personas caben aquí? *—**Doscientas.***
—¿Cuántas hojas tiene el libro? *—**Trescientas sesenta**.*

3. **Para exclamar sobre la cantidad o calidad:**

*¡**Qué** día **tan** bueno!*
*¡**Qué** cielos **tan** azules!*
*¡**Cuánta** miseria hay en el mundo!*
*¡**Cuánto** tiempo sin verte!*

168 Pide en el supermercado estos artículos, según el modelo (B.1.):

Queso: 200 grs.	Chorizo: 1 kg.	Jamón serrano: 1/4 kg.
Mortadela: 300 grs.	Jamón York: 1/2 kg.	

*Quiero **doscientos gramos** de jamón serrano y **un cuarto de** queso.*

Utiliza expresiones de cantidad para estas frases, según el modelo (B.3.):

*Eso vale poco: No vale **ni un higo.***

1. Con ese dinero hay **poco** que hacer.
2. Cuando has regañado a tu hijo, te has pasado **algo**.
3. El salón de actos estaba lleno y ya no cabía **nadie**.
4. Había tal silencio, que no se oía **nada** en la sala.
5. La contestación no le hizo **nada** de gracia.
6. Laura no tiene **nada** de tonta.
7. No me importa **nada** lo que digan esos.

Pregunta por las cantidades según el modelo (C.1., 2.):

1. —*¿Cuántas personas hay aquí?* —Trescientas personas.
2. —¿ ? —Mucha fruta.
3. —¿ ? —Poco tiempo.
4. —¿ ? —Demasiada circulación.
5. —¿ ? —Doscientos kilómetros.
6. —¿ ? —Trescientas pesetas.
7. —¿ ? —Cinco cafés.
8. —¿ ? —Un café y una limonada.
9. —¿ ? —El tiempo necesario.
10. —¿ ? —Dos minutos.

Responde a las preguntas con esta información, según el modelo:

SANDWICH MIXTO:	**ENSALADA MIXTA:**
ingredientes: jamón york, queso...	**ingredientes**: tomates, lechuga, aceite, sal, vinagre...
SANDWICH VEGETAL:	**ENSALADILLA RUSA:**
ingredientes: mayonesa, huevo duro, tomate, lechuga...	**ingredientes**: patata, mayonesa, zanahoria, guisantes, atún, huevo...

*—¿Que ingredientes tiene un **sandwich mixto**?*
*—Tiene **ø** jamón y **ø** queso.*

1. ¿Qué ingredientes tiene una ensalada mixta?
2. ¿Qué ingredientes tiene una ensaladilla rusa?
3. ¿Hay mantequilla en el sandwich mixto?
4. ¿Tiene mayonesa la ensalada mixta?
5. ¿Qué ingredientes tiene el sandwich vegetal?

22 LOS VERBOS *IR* Y *VENIR*

Yo	*voy a Madrid.*	Yo	*vengo de Madrid.*
Tú	*vas a Londres.*	Tú	*vienes de Londres.*
él / ella / ello	*va a Berlín.*	él / ella / ello	*viene desde Berlín.*
nosotros, as	*vamos al cine.*	Nosotros, as	*venimos del cine.*
vosotros, as	*vais al cine.*	Vosotros, as	*venís del cine.*
ellos / ellas	*van a Madrid.*	Ellos / Ellas	*vienen de Madrid.*

Los verbos *ir* y *venir* son irregulares. El primero presenta tres raíces distintas (v-; i{r}-; y f-). El segundo sólo tiene dos: (ven- y vin-):

__Voy__ a Tokio. | *__Iremos__ a Madrid.* | *__Fueron__ a Roma.*
__Vengo__ de Tokio. | *__Vino__ de Madrid.* | *__Vienen__ desde Roma.*

1. *Ir/venir*:

Los verbos **ir** y **venir** van, generalmente, seguidos de preposición + un nombre de lugar o + adverbios que indican lugar:

Yo voy __a París__. | *Ellos van __a tu casa__.* | *Venimos __de la sala 10.__*
Yo voy __allí__. | *Ellos van __ahí__.* | *Venimos __de allí__.*

También se usan para formar construcciones que indican modo:

Vienes __con frecuencia__. | *Voy __lentamente__.*
Me viene __de perlas__. | *Vas __de cabeza__.*

2. *En tren, en avión,* etcétera:

Para indicar el medio de transporte que se utiliza al trasladarse de un lugar a otro, se recurre a los verbos ***ir*** o ***venir,*** seguidos de la preposición ***en***:

Yo __voy__ a Madrid __en__ coche. | *Tú __vienes en__ tren.*
Ella __va__ siempre __en__ avión. | *Yo __voy en__ bicicleta.*

Para señalar otros medios, se emplea la preposición ***a***:

Ella __viene__ de casa __a__ pie. | *Él se __fue a__ caballo.*

3. *Desde/de... hasta/para*:

Con los verbos ***ir*** y ***venir*** se pueden expresar el punto de origen (*de, desde*) y el punto de llegada (*a, hacia, hasta, para*):

Esta línea va __desde__ Madrid __hasta__ Sevilla.
El tren viene __de__ Sevilla __para__ Bilbao.
Voy __de__ mi casa __a__ la oficina en quince minutos.

172 **Responde a estas preguntas según el modelo (1.):**

¿Vas al mar en verano? — *—Sí, voy al mar en verano.*

1. —¿Vas a la montaña en invierno? —____.
2. —¿Vas alguna vez al teatro? —____.
3. —¿Vas con frecuencia al cine? —____.
4. —¿Vas al campo el sábado? —____.
5. —¿Vas a la ópera el lunes? —____.
6. —¿Vienes ahora del teatro? —____.
7. —¿Vienes al monte hoy? —____.
8. —¿Vienes a la calle ahora? —____.
9. —¿Vienes de la universidad? —____.
10. —¿Vas al cine los miércoles? —____.

173 **Forma oraciones en las que se utilicen los verbos *tener* o *ir,* según el modelo (1.):**

Dolor de cabeza/médico.
Dolor de oídos/otorrino.
Irritación de piel/dermatólogo.
Dolor de muelas/dentista.
Irritación de ojos/oculista.
Dolor de pies/podólogo.

1. Cuando tengo dolor de cabeza, voy al médico.
2. Cuando ____.

174 **Completa las oraciones según el modelo (2.):**

*Yo **voy a** Brasil **en** avión.* — ***Vengo de** Irlanda **en** barco.*

1. Ellos ____ ____ Inglaterra ____ transbordador.
2. Vosotras ¿____ ____ Alemania ____ tren?
3. Él ____ ____ Canarias ____ barco.
4. Nosotros ____ ____ México ____ avión.
5. ¿Tú ____ ____ Roma ____ coche?
6. Ella ____ ____ la universidad ____ pie.
7. Yo ____ ____ la montaña ____ caballo.
8. Tú ____ ____ el campo ____ bicicleta.
9. Nosotros ____ ____ la ciudad ____ moto.
10. Ella ____ ____ el pueblo ____ autobús.

175 **Completa los textos siguientes con los verbos *ir* o *venir* y con las preposiciones y artículos que faltan (1., 2., 3.):**

1. Mi mujer y yo *vamos a* la oficina ____ coche; mi hija ____ ____ la universidad ____ autobús y su hermano ____ ____ el colegio ____ pie.
2. Cuando nosotras ____ ____ Grecia, Atenas y Tesalónica, ____ ____ avión. A la vuelta ____ ____ barco ____ El Pireo y ____ a la Acrópolis ____ taxi.
3. Los estudiantes ____ ____ Holanda ____ vuelo chárter y pasaron unos días en Amsterdam. Recorrieron la ciudad ____ pie, ____ bicicleta y ____ metro.

23 EXPRESIÓN DEL PASADO (I)

Para expresar cuándo ocurrió algo o cuándo se desarrollaba una acción, se usan los adverbios y los tiempos del pasado:

pretérito imperfecto: ***Ayer llovía*** *intensamente.*
pretérito simple: ***Anoche llovió*** *a raudales.*
pretérito pluscuamperfecto: ***Anteayer había llovido*** *cuando salí.*

pasado		presente	futuro	
anteanoche anteayer	*anoche ayer*	*hoy*	*mañana*	*pasado mañana ulteriormente entonces*
		ahora		
previamente antes antaño	*anteriormente entonces*	*ya*	*luego*	*después*

A EL PRETÉRITO IMPERFECTO:

1. **Expresa una acción que estaba desarrollándose en el pasado inmediato, sin precisar ni su principio ni su fin:**

   Cuando éramos más jóvenes, ***vivíamos*** *en Madrid.*

2. **Es un tiempo *relativo,* que exige relacionarse con otras formas verbales para que la oración tenga sentido:**

   Cuando ***llegaste*** *a casa, todos* ***celebraban*** *la fiesta.*

3. **Es la forma habitual para *describir:* se utiliza para pintar ambientes, paisajes, hábitos y costumbres de personajes:**

   Hacía *un calor insoportable.* *El campo* ***parecía*** *dormir bajo el sol.*

4. **Puede expresar los valores siguientes:**

   Una acción repetitiva: ***Solía*** *dormir la siesta después de comer.*
   Una acción habitual: *Por las mañanas* ***paseaba*** *un rato.*
   Una acción pasada paralela a otra: *Cuando* ***era*** *estudiante,* ***iba*** *más al cine*
   Una acción continua que es cortada por otra: ***Nevaba*** *cuando* ***llamaron*** *a la puerta.*
   La intención de realizar una acción futura, muy próxima: *Estoy aquí de milagro, porque ya me* ***iba****.*
   Una reproducción de lo dicho en el pasado: *Dijo que no* ***podía*** *atenderme.*
   Valor literario: *Como* ***decíamos*** *ayer...*
   Valor de cortesía: ***Venía*** *a visitar al director.*
   Valor hipotético: ***Debían*** *premiarle por lo que ha hecho.*

176 Forma oraciones según el modelo (A.1.):

Ahora no practico deportes, pero antes los practicaba más.

1. Ahora leo mucho, ______.
2. Ahora como poco, ______.
3. Ahora estoy viajando constantemente, ______.
4. Ahora conduzco mejor, ______.
5. Ahora duermo menos, ______.
6. Ahora fumo poco, ______.
7. Ahora no veo tanto la TV, ______.
8. Ahora voy más a la discoteca, ______.
9. Ahora me gusta más bailar, ______.
10. Ahora soy más responsable, ______.

177 Responde a estas preguntas (A.1.):

1. ¿Qué coche tenían tus padres al principio? (seat).
2. ¿Dónde pasabas las vacaciones de pequeño? (playa).
3. De pequeño, ¿qué te gustaba leer? (tebeos).
4. ¿Qué deporte practicabas a los quince años? (tenis).
5. ¿A qué hora te acostabas cuando ibas al colegio? (diez).
6. ¿Qué música preferías escuchar a los 15 años? (grunge).
7. ¿Cómo te divertías en la infancia? (vídeojuegos).
8. ¿Qué solías desayunar cuando ibas al campo? (colacao).
9. ¿Qué decías que querías ser a los cinco años? (bombero).
10. ¿Qué películas admirabas más de pequeño? (aventuras).

178 Pon en imperfecto las oraciones siguientes (A.4.):

1.	Yo vivo en un piso 30.	*Mis padres vivían en un pueblo.*
2.	Yo no conozco a mis vecinos.	______ a todos.
3.	Yo como productos elaborados.	______ productos frescos.
4.	Yo viajo en coche.	______ a caballo.
5.	Yo cocino con electricidad.	______ con leña.
6.	Yo veo la TV por la noche.	______ las estrellas.
7.	Yo respiro aire contaminado.	______ aire puro.
8.	Yo sólo contemplo edificios.	______ horizonte lejano.
9.	Yo prefiero el campo.	______ la ciudad.
10.	Yo no tengo tiempo libre.	______ todo el tiempo.

B EL PRETÉRITO INDEFINIDO:

Se usa para indicar una acción que tuvo lugar en una unidad de tiempo que ya ha pasado para el hablante:

*Ayer **fui** al cine.*

1. **Es compatible con adverbios o locuciones de tiempo que excluyen aquél en que se habla: *hace un año, ayer, ayer tarde, anteayer, anoche, anteanoche, el mes pasado, el año pasado, una vez, ...*:**

   *El año pasado **hizo** menos frío que éste.*

2. **Es un tiempo absoluto: cuando no hay precisiones de tiempo, el hablante puede situarse psicológicamente en un tiempo pasado:**

   ***Hubo** un accidente enfrente de nuestra casa.*

3. **De todos los tiempos de pretérito, es la forma habitual para narrar acciones:**

   *César **llegó**, **vio** y **venció**.*

C EL PRETÉRITO PERFECTO:

Expresa una acción realizada en una unidad de tiempo que aún no ha terminado para el hablante:

***Hemos venido** a pasar el verano en este pueblo.*

1. **Normalmente se combina con adverbios o locuciones temporales que incluyen el tiempo en que se habla, como: *aún, todavía, hoy, ahora, en este momento, este año, esta semana, siempre, ...***

   ***Siempre** me **ha gustado** estudiar español.*

2. **Cuando se usa sin precisiones temporales, el hablante se sitúa mentalmente en una unidad de tiempo (*hoy, ahora mismo, esta mañana, esta tarde, ...*) que aún no ha terminado para él:**

   *Se nos **ha estropeado** el coche.*

D EL PRETÉRITO PLUSCUAMPERFECTO:

1. **Se utiliza para expresar una acción paralela a otra completamente terminada:**

   *Ya **se había ido** Luis cuando tú llegaste.*

2. **También para reproducir en estilo indirecto lo dicho en el pasado:**

   *El Ministro dijo que **había terminado** la gestión.*

E EL PRETÉRITO ANTERIOR:

Se usa para indicar una acción pasada, inmediatamente anterior a otra también pasada:

*Apenas **hubo marchado** la policía, los estudiantes se alborotaron.*

Se combina con adverbios como *apenas, no bien, luego que, así que, en cuanto, tan pronto como...*

Pon en pretérito indefinido este texto (B.):

Esta mañana mis hijos se han levantado a las ocho y, como escostumbre, de mal humor. Han desayunado tranquilamente sin decir una palabra. Se han despedido, han salido y a las nueve han tomado el autobús que les ha llevado al colegio. Ha empezado a llover y me he dado cuenta de que han sido poco previsores: Ni siquiera han llevado un chubasquero que les proteja del agua.

Ayer, mis hijos _____

Pon en los tiempos correspondientes los verbos que faltan en este texto (A., B.):

Ayer, cuando me **levanté**, **eran** las seis de la mañana. Me _____ (preparar) rápidamente y a las seis y media _____ (estar) en la calle. _____ (haber) muy poca gente. _____ (ser) de noche todavía. _____ (coger) el metro hasta Sol. _____ (llegar) a las siete a la oficina; _____ (ser) un poco tarde y _____ (hacer) frío. Solamente _____ (haber) cinco grados de temperatura. En la calle _____ (comenzar) a moverse la gente.

Responde libremente a estas preguntas:

1. ¿Por qué has abierto la ventana? _____.
2. ¿Por qué te pusiste la gabardina? _____.
3. ¿Por qué te acostaste tan temprano? _____.
4. ¿Por qué habías subido la persiana? _____.
5. ¿Por qué has llegado tan tarde? _____.
6. ¿Por qué no fuiste al cine ayer? _____.
7. ¿Por qué no has visitado antes El Prado? _____.
8. ¿Por qué cerró el negocio? _____.
9. ¿Por qué habías ido a Sevilla? _____.
10. ¿Por qué no lo comunicaste antes? _____.

Completa libremente estas oraciones:

1. Cuando salí de tu casa, *empezaba a llover intensamente.*
2. Cuando tú llegaste, _____.
3. Tan pronto como me dieron el billete, _____.
4. El jugador dijo que _____.
5. Mientras jugué, _____.
6. Ya nos habíamos ido, cuando _____.
7. Apenas terminó la cena, _____.
8. El ministro dijo que la gestión _____.
9. Antes de que llegaras tú, _____.
10. Después de haber comido, _____.

24 LOS VERBOS IRREGULARES

Las irregularidades del verbo se pueden reducir a tres clases:

— debidas a cambios vocálicos;
— debidas a cambios consonánticos;
— de carácter mixto: por cambio vocálico y consonántico a la vez.

A VERBOS CON IRREGULARIDADES EN LA RAÍZ:

1. Por cambio de vocales: e → i pedir: *pido.*
o → u podrir: *pudre.*

	Presente		pretérito indefinido		imperativo	
Pedir	*pido* *pides* *pide*	*pedimos* *pedís* *piden*	*pedí* *pediste* *pidió*	*pedimos* *pedisteis* *pidieron*	*pide*	*pedid*

Siguen este modelo algunos verbos irregulares de la tercera conjugación (infinitivo en **-ir**), como por ejemplo:

competir, concebir, conseguir, corregir, despedir, desvestir, elegir, impedir, medir, perseguir, reelegir, regir, rendir, reñir, repetir, seguir, servir, sonreír, vestir(se)...

2. Por diptongación:

	Presente		Imperativo
	Indicativo	Subjuntivo	
e → ie: *querer*	*quiero*	*quiera*	*quiere*
o → ue: *poder*	*puedo*	*pueda*	*puede*
i → ie: *adquirir*	*adquiero*	*adquiera*	*adquiere*
u → ue: *jugar*	*juego*	*juegue*	*juega*

	Presente				Imperativo
	Indicativo		Subjuntivo		
Querer	*quiero* *quieres* *quiere*	*queremos* *queréis* *quieren*	*quiera* *quieras* *quiera*	*queramos* *queráis* *quieran*	*quiere* *quered*

Siguen este modelo algunos verbos irregulares de la primera conjugación (infinitivo en **-ar**), como por ejemplo:

acostar, cerrar, contar, costar, despertar, empezar, merendar, mostrar, pensar, probar, recordar...

En la segunda conjugación (infinitivo en **-er**), como por ejemplo:

atender, defender, encender, perder, querer, tender...

En la tercera conjugación, por ejemplo:

sentir, discernir, hendir...

183 Responde en primera persona (A.2.):

1. —¿Puedes venir pronto? —*Sí, puedo ir pronto.*
2. —¿Duermes bien de noche? —Sí, ________________.
3. —¿Recuerdas el curso de español? —Sí, ________________.
4. —¿A qué hora empiezas hoy? —________________.
5. —¿Cuando vuelas a Madrid? —________________.
6. —¿Por qué enciendes la vela? —Porque ________________.
7. —¿Qué piensas hacer hoy? —________________.
8. —¿Cómo defiendes tus derechos? —________________.
9. —¿Para dónde sacas el billete? —________________.
10. —¿Cuándo te diviertes? —________________.

184 Completa las oraciones con estos verbos(A.2.):

cerrar, contar, costar, empezar, merendar,
mostrar, defender, encender, tender, sentir.

1. Luis, por favor, al entrar, ________________ la puerta.
2. Por la tarde, yo ________________ un bocadillo de queso.
3. Para calentar la leche, María ________________ el fuego.
4. Yo ________________ hoy la clase a las 9 de la mañana.
5. Miriam ________________ mucho interés por los demás.
6. Mi novio me ________________ todo lo que está ocurriendo.
7. Esta casa ________________ ciento ochenta mil euros.
8. El abogado ________________ al cliente eficazmente.
9. ¡Con el frío que hace, y yo apenas lo ________________!
10. El mendigo ________________ la mano con gesto suplicante.

185 Responde y forma oraciones según el modelo:

—*¿Qué quieres para beber?* (zumo de naranja).
—*Quiero zumo de naranja. Y tú, ¿qué quieres?*

1. ¿Qué tomas de merienda? (chocolate).
____.
2. ¿Cuanto mides de estatura? (170 cm.).
____.
3. ¿Qué nivel de español sigues? (el segundo).
____.
4. ¿Cuándo te despides de nosotros? (en verano).
____.
5. ¿A quién riñes tanto? (al perro).
____.
6. ¿A quién sirves el café? (al director).
____.
7. ¿Dónde repites el curso? (en Barcelona).
____.

3. Por cambio de *c* por *g*: decir → *digo.*
hacer → *hago.*

Presente de indicativo: *digo, dices, dice, decimos, decís, dicen.*
Presente de subjuntivo: *diga, digas, diga, digamos, digáis, digan.*

4. Por interpolación de *z* antes de *c* final: nacer → *nazco.*

Presente de indicativo: *nazco, naces, nace, nacemos, nacéis, nacen.*
Presente de subjuntivo: *nazca, nazcas, nazca, nazcamos, nazcáis, nazcan.*

Siguen este modelo en la segunda conjugación:

nacer, renacer, reconocer, desconocer...

En la tercera conjugación:

conducir, deducir, relucir, introducir, producir, seducir, traducir...

5. Por adición de una consonante:

	Presente			
	Indicativo		Subjuntivo	
l → lg: *salir*	*salgo*	*sales...*	*salga*	*salgas...*
n → ng: *poner*	*pongo*	*pones...*	*ponga*	*pongas...*
s → sg: *asir*	*asgo*	*ases...*	*asga*	*asgas...*
u → uy: *huir*	*huyo*	*huyes...*	*huya*	*huyas...*

Siguen este modelo:

Los verbos acabados en ***-alir, -aler*** (*salir, valer...*).
Los acabados en ***-ner, -nir*** (*poner, mantener, prevenir...*).
Los acabados en ***-uir*** (*argüir, concluir, influir, ...*).

6. Por adición de vocal y consonante: e → ig: caer → *caigo.*

Presente de indicativo: *caigo.*
Presente de subjuntivo: *caiga, caigas, caiga, caigamos, caigáis, caigan.*
Siguen este modelo: *caer, traer, roer, raer...*

7. Por cambio de vocal y consonante: **cab**er → ***que**po.*
saber → ***su**pe.*

Presente de indicativo: *quepo, cabes, cabe, cabemos, cabéis, caben.*
Presente de subjuntivo: *quepa, quepas, quepa, quepamos, quepáis, quepan.*
Presente de indicativo: *sé, sabes, sabe, sabemos, sabéis, saben.*
Presente de subjuntivo: *sepa, sepas, sepa, sepamos, sepáis, sepan.*

- **Verbos con más de una raíz:**

presente	p. imperfecto	p. simple
Haber: *he*	*había*	*hube*
Ser: *soy*	*era*	*fui*
Ir: *voy*	*iba*	*fui*

186 **Pon estas frases en plural según el modelo (A.3., 4.):**

1. Digo lo mismo que tú. — ***Nosotros decimos*** *lo mismo que tú.*
2. Que yo diga lo mismo que ella. — ______.
3. El niño reconoce a su madre. — ______.
4. La niña nacerá en verano. — ______.
5. La planta florece en primavera. — ______.
6. Desconozco tu nombre. — ______.
7. Conduzco una moto. — ______.
8. Su forma de ser me seduce. — ______.
9. Ella introduce el texto en el ordenador. — ______.
10. Traduzco el texto al español. — ______.

187 **Responde a estas preguntas según el modelo (A.5.):**

1. ¿Cuándo sales de paseo hoy? —*Salgo a las ocho.*
2. ¿Cuándo te pones el vestido? —______ por la tarde.
3. ¿Para qué ases el palo? —______ para defenderme.
4. ¿Por qué huyes del perro? —______ porque me muerde.
5. ¿En qué sobresales tú? —______ en inglés.
6. ¿Para qué te pones el delantal? —______ para ayudarte.
7. ¿Dónde te pones tú? —______ el primer banco.
8. ¿Por qué arguyes así? —______ por interés.
9. ¿Cómo te mantienes en forma? —______.
10. ¿Por qué concluyes el trabajo? —______.

188 **Completa estas frases con los verbos que están entre paréntesis (A.6., 7.):**

1. Si ______ (caer), me levanto como puedo.
2. Yo nunca ______ (conducir) después de una comida pesada.
3. Para que tú ______ (caber) en el coche, hay que reformarlo.
4. Si te ______ (traer) una raqueta, ¿juegas conmigo?
5. El ratón ______ (roer) el queso durante la noche.
6. Lo que yo ______ (saber) no es mucho.
7. Yo no ______ (ser) el responsable ni el encargado.
8. En la calle no ______ (caber) ni un alma.
9. Si ______ (ir) al mercado, compro con moderación.
10. Cuando ______ (ir) al mercado, compraba con moderación.

189 **Responde con *haber, ser* o *ir*, según el modelo (A.7.):**

1. ¿Cuándo estudiaste español? —*Cuando era pequeño.*
2. ¿Cómo fuiste a Roma? —______ en coche.
3. ¿Cómo fuiste en tu niñez? —______.
4. ¿Qué había antes en tu mesa? —______.
5. ¿Cómo eran tus Reyes Magos? —______.

B VERBOS CON IRREGULARIDADES EN LA VOCAL TEMÁTICA:

1. Por supresión de la vocal temática *(-e-; -i-)* en el futuro y en el condicional:

caber: *cabré, cabrás, cabrá, cabremos, cabréis, cabrán.*
cabría, cabrías, cabría, cabríamos, cabríais, cabrían.
poder: *podré, podrás, podrá, podremos, podréis, podrán.*
podría, podrías, podría, podríamos, podríais, podrían.
querer: *querré, querrás, querrá, querremos, querréis, querrán.*
querría, querrías, querría, querríamos, querríais, querrían.

2. Por supresión de la vocal temática final en el imperativo:

poner: *pon.* hacer: *haz.* venir: *ven.*
tener: *ten.* salir: *sal.* satisafacer: *satisfaz.*

3. Por supresión de la vocal temática *(-e-, -i-)* e interposición de una *d* en el futuro y en el condicional:

poner: *pondré, pondría.* salir: *saldré, saldría.*
tener: *tendré, tendría.* valer: *valdré, valdría.*
venir: *vendré, vendría.*

4. Por contracción silábica intermedia:

hacer: *haré, harás, hará, haremos, haréis, harán.*
decir: *diré, dirás, dirá, diremos, diréis, dirán.*

C VERBOS CON IRREGULARIDADES EN LA RAÍZ Y EN LAS DESINENCIAS:

- Por alternancia vocálica y adición consonántica en el pretérito simple (los denominados pretéritos fuertes):

andar: *anduve* poder: *pude* poner: *puse*
estar: *estuve* caber: *cupe* querer: *quise*
tener: *tuve* saber: *supe* decir: *dije*
haber: *hube* hacer: *hice* conducir: *conduje*

D VERBOS DEFECTIVOS:

1. Sólo se utilizan en la tercera persona de singular, como ocurre con los verbos que indican fenómenos atmosféricos:

amanecer, anochecer, atardecer, clarear, diluviar, granizar, helar, llover, nevar, oscurecer, relampaguear, tronar, ventear.

Otros verbos de comportamiento similar:

acaecer, acontecer, constar, convenir, ocurrir, suceder...

2. Verbos que sólo se emplean en las terceras personas, como:

doler, gustar, placer, arreciar...

3. Otros verbos, como *abolir* o *balbucir,* se usan en tiempos y personas cuya desinencia contiene una *i:*

abolía, abolió, abolieron, abolirá, aboliría, aboliera...

190 Completa los espacios con el verbo en el tiempo correcto (B.1.):

1. En esta clase probablemente no ______ veinte alumnos (caber).
2. ¿______ usted decirme dónde está la Puerta del Sol (poder)?
3. Con este dinero ______ ir tú y yo de vacaciones (poder).
4. Cuando conduzcas, ______ mucha atención a las señales (poner).
5. A donde fueres, ______ lo que vieres (hacer).
6. De este garaje, ______ siempre con precaución (salir).
7. ______ hacerle una pregunta, si tiene tiempo (querer).
8. ______ el bien y no mires a quién (hacer).
9. Ellos no ______ bailar aquí hoy, como estaba previsto (poder).
10. Nosotros ______ venir a vivir a España, si todo va bien (querer).

191 Completa los espacios con el tiempo correcto de los verbos (B.1.):

1. Si no tuviera exámenes, ______ contigo de paseo (salir).
2. Para ir al teatro mañana, me ______ un vestido nuevo (poner).
3. Noemí ______ con Pablo el sábado (salir).
4. No ______ la pena luchar por lo imposible de alcanzar (valer).
5. Para aprobar, ______ que examinarte antes (tener).
6. El lunes todos nosotros ______ a primera hora (venir).
7. María preguntó quién ______ a la reunión de hoy (venir).
8. ______ bien en estudiar para preparar nuestro futuro (hacer).
9. Lo que haya que decir, se ______ y punto (decir).
10. El traje que vimos ______ unas 30.000 pesetas (valer).

192 Completa los espacios con los verbos en el tiempo correcto (B.):

1. Yo ______ todo lo que ______ por mejorar el mundo (hacer/poder).
2. El reo nunca ______ todo lo que ______ (decir/hacer).
3. Yo, por donde ______ siempre ______ mucha suerte (andar/tener).
4. Jorge no ______ porque no ______ oportunidad de ir (estar/tener).
5. De novato ______ el coche como ______ (conducir/poder).

193 Completa los espacios con los verbos en el tiempo correcto (D.):

1. En invierno ______ antes que en verano (anochecer).
2. Anuncian que mañana ______ durante todo el día (llover).
3. En su expediente ______ que estudió Filosofía Griega (constar).
4. Al cruzar el paso de cebra ______ tener precaución (convenir).
5. Me ______ la cabeza y las piernas (doler).
6. ¿Te ______ aprender español (gustar)?
7. Cuando sopla el viento, la lluvia ______ (arreciar).
8. ¿Qué ______ aquí (suceder)?
9. Cuando ______, la temperatura no suele ser baja (nevar).
10. ______ que no se ______ la ley y nos perjudica (ocurrir/abolir).

25 LOS VERBOS PRONOMINALES

Yo me peino *Tú te lavas*

Los verbos pronominales se construyen con un pronombre personal: *levantarse, casarse, caerse...*

A PRONOMINALES REFLEXIVOS:

- **El sujeto y el objeto de la acción coinciden, porque son la misma persona gramatical:**

  *Yo **me** levanto.* me = a mí mismo(a).
  *Tú **te** peinas.* te = a ti mismo(a).
  *El **se** hirió.* se = a sí mismo(a).

  El pronombre reflexivo varía con las personas gramaticales:

Yo	***me***	*levanto*	*pronto.*
Tú	***te***	*levantas*	*tarde.*
Él / *Ella*	***se***	*levanta*	*a las siete.*
Nosotros	***nos***	*levantamos*	*a mediodía.*
Vosotros	***os***	*levantáis*	*a las once.*
Ellos / *Ellas*	***se***	*levantan*	*a las ocho.*

B PRONOMINALES RECÍPROCOS:

1. **Cuando esos mismos pronombres actúan como recíprocos, el sujeto y el objeto establecen una relación de reciprocidad:**

   *Nosotros **nos** saludamos* (uno al otro).
   *Vosotros **os** tuteáis* (uno al otro).
   *Ellos **se** miran* (uno al otro).

   En plural, todo verbo reflexivo puede entenderse como recíproco, si no media un contexto concreto:

   *Nosotros **nos** peinamos (cada uno a sí mismo(a); unos a otros, mutuamente, entre sí).*

2. **Los verbos pronominales que se construyen solamente con *se* son muy numerosos:**

   abstenerse, afanarse, apiadarse, arrepentirse, atenerse, atreverse, cerciorarse, jactarse, obstinarse, personarse, quejarse, ufanarse...

3. **La negación se coloca antes del grupo del pronombre y del verbo:**

   *Mañana **no** me levanto temprano.*
   *Tú y yo **no** nos conocemos.*
   *Vosotros **no** os quejáis nunca.*

194 Responde a estas preguntas según el modelo (A.):

—El sábado, ¿tú te levantas tarde, o temprano?
—El sábado yo me levanto tarde.

1. —El lunes, ¿tú te despiertas pronto, o tarde?
2. —¿Tú te vistes rápida, o lentamente?
3. —¿Tú te lavas antes, o después del desayuno?
4. —¿Te acuestas antes, o después de medianoche?
5. —¿Tú te acuerdas de tus sueños, o no?

195 Responde según el modelo (A.):

—Pablo se levanta temprano el lunes, ¿y tú?
—Yo también me levanto temprano.

1. —Nosotros nos acostamos tarde el sábado.
   —¿Y vuestros amigos? ______________________.
2. —Mi novia se pasea por la plaza.
   —¿Y tu novio? ______________________.
3. —Silvia se interesa por la política.
   —¿Y Paul? ______________________.
4. —Andrés se baña diariamente en el mar.
   —¿Y tus amigos? ______________________.
5. —Paulo se afeita todas las mañanas.
   —¿Y tú? ______________________.

196 Completa con los pronombres y con las negaciones que faltan (A., B.):

Yo **me** llamo Aitor. Mi padre ______ llama Ángel. ______ parecemos mucho: ______ vestimos de igual manera y ______ interesamos por las mismas cosas. Cuando discutimos, él ______ ______ enfada tanto como yo. Por eso ______ ______ arrepentimos nunca, ni ______ cansamos de debatir. Últimamente ______ presta menos a ello, porque ______ queja de que yo ______ enfurezco si no venzo. Él ______ lamenta de este proceder.

197 Pon en forma negativa las oraciones siguientes (A., B.):

1. A mí me interesa más el tenis que el *squash*.
2. Ella se perfuma mucho.
3. Nosotros nos sentamos en todos los bares.
4. Ella se mira a menudo en el espejo.
5. Te enfureces fácilmente.
6. Ellos se ríen de nosotros.
7. El abuelo se cae a menudo en la calle.
8. Me acuerdo de todas las reglas de la gramática.
9. Me siento cansado.
10. Me avergüenza que chillen para hablar.

26 LOS PRONOMBRES COMPLEMENTO DE TERCERA PERSONA

*Yo **lo(le)** miro.* *Yo **la** miro.*
*Yo **los(les)** miro.* *Yo **las** miro.*

A LOS PRONOMBRES *le(s), la(s), lo(s)*:

1. Remiten a un referente nominal de personas o de cosas.

- Normalmente se usan antes del verbo:
  *Yo veo **al joven*** → *Yo **lo(le)** veo.*
  *Tú miras **a la joven*** → *Tú **la** miras.*
  *Ella ve **el programa*** → *Ella **lo** ve.*
- Responden a las preguntas ***¿a quién?*** o ***¿qué?***:

		¿qué? ¿a quién?	
Yo	Masculino singular/plural	*lo(le)/los*	*veo.*
Tú	Femenino singular/plural	*la/las*	*miras.*
Ella	Neutro	*lo*	*ve.*

- El pronombre complemento varía según que el referente sea de personas o de cosas:
  *Raúl **le(s) la(s) lo(s)** mira.*
- A veces, en vez de la forma ***lo(s)***, se utiliza ***le(s)***, fenómeno conocido como **leísmo**:
  Coge esos libros y ponles** ahí encima.*
- La negación se coloca antes del pronombre y del verbo:
  *Tú **no la miras**.* *A ella **no la vigilan**.*

2. Usos de *le(s), la(s) y lo(s)* como Complemento Directo (CD) e Indirecto (CI):

le	dativo/CI masculino/femenino singular	a/para él/ella/usted.
lo	acusativo/CD masculino/singular	a él, a ello.
la	acusativo/CD femenino/singular	a ella.
les	dativo/CI masculino/femenino plural	a/para ellos/ellas.
los	acusativo/CD masculino plural	a ellos.
las	acusativo/CD femenino/plural	a ellas.

- Prioridad de orden entre varias formas de pronombres:
  Se coloca primero el pronombre personal: ***Me** lo dijo ayer.*
  En segundo lugar el pronombre de cosa: ***Me lo** dijo ayer.*
  La forma ***se*** siempre es prioritaria: ***Se** lo dijo ayer.*

198 Sustituye el complemento por un pronombre según el modelo (A.1.):

*Encuentro **a Luis** a diario.* — ***Le** encuentro a diario.*

1. Conozco a Julia desde los quince años. ______ .
2. Mi madre riega las flores por la tarde. ______ .
3. Yo leo *EL Mundo* de cuando en cuando. ______ .
4. Lisa llevó a su hija al cine. ______ .
5. Pablo invita a Sofía y a John a cenar. ______ .

199 Responde a las preguntas según el modelo (A.1.):

—¿Vas a ver la película con Raúl? — *—Sí, la voy a ver con Raúl.*

1. —¿Vas a comprar el periódico? —Sí, ______ .
2. —¿Coges el metro todos los días? —Sí, ______ .
3. —¿Haces los ejercicios por la tarde? —Sí, ______ .
4. —¿Compras la fruta en el mercado? —Sí, ______ .
5. —¿Dejaste la llave en conserjería? —Sí, ______ .

200 Responde libremente y en forma negativa a las preguntas del ejercicio anterior (A.1.):

1. *—No, yo no la voy a ver con Raúl, voy a verla con Silvia.*

201 Completa las respuestas con los verbos y los pronombres que faltan (A.2.):

—¿Compráis perfumes en París? — *—No, los compramos en Londres.*

1. —¿Trabaja en casa? —Sí, ______ durante el fin de semana.
2. —¿Nos invita María esta tarde? —No, ______ mañana por la tarde.
3. —¿Conoces a esta joven? —No, ______ sólo de vista.
4. —¿Alguien perdió las llaves? —Sí, ______ esta mañana.
5. —¿Te espera Lola a las cinco? —No, ______ a las cinco y media.

202 Responde a las preguntas utilizando un pronombre complemento directo, según el modelo (A.2.):

—¿Has comprado el pan? — *—No, no lo he comprado.*

1. —¿Has oído las noticias? — ______ .
2. —¿Has escuchado música hoy? — ______ .
3. —¿Invitas a tus amigos a menudo? — ______ .
4. —¿Coges el autobús por las mañanas? — ______ .
5. —¿Te devolvió ayer Juan el libro? — ______ .
6. —¿Le has entregado la carta a María? — ______ .
7. —¿Has probado el vino español? — ______ .
8. —¿Has visitado un tablao flamenco? — ______ .
9. —¿Has visto una corrida de toros? — ______ .
10. —¿Has contestado al profesor? — ______ .

B LOS PRONOMBRES COMPLEMENTO INDIRECTO (CI) DE TERCERA PERSONA:

*Tú enviaste **a tu madre** un regalo.*
*Tú **le** enviaste un regalo.*

1. **Los pronombres complemento indirecto reemplazan a las personas y las cosas precedidas de la preposición *a* o *para*, con la misma función sintáctica:**

	¿a quién?	
Yo telefoneé a María. *Yo*	**le**	*telefoneé.*
Yo telefoneé a mis padres. *Yo*	**les**	*telefoneé.*

Le(s) reemplaza a los nombres masculinos o femeninos:

*Hablo a Juan: **le** hablo.*
*Hablo a María: **le** hablo.*
*Hablo a los niños/a las niñas: **les** hablo.*

2. **Los pronombres complemento indirecto utilizan las formas tónicas de referencia pronominal para indicar el género de las formas átonas *le(s)*:**

Pablo	**le** **les**	*habla a* *ellos/ellas.*	*él/ella.*

3. **El pronombre complemento indirecto de tercera persona *le(s)* se cambia en *se* cuando concurre con otras formas del complemento directo de tercera persona, según el esquema:**

le/lo → se lo	*les/los → se los*
le/la → se la	*le/las → se las*
le/los → se los	*les/las → se las*

*Envié una postal (1) **a María** (2)→ **Se** (2) la (1) envié.*
*Envié unas postales (1) **a María** (2) → **Se** (2) las (1) envié.*

4. **Debe advertirse que**:

—No se puede decir: **El libro de mí/de ti.*
Se dice: *El libro mío/tuyo.*

—No se puede decir: **Está enfrente mío/tuyo.*
Se dice: *Está enfrente de mí/de ti.*

—Sí se puede decir: *El libro de nosotros=nuestro.*
El libro de vosotros=vuestro.
El libro de él=suyo.

203 **Responde a estas preguntas según el modelo (B.1.,2.):**

—¿Hablas a tu profesor en español? *—Sí, le hablo en español.*

1. —¿Telefoneaste ayer a tu madre? —______.
2. —¿Escribes a menudo a tu novio? —______.
3. —¿Respondes pronto a tus amigos? —______.
4. —¿Regalas flores a tus amigas? —______.
5. —¿Das limosna a los mendigos? —______.
6. —¿Gritas a los animales? —______.
7. —¿Pegaste alguna vez al perro? —______.
8. —¿Envías regalos a tu novia? —______.
9. —¿Presentaste alguien a tus amigos? —______.
10. —¿Sonríes a tus padres? —______.

204 **Pon en forma negativa restituyendo el sujeto omitido:**

Me invitó a ir a su casa. *—Él/ella* ***no*** *me invitó a ir a su casa.*

1. Me presentó a sus hermanas. —______.
2. Me llevó a su habitación. —______.
3. Me prestó sus libros. —______.
4. Me contaste sus secretos. —______.
5. Me acompañó hasta el metro. —______.
6. Le agradecí la atención prestada. —______.
7. Quedamos en vernos mañana. —______.
8. Me despidió amistosamente. —______.
9. Me volví para verle marchar. —______.
10. Le dije adiós. —______.

205 **Vuelve a hacer el ejercicio anterior, pero ahora, según el modelo:**

—Ella le invitó a ir a su casa.

206 **Convierte los nombres en pronombres según el modelo (B.3.):**

Juan envió una carta a María: *Juan se la envió.*

1. Tú escribes una postal a tus amigos. Tú ______.
2. Ella regala flores a su madre. Ella ______.
3. Tú cuentas cuentos a María. Tú ______.
4. Yo escribo poemas a los amigos. Yo ______.
5. Él propuso a todos la excursión. Él ______.
6. No hace preguntas al profesor. No ______.
7. No prestó atención a las alumnas. No ______.
8. Dieron un empujón a María. ______.
9. Dirigió unas palabras a todos. ______.
10. Agradeció a todas su colaboración. ______.

27 LOS PRONOMBRES TÓNICOS

A FORMAS TÓNICAS EN FUNCIÓN DE SUJETO:

singular	*yo*	*tú*	*él*	*ella*	*ello*
plural	*nosotros* *nosotras*	*vosotros* *vosotras*	*ellos*	*ellas*	

Se utilizan siempre sin preposición y concertando en número y persona con el verbo:

Nosotras *trabajam**os** bien; ell**o** es evident**e**.*

1. *Yo* y *tú* son formas invariables en cuanto al género:

Tú *misma lo haces.* ***Yo*** *mismo lo veo.*

2. La tercera persona de singular posee formas de concordancia para las personas o cosas señaladas:

Él *y* ***ella*** *durm**en**.* ***Ello*** *no import**a**.*

3. Los plurales de *yo* y *tú* son *nosotros(as)* y *vosotros(as)*. Este plural es la asociación de la primera con la segunda o la tercera, o la de la primera con las demás personas:

*Nosotr**as*** (yo, María y tú, Luisa) *sal**imos** temprano.*
*Nosotr**os*** (yo, Juan; tú, Luis y ella, Luisa) *sal**imos** temprano.*

Y en el caso de ***vosotros(as),*** es la asociación de la segunda con la tercera:

*Vosotr**os*** (tú, ella y él) *sal**ís** temprano.*
*Vosotr**as*** (tú, Pilar y ella, Lucía) *sal**ís** temprano.*

4. Se puede prescindir de los pronombres personales en función de sujeto, porque las desinencias verbales bastan para señalar de qué persona se trata:

(Yo) *temo por su vida.* (Tú) *sabes que es verdad.*

5. El pronombre sujeto sólo es obligatorio en casos de contraste o de ambigüedad:

No sabía que vendría.
Puede significar:

Yo *no sabía que* ***ella*** *vendría.*
Él *no sabía que* ***yo*** *vendría.*
Ella *no sabía que* ***él*** *vendría...*

207 Responde con un pronombre tónico según el modelo (A.1.):

—¿Es Pablo éste de la foto? *—Sí, es* ***él****.*
—No, no es ***él****.*

1. —¿Quién es el responsable, tú? —No, ______ .
2. —¿Quién llama? ¿Es mi hija? —Sí, ______ .
3. —¿Es Pedro el que baila con Lola? —No, ______ .
4. —¿Están allí los padres de Carolina? —Sí, ______ .
5. —¿Tenéis los billetes? —Sí, ______ .

208 Responde con *yo también* o *yo tampoco,* según el modelo (A.1.):

—Yo trabajo en Julio. *—Yo, también.*
—¿Y tu marido? —______ .

1. —¿Y Carlota? —______ .
   —¿Y tus hijos? —______ .
2. —Yo no voy en agosto. —Yo, tampoco.
   —¿Y tus padres? —______ .
3. —¿Y tu asistenta? —______ .
   —¿Y tu hermana? —______ .
4. —¿Y tus primos? —______ .
   —¿Y tus amigos? —______ .

209 Haz oraciones según el modelo (A.2.):

—Esta noche ceno con Juan y Miguel. *—¿Cenas con ellos?*

1. Al mediodía almuerzas con el director y conmigo.
   —______ .
2. Ahora estoy en casa de Luis y Eva. —______ .
3. Esta tarde trabajo contigo y con Luis. —______ .
4. Esta noche salgo con Julia. —______ .
5. Nos vamos de vacaciones sin los niños. —______ .

210 Completa con pronombres tónicos, como en el modelo (A.3.):

Yo prefiero la ciudad, pero vosotros preferís el campo.

1. El director llega a las nueve, pero ______ llegáis más tarde.
2. Yo vivo en el centro y ______ vives en un barrio.
3. Roberto trabaja en Madrid y ______ trabajan en Barcelona.
4. Juan prefiere la montaña, pero ______ preferimos el mar.
5. María ignora que ______ está vigilada.

211 Completa estas oraciones con los pronombres tónicos que faltan (A.):

1. José habló con Pablo: hablaron ______ durante dos horas.
2. ______ nos reunimos en casa y charlamos entre ______
3. Cuando haces las cosas ______ misma, estás más contenta.
4. No te preocupes por no llegar ______ no es lo importante.
5. Mira: Ana y Lucas son ______

B FORMAS TÓNICAS EN FUNCIÓN DE COMPLEMENTO:

1. Formas de primera persona:

mí, conmigo
nosotros(as)

Para ***mí****, que* ***conmigo*** *aprenderás.*
El aviso es para ***nosotras.***

2. Formas de segunda persona:

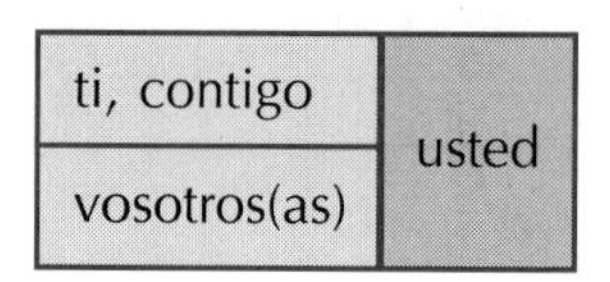

No voy sin ***ti****, ni* ***contigo****.*
Vosotros*, ¿qué queréis?*
A ***usted*** *lo están buscando.*

3. Formas de tercera persona:

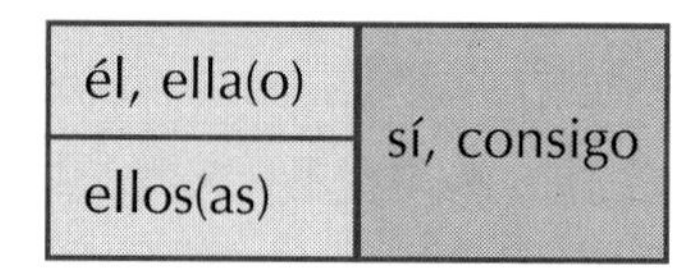

Ella *es la madre de* ***él****.*
Que no lo sepan ***ellos****.*
Se la lleva ***consigo****.*

C REGLAS DE USO:

1. Cuando la frase empieza con un pronombre, con CD o con CI, se debe utilizar también el pronombre átono correspondiente:

A Juan le *di el aviso.* ***A ellos les*** *di el otro libro.*

Estos pronombres tónicos tienen que ir siempre precedidos por la preposición ***a***:

A mí me *gusta España.* ***A ti te*** *gusta Italia.*

2. Las tres personas de singular carecen de género:

Para ***mí, conmigo****.* *Para* ***ti, contigo.*** *Para* ***sí, consigo.***

3. En todas las de plural, se distingue el género:

*Para nosotr****os(as)****.* *A vosotr****os(as)****.* *Por ell****os(as)****.*

4. Las formas de cortesía correspondientes a las segundas persona son *usted* y *ustedes:*

*¿****Le*** *han dado a* ***usted*** *el programa del concierto?*
Para ***ustedes*** *hemos reservado esta sala.*

212 **Responde con un pronombre tónico, según el modelo (B.) :**

—¿Es esto para ella? — *—No, es para mí.*

1. —¿Es para ti la carta? —Sí, ______.
2. —¿Era para mí la llamada? —No, ______.
3. —¿Es este aviso para nosotras? —Sí, ______.
4. —¿Es para vosotros el aplauso? —No, ______.
5. —Este regalo, ¿es para ella? —Sí, ______.
6. —¿Nos llaman a nosotros? —No, ______.
7. —¿Les llamaron a ellos? —Sí, ______.
8. —¿Le preguntó a ella? —No, ______.
9. —¿Os miramos a vosotros? —Sí, ______.
10. —¿Os vio a vosotras? —No, ______.

213 **Haz oraciones utilizando pronombres tónicos, según el modelo (B.):**

Juan está con Pedro. — *Juan está con él.*

1. Te acompaña un amigo. Él va ______.
2. Pablo viene con Julia. Viene con ______.
3. El egoísta sólo piensa en su persona. Sólo piensa en ______.
4. Pregúntale a Federico si quiere ir ______.
5. Espérame en la puerta y me reuniré ______.
6. María y Paula vieron a Juan y se sentaron con ______.
7. David os llamó a ti y a Pedro. Estuvo charlando con ______.
8. Viste a tus compañeros y te paraste a hablar con ______.
9. María abrió al cartero, que traía una carta para ______.
10. Ellos y tú lo resolvisteis entre ______.

214 **Completa con los pronombres tónicos que faltan (C.):**

1. ______ le condenaron al destierro.
2. ______ les di otro aviso.
3. ______ me gusta España.
4. ______ te gusta Italia.
5. ______ le dieron un premio.
6. ______ les saludaron atentamente.
7. ¿______ no te gusta el teatro?
8. ______ os dedico esta canción.
9. ______ nos dieron un recado.
10. ______ les perdonarán todo lo que han hecho.

28 LOS PRONOMBRES RELATIVOS

Los pronombres relativos se utilizan para evitar la repetición de los nombres que les anteceden en la misma frase:

Veo ***un cuadro de Goya****;* ***el cuadro*** *es muy bueno.*
Veo un ***cuadro de Goya, que*** *es muy bueno.*

1. El relativo *que* es invariable y se usa indistintamente con personas y con cosas:

La chica ***que*** *baila lleva un vestido* ***que*** *me gusta.*

Con las preposiciones ***para, desde, por, entre, ante, bajo, contra, hasta, sobre,*** se usa siempre un artículo antes de ***que***:

La niña ***por la que*** *te interesas, estudia mucho.*
La mesa ***sobre la que*** *estudias, es muy antigua.*

Con las preposiciones ***a, con,*** y ***en,*** el artículo no es necesario:

La niña ***a que*** *te refieres muy simpática.*
La casa ***en que*** *vivo tiene seis ventanas.*
Me gusta la gente ***con que*** *te diviertes.*

La preposición ***en*** + ***que*** equivale, a veces, a ***donde***:

En el piso ***en que*** *vivimos hay poco ruido.*

2. *Quien(es)* se refiere siempre a personas y se usa sin artículo:

Vinieron a verme algunos alumnos, ***a quienes*** *recibí.*

Se utiliza en lugar de ***que*** o ***cual,*** para evitar equívocos, siempre que no exista antecedente:

A ***quien*** *llegue primero, se le dará un premio.*

Generalmente se puede cambiar por ***el, (la), (los) que***:

El profesor de ***quien*** *(=d****el que****) tanto hablan, soy yo.*

3. *Cuyo(a), os(as)* concuerda en género y número con el nombre consiguiente, aunque se refiere al antecedente:

*Devolví el libro cuy****as*** *págin****as*** *están rotas.*
*La alumna cuy****o*** *libr****o*** *buscas, no ha venido hoy.*

Es un relativo posesivo y significa ***de que, del cual, de quien*** + sustantivo precedido de determinante:

Esa chica ***cuyos*** *ojos te llamaron tanto la atención...*
(***de la cual*** *los ojos te llamaron tanto la atención ...*).

215 Responde a estas preguntas según el modelo (1.):

—¿Te gusta vestirte de este color?
—Sí, es un color ***que*** *me gusta.*

1. —¿Ves a menudo a esta persona? —Sí, ______.
2. —¿Vas a escuchar este CD? —Sí, ______.
3. —¿Usas estas gafas permanentemente? —No, ______.
4. —¿Te interesa el asunto? —No, ______.
5. —¿Buscas al responsable de esto? —Sí, ______.

216 Completa con *el, la(s), lo(s) que* o *quien(es)* estas oraciones (1., 2.):

1. El profesor a ______ has saludado es el mío.
2. Ese jersey ______ llevas, ¿es de lana?
3. La escultura ______ ves ahí, es egipcia.
4. ______ bien te quiere, te hará llorar.
5. Las personas a ______ hemos saludado son francesas.
6. Los chicos con ______ bailamos eran de nuestra clase.
7. No ha pasado nada, ______ yo sepa.
8. A ______ debes dirigirte es al jefe de estudios.
9. El estudiante ______ está hablando, es el delegado.
10. ______ viene por ese pasillo, es Juan.

217 Forma oraciones libremente, según el modelo (1., 2., 3.):

1. El estudiante **que** está a mi lado es inglés.
2. ______.
3. ______.
4. ______.
5. ______.

218 Sustituye por *que, donde* o *cuyo(a)*, según proceda (1., 2., 3.):

1. La hoja del árbol ______ contemplo se cae lentamente.
2. El camino ______ (el) estado (del cual) ignoramos, conduce a la cima.
3. El cine ______ vimos la última película era nuevo.
4. Nos encontraremos ______ tú indiques.
5. Gallo ______ no canta, algo tiene en la garganta.
6. Sólo pienso en temas ______ (la) solución (de los cuales) sea posible.
7. Hoy comemos en la cafetería en la ______ nos reunimos siempre.
8. Este premio es para ______ lo gane.
9. El niño de ______ (la) salud (de la cual) se ocupa el médico, es ése.
10. La casa ______ vivo es fresca en verano.

4. ***El(la), lo(s) cual(es)* lleva siempre incorporado el artículo:**

*La joven **a la cual** atendí es muy inteligente.*
*Los jóvenes **a los cuales** buscáis no son de esta clase.*
*No ganó el equipo, **lo cual** nos disgustó.*

Dado que el artículo determina tanto el género como el número, se utiliza principalmente:

- En la referencia nominal, para evitar la ambigüedad:

  *Es el hermano de mi madre, **que** acaba de llegar.* (¿Quién?)
  *Es el hermano de mi madre, **la cual** acaba de llegar.*

- En las oraciones de relativo explicativas, alternando con ***que***:

  *Los chicos y las chicas, **las cuales** iban muy guapas, llegaron puntualmente.*

- En ciertas expresiones de cantidad:

  *Llévate tres kilos, uno de **los cuales** es para Juan.*

5. ***Donde* es un adverbio relativo de lugar; equivale a *en el lugar en (el) que*:**

*Esperaremos **donde** nos diga*s (en el lugar en el que nos digas).

- Se utiliza como equivalente de la locución adverbial **en casa de**:

  *Estaremos **donde Juanjo*** (en casa de Juanjo).

6. ***Cuanto(a), cuantos(as):***

Como adverbios relativos, equivalen a ***todo(s) lo(s) que:***

*Te pido que hagas **cuanto** puedas.*
*Remítenos **cuantos** quieras.*

7. ***Como,* en posición postnominal, es también adverbio relativo:**

*No veo la manera **como*** (=según la cual) *hacerlo bien.*

En posición no postnominal funciona como pronombre interrogativo indirecto:

*No encontramos **cómo** convenceros.*
*(No encontramos el **modo de** convenceros).*

219 **Completa estas oraciones con las formas correspondientes del relativo y con *el/la/lo*, según proceda (4.):**

1. El examen a ________ tú te presentas, ¿es de español?
2. La duda a ________ te refieres no tiene fundamento.
3. Discutiremos la tesis de la profesora, ________ es muy interesante.
4. La casa en ________ hemos dormido es muy amplia.
5. El grabado de ________ tienes una copia, es de Goya.

220 **Completa estas oraciones según el modelo (4.):**

—¿Participaste en la asamblea anual?
—Sí, es una asamblea ***a la cual*** *siempre asisto.*

1. ¿Estudias el tema desde hace mucho tiempo?
2. ¿Te referirás a la obra de Cervantes, Don Quijote?
3. ¿Te interesa mucho el período del Romanticismo?
4. ¿Asistes frecuentemente a los conciertos del Auditorio?
5. ¿Te gusta frecuentar el museo de El Prado?

221 **Cambia estas oraciones según el modelo (4., 5.):**

Organizamos una fiesta. Tú estás invitado a la fiesta.
Organizamos una fiesta ***a la cual*** *tú estás invitado.*

Fuimos a la clase. En la clase no cabía nadie más.
Fuimos a la clase ***donde*** *no cabía nadie más.*

1. Vas a la universidad. La universidad es nueva.
2. Mi padre vive en un chalé. A veces duermo en el chalé.
3. José Luis Garci dirigió *El Abuelo. El Abuelo* ganó un óscar.
4. Tengo dos amigos. Ruth juega con mis amigos.
5. Nos veremos en Madrid. Iré a Madrid en enero.

222 **Completa libremente estas oraciones:**

1. La clase donde ________.
2. El museo donde ________.
3. No veo manera como ________.
4. Haré cuanto ________.
5. No sé cómo ________.
6. Sabes cuánto ________.

29 ÓRDENES Y MANDATOS: EL IMPERATIVO

FORMAS Y USOS DEL IMPERATIVO:

1. **Cuenta sólo con la segunda persona de singular y de plural:**

   *Cant**a**, Alejandro.* *Canta**d**, chicas.*

   Para el imperativo de cortesía se utiliza la forma ***usted(es)***, que concuerda en tercera persona:

   *Pase **usted** por aquí, por favor.* *Tengan **ustedes** paciencia.*

   - Puede omitir el sujeto léxico o pronominal:

     Llama, llamad. *Juega, jugad.*

   - Indica tiempo presente, porque actúa sobre los participantes del acto de habla (**aquí** y **ahora**):

     Escribe una carta. *Llamad al timbre.*

   También puede usarse traslaticiamente en futuro, porque depende de un verbo implícito en el acto de habla (*digo que ...*):

   Cuando cumplas veinte años, vete de tu casa.
   Si vas a París en mayo, date una vuelta por Montmartre.

2. **Admite sólo pronombres átonos pospuestos:**

   *Contésta**me**.* *Explicád**selo.*** *Búsca**sela.***

   - Al combinarse con el pronombre ***os***, la segunda persona del plural pierde la **d**, excepto en el caso del verbo ***ir***, que la conserva:

     *Senta**d** → senta**os**.* *Lleva**d** → lleva**os**.* *Id → idos de aquí.*

3. **El imperativo no puede combinarse con la negación:**

   **No* ven.* **No* callad.* **No* pon.*

   Para negar se deben emplear las formas de subjuntivo:

   No vengas. *No calléis.* *No pongas.*

4. **Se emplea para mandar o exigir algo, para dar un consejo o una orden en sentido positivo:**

   Escucha atentamente. *Dame eso ahora mismo.*

   Constituye un vulgarismo utilizar el infinitivo en estos casos:

   Sentar**os ahora mismo.* **Queda**r**os donde estáis.*

   Sin embargo, en las prohibiciones se usa frecuentemente el infinitivo en vez de las formas de imperativo:

   No fumar. *No hablar con el conductor.*

223 **Haz frases publicitarias según el modelo (1.):**

Beber Coca-cola, la chispa de la vida:
***Bebed** Coca-cola, la chispa de la vida.*

1. Tomar vitaminas: ________.
2. Beber agua mineral: ________.
3. Pasar las vacaciones en el mar: ________.
4. Hacer deporte: ________.
5. Vivir la vida ecológicamente: ________.
6. Cuidar la naturaleza: ________.
7. Darle al cuerpo alegría: ________.
8. Engancharse a la vida: ________.

224 **Repite el ejercicio, usando la segunda persona del singular (1.):**

225 **Sustituye el verbo de estas frases por el imperativo del verbo *dar*, seguido de un pronombre, como en el modelo (2.):**

Necesito un libro. *Dame un libro.*

1. Nosotros *necesitamos* un sello. ________.
2. Jaime necesita un lápiz. ________.
3. María necesita un cuaderno. ________.
4. Ellos necesitan un ordenador. ________.
5. Necesito una explicación. ________.

226 **Da consejos según el modelo (3.):**

No tengo intención de llamar a Luis. *No le llames.*

1. No tengo intención de ir al cine. ________.
2. No tengo intención de tomar café. ________.
3. No tengo intención de escribir cartas. ________.
4. No tengo intención de invitarlos. ________.
5. No tengo intención de leer el libro. ________.

30 EL CONDICIONAL Y EL IMPERFECTO (I)

A LA FORMA *-ría*:

Cuando no se emplea en estructuras condicionales, se utiliza para expresar, en presente:

1. **Requerimientos corteses:**

   *¿Pod**ría** pasarme la sal?*
   *Que**rría** ver al director.*
   *¿Le importa**ría** decirme qué hora es?*
   *Me gusta**ría** saber el precio del reloj.*

2. **Sugerencias o consejos:**

   *Debe**ría**is cambiar de imagen.*
   *Tend**ría**s que estudiar más.*
   *Pod**ría**mos irnos a casa.*
   ***Iría**s mejor en autobús.*

3. **Deseos o aspiraciones:**

   *Que**rría** saber pintar como él.*
   *Me gusta**ría** verte actuar.*

B EL IMPERFECTO DE INDICATIVO:

Se utiliza para:

- Solicitar o requerir algo cortésmente:

  *—¿Qué dese**aba** usted?*
  *—Ven**ía** a visitar al director.*

- Expresar contrariedad:

  *—Hoy que me sab**ía** la lección, no me la preguntan.*

C EL IMPERFECTO DE SUBJUNTIVO:

Se utiliza para insinuar cortésmente el deseo o la conveniencia de hacer algo, utilizando los verbos *querer* o *deber*:

*Quisi**era** acudir contigo al acto de clausura.*
*Debi**era** usted ver a un especialista.*

D FORMAS USUALES:

	INDICATIVO		SUBJUNTIVO
	Imperfecto	**Condicional**	**Imperfecto**
Querer	*quería*	*querría*	*quisiera*
Desear	*deseaba*	*desearía*	
Poder	*podía*	*podría*	*pudiera*
Deber	*debía*	*debería*	*debiera*

227 Responde a estas preguntas utilizado fórmulas de cortesía (A.1.):

—¿Qué desean, un té o un café? *—Querríamos un café.*

1. —¿Desea un terrón de azúcar, o dos? — .
2. —¿Quiere una tostada, o un bizcocho? — .
3. —¿Desea salir, o quedarse aquí? — .
4. —¿Quiere leer, o escuchar música? — .
5. —¿Cómo lo quiere, caliente o frío? — .

228 Haz oraciones con estos elementos, usando fórmulas de cortesía (A.1.):

Una mesa cerca de la ventana, la carta, vino, agua mineral, patatas fritas, café con leche, coca-cola, pimienta, la cuenta.

—¿Podría reservarme una mesa cerca de la ventana?

1. .
2. .
3. .
4. .

229 Da consejos según el modelo (A.2.):

Dormir una media de ocho horas. Descansar en vacaciones.
Beber más agua. Hacer gimnasia diariamente. Comer verduras.
Hacer natación. Visitar los museos. Ir a la montaña.

Para estar en forma, ***deberías*** *dormir una media de ocho horas.*

230 Expresa deseos según el modelo (A.3.):

Hablar correctamente español.
Tener diez años menos.
Tener más tiempo libre.
Ir a la playa en verano.

Desearía hablar correctamente español. .

231 La Señora González es mayor y vive de sus recuerdos. Exprésalos:

Viajar. Hablar muchas lenguas. Ser artista. Ser rica.
Los pretendientes. Los nietos. Las reuniones familiares.

1. Yo hubiera querido .
2. Yo hubiera debido .
3. .
4. .
5. .
6. .
7. .

31 EL SUBJUNTIVO (I)

Hay locuciones conjuntivas que rigen siempre subjuntivo. Se usan:

1. **Para indicar finalidad: *a que, para que, a fin de que, ...:***

   *Lo hizo **para que** descans**áramos**.*
   *¿Vienes **a que** te ve**an** todos?*
   *... **a fin de que** todo el mundo se ent**ere**.*

2. **Para expresar condición: *con tal de que, a condición de que, bajo condición de que, ...:***

   *Me quedo **con tal de que** no te alej**es**.*
   *Te dejo ir al cine **a condición de que** luego estudi**es**.*
   *Podéis quedaros, **bajo condición de que** no hag**áis** ruido.*

   siempre y cuando, en caso de que, ...:

   *Te acompaño, **siempre y cuando** no llev**es** al perro.*
   *Puedes pedirlo, **en caso de que** no lo teng**as**.*

3. **Para expresar comparación: *como si, cual si, lo mismo que si, igual que si, ... :***

   *Contó el accidente **como si** le hubi**era** ocurrido a él.*
   *Dejaron la habitación **cual si** hubi**era** pasado Atila.*
   *Se movía **lo mismo que si** fu**era** agitada por el viento.*
   *Chilla **igual que si** lo estuvi**eran** matando.*

4. **Para expresar temporalidad: *antes de que, después de que, ...:***

   *Llegamos **antes de que** el concierto acab**ara**.*
   *Firmarán el contrato **después de que** él se haya ido.*

5. **Para indicar modo: *sin que*:**

   *Me voy a marchar **sin que** nadie se entere.*

Completa estas oraciones con el tiempo y el modo que requieran las conjunciones, según el modelo (2.):

*Vengo **a que** me **ayudes** a resolver el tema* (ayudar).

1. Vengo para que tú me ______ otro ejercicio (poner).
2. A fin de que (tú) ______ a tiempo, te doy mi reloj (llegar).
3. Con tal que (tú) ______, haz el examen como desees (aprender).
4. No te perjudicará, a condición de que ______ prudentemente (beber).
5. Nos llevaremos bien, siempre y cuando (ellos) ______ bien (portarse).
6. Puedes salir el fin de semana, siempre y cuando ______ (estudiar).
7. Con tal de que (tú)lo ______, puedes ir adonde desees (decir).
8. En caso de que (vosotros) ______, tenednos informados (venir).
9. Lo hizo como si ______ acobardado (estar).
10. Se comportaba cual si el asunto no ______ con él (ir).

Completa estas oraciones poniendo el verbo en el tiempo y modo que requieran las conjunciones (3.):

1. Estoy lo mismo que si ______ mucho (dormir).
2. Lo dice igual que si ______ ajeno a ella (resultar).
3. Antes de que ______ iremos de paseo (anochecer).
4. Murió sin que nadie lo ______ (ver).
5. Tan pronto como (tú) lo ______, me lo comunicas (terminar).
6. Apenas (ellas) lo ______, usted me lo dice (aprender).

Completa estas oraciones con conjunciones que se acomoden al contexto, según el modelo (4.):

***Antes de que** anochezca, iremos de paseo.*

1. ______ avises, puedes marcharte antes.
2. Ten presente, ______ venga, que hemos de acompañarle.
3. Se portó ______ estuviera incómodo.
4. ______ te admitan, debes presentar una instancia.
5. ______ llegues, saldremos para la playa.
6. Entraron ______ nadie se diera cuenta.
7. ______ duermas cómodo, te he puesto otra almohada.

Forma oraciones con las conjunciones *a fin de que, para que, antes (de) que, salvo que, con tal (de) que,* según el modelo:

***A fin de que** podamos ir al cine, vamos a trabajar más deprisa.*

1. Para que ______.
2. ______.
3. ______.
4. ______.
5. ______.

32 LA INTERROGACIÓN (II)

A PARA PREGUNTAR POR LAS PERSONAS:

1. **Para preguntar por las personas y por sus circunstancias se utiliza:**

   —*¿**Quién** es?* —*¿**Quiénes** han venido?*

2. **Para preguntar por personas, cosas o animales:**

   —*¿**Cómo** está tu caballo?*
   —*¿**Dónde** hay una farmacia?*
   —*¿**Cuándo** se va Enrique?*

3. ***Quién(es)* suele encabezar la oración, seguido del verbo. Es siempre pronombre interrogativo:**

   —*¿**Quién** ha llamado por teléfono?*
   —*¿Por **quién** preguntas?*
   —*¿De **quién** es este bolígrafo?*

4. **Las formas afirmativas que responden esas preguntas son *alguien* o *alguno(a):***

   —***Alguno** habrá sido.*
   —*Por **alguien** que lo conozca.*
   —*De **alguna** alumna.*

5. ***Dónde, cómo, cuánto y cuándo* se colocan al comienzo de la oración, y exigen que el sujeto se posponga al verbo. Por ejemplo:**

   - ***Dónde*** se emplea para preguntar por un lugar:

     —*¿**Dónde** vives tú ahora?* —*¿Por **dónde** pueden llegar?*
     —*¿De **dónde** vienes?* —*¿Hacia **dónde** vas?*

   - ***Cómo*** se usa para preguntar por el modo o por el valor de algo:

     —*¿**Cómo** se abre esto?* —*¿A **cómo** está el euro?*

   - ***Cuánto*** se emplea para preguntar por la cantidad, por la distancia o por la duración:

     —*¿**Cuánto** cuesta el billete?* —*¿**Cuánto** hay de aquí a León?*
     —*¿**Cuánto** dura el viaje hasta las Canarias?*

   - ***Cuándo*** se utiliza para preguntar por el tiempo:

     —*¿**Cuándo** vamos de excursión?* —*¿Desde **cuándo** estudias?*

236 Forma preguntas según el modelo (A.2.):

—Si no vives en Madrid, ¿dónde vives?

1. Si no trabajas en España, ______________________.
2. Ya que no acabas en junio, ______________________.
3. Si no meriendas ahora, ______________________.
4. Tus amigas no están en Alemania, entonces, ______________________.
5. Si tu madre no está en casa, ______________________.
6. Mi libro no está aquí, así que ______________________.
7. Si mi profesor no ha venido aún, ______________________.
8. Ya que mis cosas no están en la mesa, ______________________.
9. Si no encuentro mi jersey, ______________________.
10. Si esta semana no tenemos fiesta, ______________________.

237 Haz preguntas sobre el texto y contéstalas, según el modelo:

Buenos días. Soy Óscar Gómez, ingeniero de telecomunicaciones. Trabajo en Sevilla y no gano mucho. Mi deporte favorito es la natación en piscina cubierta. Vivo en Jerez, en la calle Pedro Domecq, 10. Voy a Sevilla en coche. Los fines de semana hago natación. En verano participo en competiciones en el mar.

1. ¿Cómo se llama el ingeniero? *—Se llama Óscar Gómez.*
2. ¿Dónde ...? —______________________.
3. ¿Qué ....? —______________________.
4. ¿Dónde ...? —______________________.
5. ¿Cuándo ....? —______________________.
6. ¿Cuándo ....? —______________________.
7. ¿Dónde ...? —______________________.
8. ¿Cómo ...? —______________________.
9. ¿Cuánto ....? —______________________.
10. ¿Qué ....? —______________________.

238 Utiliza los interrogativos que faltan, para preguntar sobre la afirmación, según el modelo:

*En el centro de Madrid hay una fuente mítológica: ¿**Dónde** está?*

1. La Expo 92 se celebró en Sevilla: ¿______________ se celebró?
2. Santiago es una ciudad de América del Sur: ¿______________ está?
3. A la Luna llegaron dos astronautas: ¿______________ eran?
4. El Museo de El Prado está en Madrid: ¿______________ se llama?
5. En tenis se pagan hasta dos millones de premio: ¿______________ se paga?
6. El partido terminó con protestas del público: ¿______________ terminó?
7. Llegaron los futbolistas a Barajas: ¿A ______________ llegaron?
8. Gasté en el viaje dos mil euros: ¿______________ gasté?
9. No iremos de vacaciones hasta julio: ¿______________ iremos de vacaciones?
10. Juan y Pablo cantaron una canción: ¿______________ cantaron?

B PARA PREGUNTAR POR LAS COSAS:

1. *Se usa qué,* como pronombre neutro:

—*¿**Qué** es eso?*
—*¿Con **qué** escribes?*
—*¿En **qué** piensas?*
—*¿De **qué** está hecha la mesa?*

Las formas correlativas del interrogativo neutro ***qué*** son: **algo, nada, todo, mucho, poco**:

—*¿**Qué** deseas?* —***Nada**.*
—*¿**Qué** te llevas?* —***Todo**.*
—*¿**Qué** buscas?* —***Algo**.*
—*¿**Qué** te falta?* —***Poco**.*

2. *Qué,* como adjetivo, se utiliza con el verbo *ser* para identificar tanto a personas como objetos:

- Con nombres sin preposición:

—*¿**Qué café** te gusta más?*
—*¿**Qué ministros** han venido?*
—*¿**Qué disco** prefieres?*
—*¿**Qué perro** te llevas?*

- Seguido de nombres incontables en disyuntiva:

—*¿**Qué** es mejor, la **alegría** o la **tristeza**?*

3. *Cuál(es)* se usa:

- Como pronombre, para preguntar por la referencia nominal de los objetos de una cierta clase:

—*¿**Cuál** es la casa donde vive?*
—*¿**Cuáles** de estos son tus zapatos?*

- Con nombres contables en disyuntiva o en coordinación:

—*¿**Cuál** es mejor vino, el rioja, o el valdepeñas?*
—*¿**Cuál** es mi coche y **cuál** el tuyo?*

- No se emplea con el demostrativo ***esto***, sino con ***este(a)***:

—** ¿Cuál es esto?*
—*¿**Cuál** es esta?* —*¿**Cuál** es este?*

- Se usa siempre antes de la estructura ***de*** + nombre:

—*¿**Cuál** de estas es su habitación?*
—*¿**Cuál** de ellos tiene cinco años?*

239 Forma preguntas según el modelo (B.1., 2., 3.):

Estoy haciendo una mesa: — *¿**Qué** estoy haciendo?*

1. Escribo con una pluma: —¿______?
2. Tomo vino español: —¿______?
3. La silla es de madera: —¿______?
4. Me gusta el café fuerte: —¿______?
5. La pluma es una Parker: —¿______?
6. Mi nombre es David: —¿______?
7. Uno de los niños tiene diez años: —¿______?
8. La alegría es mejor que la tristeza: —¿______?
9. María es artista: —¿______?
10. Pablo es español: —¿______?

Completa con los interrogativos *qué, cuál, quién,* según el contexto:

1. ¿De ______ está hecha la mesa? — ______.
2. ¿______ bebida te gusta más? — ______.
3. ¿______ es mejor, ganar o perder? — ______.
4. ¿______ es aquello? — ______.
5. ¿De ______ es el paraguas? — ______.
6. ¿______ es mi coche? — ______.
7. ¿______ de los dos cuadros te gusta más? — ______.
8. ¿______ de nosotros está disponible? — ______.
9. ¿Para ______ día nos convocan? — ______.
10. ¿______ profesor viene hoy? — ______.

Construye preguntas y respuestas sobre este texto:

David es médico de pueblo. Por la mañana, pasa consulta y después visita los enfermos de la localidad. Primero pasa a ver a los ancianos y luego, a los más jóvenes. A unos los anima y a otros les receta medicinas o les prescribe reposo absoluto. A los que encuentra restablecidos, les da el alta médica.

1. ¿Qué es David? —David es médico.
2. ¿______ es su profesión? — ______.
3. ¿A ______ visita primero? — ______.
4. ¿______ les receta? — ______.
5. ¿______ estaban con gripe? — ______.
6. ¿______ les prescribió? — ______.
7. ¿A ______ de los enfermos visita luego? — ______.
8. ¿______ hace con los enfermos? — ______.
9. ¿A ______ dio el alta médica? — ______.
10. ¿______ enfermos había? — ______.

33 EXPRESIÓN DE LA DUDA Y NEGACIÓN (II)

Quizás no *comprenda* ***nada.***
Yo ***no*** *comprendo* ***nada****.*

Tal vez no *venga* ***nadie****.*
Tú ***no*** *sales* ***nunca****.*

A *NO ... NUNCA (JAMÁS) / NO ... NADA / NO ... NINGUNO:*

—*¿**Trabajas** en una empresa?*	—***No, no*** *trabajo en una empresa.*
—*¿Estuviste aquí **alguna vez**?*	—***No, no*** *estuve **nunca**.*
—*¿**Has visto** a María **antes**?*	—***No, no*** *la he visto **jamás**.*
—*¿**Vas a** volver a verla?*	—***No, no*** *la voy a ver **ya más**.*
—*¿Deseas **algo**?*	—***No, no*** *deseo **nada**.*
—*¿Conoces a **alguien**?*	—***No, no*** *conozco a **nadie**.*
—*¿Estabas **todavía** en Madrid?*	—***No, no*** *estaba **ya**.*
—*¿Tienes **alguna** idea mejor?*	—***No, no*** *tengo **ninguna**.*

1. La negación que corresponde a *siempre* es *nunca/jamás* (hábito) o *ya no más* (cambio):

—*¿Ves **siempre** la TV?*	—***No, no*** *la veo **nunca/jamás**.*
—*¿**Estás estudiando** ESO?*	—***No, ya no*** *estudio **más**.*

2. *Nadie* y *nada*, al principio de la oración, impiden que les siga *no*:

Nadie *habla.*	*****Nadie no*** *habla.*
Nada *se oye.*	*****Nada no*** *se oye.*

3. *Nunca* y *jamás*, si no van al principio de frase, se pueden emplear precedidos de *no*:

No *voy al cine **jamás**.*	***Jamás*** *voy al cine.*
No *te he visto **nunca**.*	***Nunca*** *te he visto.*

4. En una misma oración pueden concurrir varias negaciones:

*Pablo **no** vio **nunca** a **nadie**.*

Nadie *lo vio **nunca jamás**.*

5. Los adverbios de negación pueden combinarse también con los de duda (*acaso, quizás, probablemente, tal vez, a lo mejor*):

Tal vez no *está equivocado.*	***Tal vez no*** *esté equivocado.*
Quizás *ya **no** están aquí.*	***Quizás*** *ya **no** estén aquí.*

Probablemente no *habrán llegado aún a la estación.*
Probablemente no *hayan llegado aún a la estación.*

Contesta en forma negativa a las preguntas siguientes utilizando *no ... nunca (jamás) / no ... nada / no ... ninguno,* según el modelo (A.1., 2.):

—¿Vas a hacer hoy algo especial? *—No, no voy a hacer nada.*

1. —¿Trabajas aún en esa empresa? — .
2. —¿Estuviste alguna vez en Irlanda? — .
3. —¿Has visto antes el museo? — .
4. —¿Quieren algo tus amigos? — .
5. —¿Conoces a alguien en Madrid? — .
6. —¿Tienes alguna idea mejor? — .
7. —¿Estás viviendo aún en Barcelona? — .
8. —¿Habías visto antes la película? — .
9. —¿Está siempre en casa? — .
10. —¿Estás trabajando en España? — .

Transforma estas frases en negativas según el modelo (A.1., 3.):

Pedro está ***siempre*** *contento.* *Pedro* ***nunca*** *está contento.*

1. Pedro ayuda a algunos. .
2. Jorge ayuda a todos. .
3. Pablo ayuda alguna vez. .
4. Tomás nos dice algo. .
5. Jaime mira a alguien. .

Pon este texto en forma negativa:

Esta tarde me reúno contigo. Compro algunas cosas. Preparo el dinero. Alguien me telefonea. Hay algo que hace ruido en la cocina. Me pongo nervioso. Tengo mil cosas para hacer. Tengo preocupaciones. Lo he perdido todo. Me duele la espalda. Me levanto tarde.

Esta tarde **no** me reúno contigo

6. **Los adverbios de negación *no, jamás, nunca, tampoco,* niegan la realidad o la posibilidad de un hecho:**

   Ayer ***no*** *fue fiesta.* ***Nunca*** *volverá a ser igual.*

7. **El adverbio *no* precede siempre al verbo:**

   No vamos *de excursión.* *Tú* ***no tienes*** *ni idea de esto.*

8. ***No* puede ir reforzado por otras palabras de sentido negativo:**

   - Por los adverbios ***jamás, nunca***:

     Esto ***no*** *se repetirá* ***nunca/jamás****.*

   - Por los pronombres indefinidos ***ninguno, nadie, nada****:*

     No *lo sabe* ***nadie/ninguno****.* ***No*** *estudias* ***nada****.*

9. ***No* puede ser reemplazado en las respuestas por las locuciones de negación *al contrario, de ninguna manera, de ningún modo, en absoluto, ni mucho menos, ni siquiera, ...*:**

   —¿Lo vas a permitir? ***—¡De ninguna manera!***

10. **El adverbio *tampoco* se utiliza en diálogos, a continuación de otras negaciones:**

    —Hoy María ***no puede*** *ir al cine.*
    —Nosotros, ***tampoco****.*

B COORDINACIÓN DE ORACIONES NEGATIVAS:

1. ***Ni ... ni*: Son correlativas y se utilizan para negar coordinadamente dos cosas, dos ideas. En tal caso, el verbo concierta en plural:**

   Ni la iglesia ni el palacio *son monumentos dignos de verse.*

2. ***No ... ni*: Se utilizan para negar coordinadamente una serie de cosas, ideas... El verbo concierta con la más próxima:**

   No *me gustó* ***ni*** *el argumento,* ***ni*** *la interpretación,* ***ni*** *la escenografía de la obra.*

3. **La preposición *sin* tiene sentido de *carencia*:**

   Llegó al aeropuerto ***sin*** *el equipaje.*

4. **La restricción negativa:**

   Juan ***no*** *tiene* ***más que*** *cinco años.* (= sólo tiene cinco).
   No *cuesta* ***menos de*** *cinco euros.* (= cuesta más de cinco).
   No *tuvo tiempo* ***apenas*** *de terminar.* (= casi no terminó).
   Casi no *llegó para el examen.* (= pero sí llegó).

245 **Forma oraciones negativas utilizando los adverbios de negación *no, jamás, nunca, tampoco,* según el contexto (A.6.):**

*Nicolás **nunca** llega puntualmente a clase.*

1. ______ es tarde si la dicha es buena.
2. ______ vendrá ______ de vacaciones aquí.
3. Jaime ______ lo apuntó; yo ______ lo apunté.
4. ______ lo sabe ______ .
5. ______ le he visto ______ .

246 **Contesta negativamente a estas preguntas, según el modelo (A.8.):**

—¿Has visto a alguien? *—No he visto a nadie*

1. —¿Ha venido alguien a verme? —______ .
2. —¿Has notado algo? —______ .
3. —¿Ha llamado alguien? —______ .
4. —¿Ves a alguien? —______ .
5. —¿Tampoco asistió Marco? —______ .

247 **Completa estas oraciones utilizando negaciones, según el contexto (B.1.):**

1. ______ tú ______ yo estábamos para bromear.
2. ______ me presentó ______ al director ______ al subdirector del curso.
3. Se presentó en clase ______ los libros.
4. ______ siquiera dispone de despacho.
5. ______ nos conocemos bien.

248 **Busca la equivalencia de las siguientes negaciones (B.4.):**

1. Este vino no tiene más de cinco años. (sólo tiene cinco años).
2. Este ordenador no cuesta menos de cien euros. (______).
3. Jaime no posee más que cinco euros. (______).
4. El camarero apenas terminó de servirnos. (______).
5. Casi llegó para realizar el examen. (______).
6. Casi no llegó para realizar el examen. (______).
7. No gastó más que 50 euros. (______).

249 **Forma libremente oraciones que empiecen por *nunca, nadie, jamás,* o *nada*:**

1. Nadie pregunta por ello.
2. ______ .
3. ______ .
4. ______ .
5. ______ .

34 EL DISCURSO INDIRECTO (I)

*Raúl **dice que** jugarán hoy.*
*El profesor **pregunta si** estamos de acuerdo.*
*Yo le **pregunto adónde** va y **qué** va a hacer.*

El discurso indirecto (DI) sirve para reproducir las palabras que alguien dice o dijo en discuro directo (DD), o también, el texto de un escrito:

Palabras dichas o escritas (DD)	Palabras reproducidas (DI)
Raúl dice: *Jugaré hoy.*	*Raúl **dice que** jugará hoy.*
María afirma: *Es pronto.*	*María **afirma que** es pronto*
El cartel dice: *No fumar.*	*El cartel **advierte que** no se fume.*

1. El discurso indirecto en presente:

- Para reproducir lo dicho o enunciado, se utiliza ***que***:

—No llego hoy.	*Comunica **que** no llega hoy.*
—Cállate y no hables.	*Ordena **que** calle y que no hable.*
—¡Que cantes!	*Manda **que** cante yo.*
—Iré mañana.	*Dice **que** irá mañana.*

- Para reproducir una pregunta simple, se puede emplear ***(que) si***:

—¿Estás de acuerdo?	*Pregunta **(que) si** estás de acuerdo.*
—¿No piensas venir?	*Pregunta **(que) si** no piensas venir.*

- También pueden usarse las palabras ***cuándo, cómo, dónde, cuánto, qué***:

—¿Adónde vais?	*Pregunta **(que) adónde** vais.*
—¿Qué hacéis?	*Pregunta **(que) qué** hacéis.*

2. Cambios que origina el discurso indirecto (DI) en presente:

- Cambios de persona en el sujeto y en el complemento:

*—**Me** diviert**o**.*	*Dice **que él/ella se** diviert**e**.*
*—**Mi** hijo tien**e** frío.*	*Dice **que su** hijo tien**e** frío.*

- Cambios de lugar o de tiempo:

*—Voy **ahora**.*	*Ha dicho que iba **entonces**.*
*—Salgo de **aquí**.*	*Avisa que sale de **allí**.*

- Cambios de modo:

*—**Sal** ahora mismo.*	*Manda **que salgas** ahora mismo.*

250 **Pon estos textos en DI, según el modelo (1.):**

—Yo estoy trabajando todavía. Iré pronto, pero empezad sin mí.
—¿Qué dice Antonio a su amigo?
—Le dice que está trabajando todavía y que comiencen sin él.

1. —Oiga, ¿está Alicia? Soy Carlos. Estoy en Sevilla hoy. Salgo a las siete en el AVE. ¿Puedes desayunar conmigo? ¿Qué haces a mediodía?

—¿Qué dice Carlos a Alicia?

— ________ .

2. —Alicia, por favor, ¿tienes una guía de hoteles de Madrid?
¿Podrías telefonearme al hotel Palace para preguntar el precio de una habitación? Llama también al hotel Ritz y al hotel Meliá. Gracias.

—¿Qué pregunta el director a Alicia y qué le pide?

— ________ .

251 **Completa el diálogo siguiente (2.):**

(Manuel habla por el interfono, la señora Blanco está sorda y la señora Ramos le explica).

M.: *Soy el nuevo vecino.*	S.B.: *¿Qué dice?*
	S.R.: *Dice que...*
M.: *No tengo llaves.*	S.B.: *¿Qué dice?*
	S.R.: ________ .
M.: *No puedo entrar.*	S.B.: ________ .
	S.R.: ________ .
M.: *¿Puede abrirme la puerta?*	S.B.: ________ .
	S.R.: ________ .

252 **Pon este diálogo en DI, según el modelo (1., 2.):**

—¿Qué piensas hacer durante el fin de semana?
—Nada. Me quedo en Madrid.
María pregunta a Ángel qué piensa hacer durante el fin de semana y Ángel le contesta que nada, que se queda en Madrid.

M.: ¿Estás libre el domingo?	— ________ .
Á.: Voy a ir a un concierto.	— ________ .
M.: ¿Adónde vas?	— ________ .
Á.: Al teatro Real.	— ________ .
M.: ¿Vas solo?	— ________ .
Á.: Sí.	— ________ .
M.: Entonces, espérame en el Metro.	— ________ .

35 EL GERUNDIO

A FORMACIÓN:

Se forma con la raíz del verbo + las terminaciones siguientes:

1. **Los verbos acabados en -*ar* añaden -*ando* a la raíz:**

   *cant**ar** → cant**ando**.* *and**ar** → and**ando**.*

2. **Los verbos acabados en -*er* o -*ir* añaden -*iendo*:**

   *tem**er** → tem**iendo**.* *part**ir** → part**iendo**.*

3. **Los verbos en -*ir* con variación vocálica en el presente, cambian también en el gerundio: *e* → *i*; *o* → *u*:**

   decir → diciendo. *divertir → divirtiendo.*
   pedir → pidiendo. *preferir → prefiriendo.*
   poder → pudiendo. *regir → rigiendo.*
   servir → sirviendo. *dormir → durmiendo.*
   morir → muriendo.

4. **Los verbos cuya raíz termina en vocal, añaden -*yendo*:**

   *argüir → argu**yendo**.* *caer → ca**yendo**.*
   *constr**u**ir → constru**yendo**.* *h**u**ir → hu**yendo**.*
   *ir → **yendo**.* *influir → influ**yendo**.*
   *leer → le**yendo**.* ***oír** → o**yendo**.*
   *traer → tra**yendo**.*

B FORMAS:

El gerundio posee dos formas: **simple**: *callando.*
compuesto: *habiendo callado.*

1. **Funciona igual que un adverbio:**

   *Llegó a casa **chorreando** agua.*
   *Se despertó **gritando**.*
   Incluso admite, como él, sufijos diminutivos:
   *Entró calland**ito**.* *Se fue andand**ito**.*

2. **El gerundio es invariable en género y en número:**

   *María está **cantando**.* *María y Ana están **cantando**.*

   Pero en su calidad de verbo cuenta con sujeto y puede llevar sus propios complementos verbales:

   *Vine (**yo**) contándo**le** (**yo**) **la historia en el tren**.*

3. **Se construye con los pronombres pospuestos si la función es de complemento indirecto de un verbo intransitivo:**

   *Entró en clase sonriéndo**nos*** (sonriendo a nosotros[as]).
   *Lleva un rato gritándo**les*** (gritando a ellos[as]).

4. **Puede llevar los pronombres antepuestos o pospuestos si funcionan como complemento directo:**

   Está enseñando literatura a los alumnos: *Está enseñándo**sela**.*
   ***Se la** está enseñando.*
   Estoy cuidando a este niño: *Estoy cuidándo**lo**.*
   ***Lo** estoy cuidando.*

253 Forma los gerundios de los verbos siguientes (A.1.):

1. Despedir
2. Podrir
3. Dormir
4. Corregir
5. Impedir
6. Rehuir
7. Releer
8. Atraer
9. Desoír

254 Utiliza el gerundio según el modelo (B.1.):

Descanso y veo la televisión: *Descanso viendo la televisión.*

1. Leo y escucho música: .
2. Mario hace los deberes y come: .
3. Ella sueña y mira por la ventana: .
4. La profesora explica y escribe en la pizarra: .
5. María salió y dijo adiós: .
6. El jardinero trabaja y riega las flores: .
7. El pintor pinta y canta: .
8. El pájaro come y vigila: .

255 Busca oraciones de significado contrario a éstas, según el modelo (B.1.):

Marta habla sin llorar. *Marta habla llorando.*

1. Alfredo discute sin alterarse. .
2. Begoña dijo adiós sin sonreír. .
3. Carlos marchó sin cerrar la puerta. .
4. David cruzó la calle sin mirar. .
5. Ella salió sin apagar la luz. .
6. Fernando entró sin saludar. .
7. La niña se despertó sin llorar. .
8. Marta pasó el día sin estudiar. .
9. Terminó el día sin llover. .
10. Néstor subió sin protestar. .

256 Sustituye los complementos por pronombres (B.3., 4.):

Entró en clase gritando ***a los alumnos:***
Entró en clase ***gritándoles****.*

1. Empezó el discurso saludando **a los asistentes**.
.
2. Llegó sonriendo **a los presentes.**
.
3. Terminó riñendo **a los niños.**
.
4. Acabó insultando **a las señoras.**
.
5. Salió empujando **a los periodistas.**
.
6. Se marchó gritando **a los amigos**.
.
7. Aparece hablando **a los diputados.**
.
8. Viene repitiendo la consigna **a los clientes**.
.

C USO DEL GERUNDIO:

1. **Se emplea en ciertas oraciones al pie de fotografías o cuadros:**

   *El Rey **dirigiéndose** a los diputados en el Congreso.*

2. **También forma perífrasis mediante la ayuda de ciertos auxiliares: *estar, ir, venir, andar, continuar, seguir, ...***

   *Está **nevando**.* *Anda **contando** cuentos.*

3. **Como complemento de un nombre:**

   *El profesor, **viendo** tal algarabía, suspendió la clase.*
   *Vi a los ciclistas **corriendo** en el circuito.*
   (Adviértase la ambigüedad de esta última oración: ***corriendo*** puede referirse tanto al sujeto (**yo**) como a los ciclistas).

4. **No debe usarse el gerundio cuando el complemento directo es un nombre inanimado:**

   Registraron un **camión conteniendo explosivos.*
   *Registraron **un camión que contenía** explosivos.*

5. **Aunque el complemento directo sea un nombre animado, no debe usarse el gerundio si significa acción permanente:**

   Necesito una secretaria **sabiendo español.*
   *Necesito una secretaria **que sepa** español.*

6. **También ha de evitarse el gerundio que complemente a nombres que no son ni sujeto ni complemento directo:**

   Montamos en un tren **dirigiéndose a Sevilla.*
   *Montamos en un tren **que se dirigía** a Sevilla.*

7. **Ha de evitarse, por inelegante, el gerundio que expresa una acción posterior a la principal:**

   Me caí por la escalera, **rompiéndome un brazo.*
   Me caí por la escalera y me rompí un brazo.

8. **El gerundio expresa los valores siguientes:**

   - Una acción simultánea a la principal:
     *Me fatigo **subiendo** la escalera.*
   - Una acción anterior a ella:
     ***Tomando** carrerilla, salté nueve metros.*
     *El tren, **habiendo** cerrado sus puertas, arrancó.*

   — Causal: ***Viendo** que nevaba mucho, nos marchamos.*
   — Concesivo: *Aun **diciéndolo** tú, no te creo.*
   — Condicional: ***Yendo** juntos, venceremos.*
   — Modal: *Salió de la sala **vociferando**.*
   — Temporal: ***Saltando** el muro, entró en la casa.*

9. **Hay algunos gerundios que, usados como adjetivos, aportan un valor pasivo de obligación:**

   Dividendo: que ha de dividirse o repartirse.
   Doctorando: que debe ser doctorado.
   Execrando: digno de execración.
   Memorando: que debe recordarse.
   Nefando: que no puede ser mencionado sin repugnancia.
   Pudendo: que causa vergüenza.
   Vitando: que se debe evitar.

257 **Forma preguntas sobre estas oraciones y contéstalas según el modelo (C.1.):**

—Juan aprende enseñando.
—¿Cómo aprende Juan? *—Enseñando.*

1. Mario llegó caminando. — .
2. La primavera empezó nevando. — .
3. Terminó el curso celebrándolo. — .
4. Regresó a casa chorreando agua. — .
5. El camino se aprende caminando. — .
6. Conoció la ciudad paseando por ella. — .
7. El avión pasó rozando los edificios. — .
8. Terminamos el año cantando. — .
9. Descansa durmiendo. — .
10. Apareció sonriendo. — .

258 **Utiliza el gerundio según el modelo (C.1.):**

Paloma grita y hace gestos al mismo tiempo.
Paloma grita ***haciendo*** *gestos.*

1. Habla y come al mismo tiempo. .
2. Estudia y escucha música a la vez. .
3. Conduce y, a la vez, mira. .
4. Cocina y habla al mismo tiempo. .
5. Ríe y llora simultáneamente. .
6. Salta y canta a la vez. .
7. Lee y pronuncia al mismo tiempo. .
8. Toca el piano y lee. .
9. Limpia el traje y sonríe mientras. .
10. Medita y discurre a la vez. .

259 **En las oraciones siguientes, corrige los gerundios que estén incorrectamente usados (C.4.):**

1. Le regalaron una caja conteniendo una sortija de oro.
2. Sufrieron el asedio, rindiéndose al día siguiente.
3. Andrés fue un político hablando con torpeza.
4. Tiene un perro siendo cojo.
5. Robaron el banco dirigiéndose a Lisboa.

260 **Forma libremente oraciones con gerundios que indiquen *causa, concesión, condición, modo* o *tiempo*, según el modelo (C.8.):**

1. *Me marché,* ***viendo*** *que no regresabas.*
2. .
3. .
4. .
5. .

36 VERBOS PREPOSICIONALES

Me atengo ***a*** *tu propuesta.*
*¿**De** qué te quejas?*
Ella apuesta ***por*** *nuestra victoria.*

Se denominan preposicionales aquellos verbos cuya naturaleza léxica exige que sean determinados por un complemento regido de preposición (*ateneerse* a *algo o* a *alguien, quejarse* de *algo o* de *alguien, apostar* por *algo o* por *alguien...*), a la que puede seguir un nombre, un infinitivo o una oración subordinada.

1. Verbos que rigen *a* o *de*, seguidos de nombre o infinitivo:

Me acojo ***al*** *derecho de asilo.*
No me acostumbro ***a*** *dormir.*
Te ajustas ***a*** *la norma.*
Me animo ***a*** *estudiar más.*
Apelo ***a*** *tu conciencia.*
Me atengo ***a*** *tu propuesta.*
Cedo ***a*** *tus pretensiones.*
Te brindas ***a*** *cooperar.*

Me abstengo ***de*** *elegir.*
Me acuerdo ***del*** *viaje.*
Se alegra ***de*** *volver.*
Te apartas ***del*** *camino.*
Me arrepiento ***de*** *seguir.*
Me asombro ***de*** *tu paciencia.*
Te beneficias ***de*** *estar ahí.*
Desespero ***de*** *tanto esperar.*

Las preposiciones ***a*** y ***de*** son las más frecuentes y su uso, aunque arbitrario, parece estar más ligado a verbos pronominales:

arrepentirse ***de***	*consagrarse* ***a***	*despedirse* ***de***
fiarse ***de***	*exponerse* ***a***	*imponerse* ***a***
inhibirse ***de***	*ofrecerse* ***a***	*someterse* ***a***
preocuparse ***de***	*remitirse* ***a***	*sorprenderse* ***de***
retractarse ***de***	*sumarse* ***a***	*ufanarse* ***de****...*

2. Los verbos siguientes rigen las preposiciones *con, en, por*:

Acaba ***con*** *la lección.*
Me doy ***por*** *vencido.*
Destaca ***por*** *bailar.*
Se entusiasma ***por*** *todo.*
Se confió ***en*** *que ganaba.*
Se molesta ***en*** *venir.*
Pensó ***en*** *desertar.*

Me adentro ***en*** *terrenos desconocidos.*
Te decides ***por*** *el equipo madridista.*
Ella duda ***en*** *bañarse.*
Se esfuerza ***en*** *triunfar.*
Se interesó ***por*** *tu proyecto.*
Luché ***por*** *alcanzar la cumbre.*
Se le tenía ***por*** *un buen músico.*

3. Verbos preposicionales seguidos de una subordinada:

Se queja ***de que*** *llegues tarde.*
Apuesta ***por que*** *le premien.*
Se atiene ***a que*** *le llamen.*
Me preocupo ***de que*** *aprendas.*
Me limito ***a que*** *lo recuerdes.*

Se duele ***de que*** *le maltraten.*
Se expone ***a que*** *le sancionen.*
Me asombro ***de que*** *no renuncie.*
Se esforzó ***en que*** *triunfaras.*
Se resigna ***a que*** *le critiquen.*

261 Completa este texto con las preposiciones que necesite (1.):

Los periodistas acaban ___ componer el periódico a última hora de la tarde y comienzan ___ elaborarlo a las diez de la mañana. A veces se ven obligados ___ trabajar los sábados y los domingos. Están siempre quejándose ___ que no disponen del tiempo necesario, pero no renuncian ___ escribir. Sueñan ___ encontrar una exclusiva y se desviven ___ lograrla. A veces se exponen ___ que les denuncien por ello. Es el precio que han de pagar ___ triunfar.

262 Completa con la preposición adecuada, si es necesario (2.):

1. No me entretengo ___ distinguir unas cosas de otras.
2. Esta actriz se caracteriza ___ lo bien que se caracteriza.
3. Se queja ___ que no le ayudes más.
4. Se somete ___ las directrices del partido.
5. Se empeña ___ bañarse en pleno invierno.

263 Haz oraciones según el modelo (3.):

Estoy de vacaciones. Estoy contento.
Estoy contento de estar de vacaciones.

1. Llego tarde. Estoy desolado.
   ___.
2. Hubo una contraorden. Estoy contrariado.
   ___.
3. He sido invitado. Estoy sorprendido.
   ___.
4. Me voy de viaje. Estoy feliz.
   ___.
5. Oí un discurso largo. Estoy cansado.
   ___.

264 Trasforma estas frases según el modelo (1., 2., 3.):

Antonio aprende ... (tocar) *la guitarra.*
Antonio aprende **a tocar** *la guitarra*

1. Juan comienza ___ (hacer) judo.
2. María acaba ___ (hacer) sus deberes.
3. Ramón termina ___ (realizar) los cursos de español.
4. Mikel trata ___ (seguir) el curso de informática.
5. Mario huye ___ (exponerse) el peligro.
6. Pablo lucha ___ (conseguir) la beca.
7. Ángel se decide ___ (trabajar) con ese ordenador.
8. Paco se presentará ___ (ser elegido) delegado.

37 LOS VERBOS DE MOVIMIENTO

Voy a *Alemania.*
Viajaremos a *Baviera.*

Voy a ver *a mis amigos.*
¿Entramos *ahí?*

La expresión del movimiento con verbos de significado opuesto:

ir = moverse de un lugar hacia otro:
⟶ **DESTINO**
Voy *a Madrid.*
¿Irás *a París?*

irse = abandonar un lugar para estar en otro:
ORIGEN ⟶
Se fue *a Barcelona.*
Me voy *a Vigo.*

venir = moverse de allá hacia acá.
⟵ **ORIGEN**
Vengo *de Madrid.*
Vienes *de París.*

venirse = dejar el lugar donde se estaba.
⟵ **DESTINO**
Se vino *de Sevilla.*
Se vino *de Madrid.*

entrar = pasar de fuera a dentro.
⟶ **DESTINO**
La gente ***entra*** *allí.*
El agua entra en casa.

adentrarse = penetrar en el interior de algo:
⟶ **DESTINO**
Nos adentramos *en el túnel.*

salir = pasar de dentro a fuera.
⟵ **ORIGEN**
El agua ***sale*** *del grifo.*
El tren ***sale*** *del túnel.*

salirse = apartarse o separarse de unos límites fijos.
⟵ **ORIGEN**
El agua ***se sale*** *del cubo.*
El tren ***se sale*** *de la vía.*

marchar = partir hacia un lugar.
ORIGEN ⟶
Juan ***marchó*** *a la sierra.*

marcharse = abandonar un lugar.
ORIGEN ⟶
Se marchó *sin decir nada.*

volver = regresar al punto de partida.
Vuelve *cuando quieras.*

volverse = regresar al punto de partida sin continuidad.
Se volvió *a mitad de camino.*

llevar = conducir una cosa de un lugar a otro:
El aire ***llevaba*** *hojas.*

llevarse = hacer que algo abandone un lugar.
¿Te llevas *mis libros?*

traer = trasladar una cosa al lugar en que se habla.
Trae *aquí ese reloj.*

traerse = conducir algo hacia el lugar en que se habla.
¿Te traes *la maleta?*

caer = descender por el aire. de arriba a abajo:
La lluvia ***cae*** *con fuerza.*

caerse = precipitarse involuntariamente de arriba a abajo.
El libro ***se cayó*** *del estante.*

265 Completa este texto con los verbos de movimiento que faltan:

Mis amigos franceses vendrán a Madrid por Navidades. Primero ______ *a Sierra Nevada.* ______ *a casa de unos amigos que viven en Granada. Pasados unos días,* ______ *a Madrid y a continuación* ______ *a Berlín. Piensan* ______ *para comenzar el semestre en París.*

266 Imagina que tienes doce años; describe tu jornada normal de trabajo, con este horario:

8,30: *colegio*	13,00: *casa*	15,00: *colegio*
16,30: *casa*	18,00: *con Daniel*	20,00: *casa*

1. Por la mañana, voy al colegio a las ocho treinta.
2. ______.
3. ______.
4. ______.
5. ______.
6. ______.

267 Contesta a estas preguntas:

1. —¿A dónde fue tu padre ayer? —______.
2. —¿Se vendrá Pablo de Barcelona? —______.
3. —¿Se sale el agua del grifo? —______.
4. —¿Lleva María la cartera a clase? —______.
5. —¿Juan se cayó del susto? —______.
6. —¿José marcha hoy a Tokio? —______.
7. —¿Se fue tu hermano de casa? —______.
8. —¿Tu padre viene de Barcelona? —______.
9. —¿Sale María por ese lado? —______.
10. —¿Se marchará Juan de aquí? —______.

268 Averigua si los verbos están bien empleados en estas oraciones y, si es necesario, corrígelos:

1. Mañana me voy a Vigo.
2. Mi primo se vino ayer a Madrid y vive en Sevilla.
3. El tren salió de la vía en aquella curva.
4. Este fin de semana se volverá el mal tiempo.
5. La manzana madura se cayó del árbol.
6. María se lleva abrigo todos los días al ir al trabajo.
7. Los alumnos se adentraron en la sala.
8. En el mismo día me iré a Barcelona y me volveré.
9. Si vienes, tráete para mí el CD.
10. Alicia está pensando venir de América definitivamente.

38 EXPRESIÓN DEL FUTURO (I)

Mañana,	*yo*	*voy a cenar en el restaurante.*
	tú	*vas a quedarte conmigo.*
	él/ella	*va a ir al cine contigo.*
	nosotros,as	*vamos a visitar El Prado.*
	vosotros,as	*vais a salir al campo.*
	ellos,as	*van a terminar el trabajo.*

1. Para expresar un acontecimiento inmediato (futuro próximo) se pueden utilizar muchas perífrasis con los verbos *ir, estar para, tener que,* en presente + infinitivo:

Está para *llegar el tren.* *Date prisa, el tren* ***va a*** *salir.*
Tenemos que *cenar pronto para ir al teatro.*

- Se puede delimitar un futuro más o menos inmediato con un complemento de tiempo:

Voy a *coger las vacaciones* ***en septiembre****.*
Los extraterrestres ***van a*** *llegar* ***en el 2001****.*

2. El futuro *-aré, -eré, -iré* está impregnado de una fuerte carga subjetiva de valores modales que se imponen al valor temporal propio de la acción futura respecto del tiempo en que se habla:

- El valor modal de seguridad se indica con el futuro simple o con el presente + un adverbio de tiempo:

El profesor no ***vendrá*** *hoy.* *Mañana te lo* ***explico****.*

- Valor modal de conjetura o probabilidad en el presente:

Serán *las doce ahora.* ***Tendrá*** *ahora mismo veinte años.*

- Valor modal de obligación o de prohibición:

No ***matarás****.* *¿Te* ***callarás*** *de una vez?*
Los extranjeros ***se inscribirán*** *en esta oficina.*

3. Otros valores en sustitución del presente:

- Cortesía:

—Ustedes me ***dirán*** *en qué les puedo ayudar.*

- Atenuación:

—No le ***ocultaré*** *a usted que estoy contrariado.*

- Incertidumbre:

*—¿**Tendremos** bastante para pagar?* *—¿Quién* ***llamará*** *a estas horas?*

4. Incorrecciones de uso:

El signo condicional ***si*** o los nexos adverbiales ***donde, como, cuando***, no pueden encabezar una forma verbal de futuro:

*****Si llamarás****, dímelo.* → ***Si llamas****, dímelo.*
*****Cuando se curará****, paseará.* → ***Cuando se cure****, paseará.*
Iremos* ***donde desearás**.* → *Iremos* ***donde desees****.*
Hazlo* ***como* *te* ***pedirán****.* → *Hazlo* ***como*** *te* ***pidan****.*

5. Expresiones de tiempo futuro:

El próximo día. *La próxima semana.* *El próximo mes.*
El año que viene. *Pasado mañana.* *Próximamente.*

Completa estas oraciones con el futuro próximo, según el modelo (1.):

La conferencia comienza. Sentaos todos.
Sentaos todos porque la conferencia va a comenzar.

1. Llegamos al peaje. Prepara el dinero.
   — ______________________.
2. El telediario comienza. Sube un poco el volumen.
   — ______________________.
3. El director llega. Guardad la baraja.
   — ______________________.
4. Los recién casados salen. Dame arroz.
   — ______________________.
5. Llueve. Abre el paraguas.
   — ______________________.

Responde con el futuro próximo y describe las cosas que debe realizar el señor Ruiz según su agenda (2.):

Lunes:
9,00/12,00:
Preparación viaje Berlín
13,00:
Almuerzo Sr. Dutz
Estudio del Dossier FCL
15,00:
Salida Aeropuerto
Madrid/Barajas
16,55:
Llegada Berlín
20,00:
Cena Klaus ("Reinhof")
22,0
Descanso Hotel Palacel

¿Qué va a hacer el lunes el señor Ruiz?
De nueve a doce: preparar el viaje.

____

Imagínate ahora que eres el señor Ruiz. Prepárate la agenda de la próxima semana (2.):

Lunes: Iré a Barcelona a mediodía. Regresaré a Madrid por la noche.

Martes: ______________________.
Miércoles: ______________________.

Responde a estas preguntas variando el complemento de tiempo (2.):

—¿Se va Antonio ***hoy****?* *—No, va a irse mañana.*
—¿Y sus padres? *—Van a irse dentro de unos días.*

1. —¿Pablo termina su trabajo **hoy**? —No, ______________________.
   —¿Y su mujer? — ______________________.
2. —¿Tus padres salen **mañana?** — ______________________.
   —¿Y tú? — ______________________.
3. —¿Tu hermana llega **esta semana**? —No, ______________________.
   —¿Y tu hermano? — ______________________.

39 EL CONDICIONAL (II)

A SIGNIFICADOS:

El condicional, además de los valores de cortesía, posee otros significados temporales:

Expresan tiempo pasado		
No expresan futuro		**Expresan futuro**
Implica final	Implica final	Condicional
Pluscuamperfecto ***Había cantado***	P. Anterior ***hube cantado***	***cantaría***

1. **Pasado y futuro.** **No hay contradicción en el hecho de que el condicional indique simultáneamente pasado y futuro:**

   *José Ramón dijo que **vendría** ayer.* *Dijo que **vendría** ahora.*

   El condicional ***vendría*** señala pasado respecto al momento presente en que se habla, pero expresa un tiempo futuro en relación con ***dijo***. Es, pues, un **futuro del pasado**.

   Es un tiempo que necesita apoyarse en otro (pasado) para poder ser empleado:
   *Dijo que **vendría*** (futuro a partir del pasado).

   Aspecto inacabado: No señala el final de la acción: la considera como un continuo:
   ***Serían** las doce cuando **llamó**.*

2. **Si se emplea en estructuras condicionales, expresa futuro en relación con el tiempo actual, y también en relación con el verbo:**

   *Si **fueras** al cine mañana, te **acompañaría**.*

B USOS INCORRECTOS DEL CONDICIONAL:

- No se puede utilizar nunca precedido del condicional ***si***:

  Si **sabría eso, te lo diría.* (supiera/supiese).
  Si **habrías ido, te habrías divertido. (hubieras/hubieses).*

- Tampoco se puede emplear para expresar un hecho dudoso o eventual, cuya verdad no se garantiza:

  El Gobierno **convocaría elecciones para otoño.*
  El ministro **habría sido objeto de un atentado.*

273 **Completa los espacios de estas frases con la forma del condicional que corresponda (A.1.):**

1. Los secuestradores ________ (poder) liberar hoy al rehén.
2. Siempre pensé que ________ (ser) piloto.
3. Por aquellos años, Jaime ________ (estar) en el ejército.
4. Si lo ________ (ver), se lo comunicaría.
5. Me ________ (sentir) mejor si pudiera saber qué pasó.
6. Si ________ (ir) al campo, te acompañaría.
7. ________ (ser) las tres cuando llegó.
8. Dijo que ________ (venir) ayer.
9. Pensó que ________ (llegar) mañana.
10. Comunicó que ________ (abandonar) pronto el país.

274 **Sustituye las formas verbales en negrita por otras, sin que varíe la información (A.2.):**

1. Dijo que Mario **llegará** mañana a las dos, si **hay** vuelo.
2. Nos **asegura** que **vendrá**.
3. No **faltará** a la palabra si lo **dice**.
4. Si lo **promete**, lo **cumple**.
5. En este caso, no me **atrevo** a decir lo mismo que tu hermano.

275 **Forma oraciones con estos pares de verbos, utilizando al menos uno de ellos en condicional simple o compuesto (A.2.):**

desayunar/sentir	comprar/comer	buscar/encontrar
almorzar/no cenar	comenzar/terminar	amar/hacerse querer

Desayunaría bien si me sintiera mejor.

276 **Forma oraciones usando el condicional, según el modelo (A.2.):**

comprar pan, tener dinero;
comer una pizza, hacer comida;
leer el periódico, tener dolor de cabeza;
telefonear a casa, salir de paseo;
dormir la siesta, no tener que trabajar.

Dijo que compraría pan si tuviera dinero.

40 USOS Y VALORES DEL PARTICIPIO

A FORMACIÓN DEL PARTICIPIO:

- Se forma con la raíz del verbo + las desinencias -**ado** o -**ido**:
  *cant-**ar** → cant**ado**; le-**er** → le**ído**; recib-**ir** → recib**ido**.*
- Puede funcionar como adjetivo y como verbo:
  Como adjetivo, puede completar a un nombre, exactamente igual que un adjetivo, y ha de concordar con él en género y en número:
  *Las hazañas **realizadas** en la juventud no se olvidan.*
  *Los días **pasados** son irrepetibles.*
  Como verbo se utiliza en todos los tiempos compuestos y en la conjugación pasiva (estructura formada con los verbos **ser** o **estar** + el participio del verbo que proceda):

Yo	***soy/estoy avisado** por ti.*
Tú	***eres/estás aconsejado** por mí.*
él	***es/está olvidado** por los amigos.*
ella	***es/está acompañada** por sus compañeros.*
nosotros	***somos/estamos atendidos** por el profesor.*
nosotras	***somos/estamos vigiladas** por alguien.*
vosotros	***sois/estáis servidos** por ellas.*
vosotras	***sois/estáis salvadas** por el conserje.*
ellos	***son/están observados** por el director.*
ellas	***son/están detenidas** por la policía.*

Participios irregulares más frecuentes:

De los verbos en -**er**:	De los verbos en -**ir:**
hacer → hecho	*abrir → abierto*
poner → puesto	*cubrir → cubierto*
resolver → resuelto	*decir → dicho*
romper → roto	*descubrir → descubierto*
ver → visto	*escribir → escrito*
volver → vuelto	*morir → muerto*

B FORMACIÓN DEL PARTICIPIO PASIVO:

agradecido (que es agradecido, o que agradece):
*Su ayuda fue **agradecida** por todos.*
*La persona **agradecida** es bien nacida.*
bebido (que es bebido o que bebe):
*Aquí hay diez botellas **bebidas** por los invitados.*
*El hombre **bebido** no debe conducir.*
disimulado (que encubre o que es encubierto):
*No advirtieron el defecto **disimulado**.*
*Mi hermana es muy **disimulada**.*
leído (que lee o que es leído):
*Es el libro más **leído** de la biblioteca.*
*Es un hombre muy **leído**.*
resuelto (que ha sido resuelto o que resuelve):
*Este es un problema **resuelto**.*
*Da gusto con esta chica tan **resuelta**.*

277 **Pon estas oraciones en pretérito perfecto (A.):**

1. Carlos compra el periódico y coge el autobús. ______.
2. María se pone un abrigo y coge el paraguas. ______.
3. Tomamos un café y comemos un bizcocho. ______.
4. Lees el periódico y ves un anuncio interesante. ______.
5. Escribe una carta a su madre y la echa al correo. ______.
6. Terminas el trabajo y te pones a escuchar música. ______.
7. Perdemos las llaves y llamamos al cerrajero. ______.
8. Salimos de vacaciones y nos instalamos en un apartamento. ______.

278 **Forma el participio de los verbos siguientes y úsalos en el pretérito perfecto (A.):**

Abrir una carta.	*He abierto una carta.*
Hacer una reclamación.	______.
Poner un telegrama.	______.
Cubrir un puesto.	______.
Resolver un problema.	______.
Romper el silencio.	______.
Ver las estrellas.	______.
Descubrir el tesoro.	______.
Decir un refrán.	______.

279 **Con el pretérito perfecto de estos verbos, forma oraciones en las que los participios tengan un significado pasivo y otro activo, según el modelo (B.):**

Pasivo: *El gesto fue agradecido por todos.*
Activo: *La persona agradecida es bien nacida* .

beber: ______.
disimular: ______.
leer: ______.
resolver: ______.
agradecer: ______.

41 EL PRETÉRITO PERFECTO

1. **El *pretérito perfecto* se usa para narrar acciones en el pasado reciente y que aún perduran real o psicológicamente en el momento en que se habla:**

   ***Hoy he cenado** a las nueve.*

   > *Hoy yo **he comido** en un restaurante.*
   > *tú **has comido** en casa.*
   > *él/ella **ha comido** a las doce y media.*
   > *nosotros/as **hemos comido** juntos.*
   > *vosotros/as **habéis comido** tarde.*
   > *ellos/as han comido con sus amigos.*

2. **El participio sirve para formar, con el auxiliar *haber,* los tiempos compuestos de la conjugación activa.**

   El pretérito perfecto se forma con el presente del auxiliar ***haber*** + el participio:

   *Yo **he trabajado**.* *Tú **te has divertido**.* *Él **ha perdido**.*

3. **Reglas de formación:**

   - Los verbos en **-ar** añaden a la vocal radical del infinitivo la terminación ***-ado***:
     *Cantar → he cant**ado**.* *Ganar → has gan**ado**.*
   - Los verbos en **–er** agregan a la vocal radical del infinitivo la terminación ***-ido***:
     *Temer → ha tem**ido**.* *Beber → hemos beb**ido**.*
   - Los verbos en **-ir** añaden a la vocal radical del infinitivo la desinencia ***-ido***:
     *Partir → habéis part**ido**.* *Venir → han ven**ido**.*

4. **El pretérito perfecto indica una acción realizada en el pasado reciente y terminada en el momento en que se habla:**

   *Esta mañana **he ido** al cine.*

   Los adverbios y expresiones de tiempo que se combinan con él son: ***hoy, esta semana, este mes, este año, …***

280 **Responde a las preguntas según el modelo (1.):**

—Habitualmente, ¿desayunas en casa o en la cafetería?
—Habitualmente desayuno en casa, pero hoy he desayunado en la cafetería.

1. De ordinario, ¿comes carne, o pescado?
2. Normalmente, ¿trabajas ocho, o diez horas diarias?
3. ¿Tienes costumbre de cenar en casa, o en un restaurante?
4. ¿Comienzas a trabajar a las ocho, o a las nueve?
5. ¿Cuándo terminas: a las cinco, o a las seis?

281 **Pon estas oraciones en pretérito perfecto, según el modelo (2.):**

1. Pepe está enfermo. *Pepe ha estado enfermo este mes.*
2. Luisa tiene gripe. .
3. El niño tiene clase. .
4. Laura no está contenta. .
5. Me quedo en casa algunos días. .

282 **Haz oraciones en pretérito perfecto a partir de estos infinitivos (2.):**

desayunar/comer · *comprar/vender* · *buscar/encontrar*
almorzar/cenar · *comenzar/terminar* · *amar/odiar*

Hoy he desayunado café con churros y he comido paella.

283 **Haz oraciones según el modelo (3.):**

comprar pan · *sacar dinero* · *comer pizza*
tener una comida · *comprar el periódico* · *dormir la siesta*
telefonear a casa · *tener dolor de cabeza* · *salir de paseo*

Hoy he comprado el pan en el supermercado.

42 EL TIEMPO (III)

La cronología:

Para delimitar el tiempo presente en que hablamos, se usan los adverbios y locuciones adverbiales siguientes:

Anteayer	*ayer*	*hoy*	*mañana*	*pasado mañana*
por la mañana	por la mañana	esta mañana	por la mañana	por la mañana
al mediodía	al mediodía	este mediodía	al mediodía	al mediodía
por la tarde	por la tarde	esta tarde	por la tarde	por la tarde
la penúltima semana	la última semana	esta semana	la próxima semana	la semana siguiente
el penúltimo mes	el último mes	este mes	el próximo mes	el mes próximo
el penúltimo año	el último año	este año	el próximo año	el año siguiente

Por ejemplo, el momento en que hablo puede ser determinado por estas expresiones:

ahora ·	**ahora mismo** ·⟶	**en este momento** ·⟶
—¿Vienes a verme?	*—Voy ahora mismo.*	*—Voy en este momento.*
ya o⟶	**todavía no** **aún no** ⟶·	**inmediatamente** **enseguida** ·⟶
—¿Sales ya?	*—Todavía no salgo* *—Aún no salgo.*	*—Salgo inmediatamente.* *—Salgo enseguida.*

Para circunscribir el tiempo pasado o el futuro, se usan estas locuciones:

la antevíspera	*la víspera*	*actualmente*	*el día siguiente*	*dos días después*
dos semanas antes	la semana anterior	la presente	la semana siguiente	dos semanas después
dos meses antes	el mes anterior	el mes actual	el mes siguiente	dos meses después
antaño/antiguamente	el año anterior	este año	el año que viene	dos años después

Para precisar el pasado:

- Con precisión: *No te vi la antevíspera/la semana anterior.*
- Sin precisión: *Hace un siglo/hace mucho tiempo/una eternidad que no nos vemos.*

Para determinar el futuro:

- Con precisión: *Mañana/pasado mañana/la semana, mes, año... que viene.*
  El próximo trimestre, cuatrimestre, semestre nos veremos.
- Sin precisión: *En dos años/al cabo de los años/de aquí a dentro de unos años, todos seremos calvos.*

284 Completa estas oraciones con *desde* o *(desde)hace*:

***Hace** veinticinco años que estoy en Madrid;*
*estoy aquí **desde hace** tiempo.*

1. Somos novios ________ dos años.
2. Tengo el carnet de conducir ________ un año.
3. No nos hemos visto ________ 1992.
4. ________ comienzos de la semana, llueve.
5. He obtenido el permiso ________ cinco meses.
6. Laura estudia piano ________ los ocho años.
7. He llegado ________ dos meses.
8. ________ dos años estudio español.
9. ________ un mes que practico el idioma.
10. Ha llegado ________ un momento.

285 Transforma estas oraciones usando *hace ... que*, según el modelo:

*Estudio español **desde hace** tres meses.*
***Hace** tres meses **que** estudio español.*

1. Los niños duermen desde hace una hora. ________.
2. No como buenas naranjas desde hace tiempo. ________.
3. Lisa está enferma desde hace dos días. ________.
4. No veo a mi padre desde hace medio año. ________.
5. El jefe está hablando desde hace una hora. ________.
6. Veraneo aquí desde hace cinco años. ________.
7. Te estoy esperando desde hace media hora. ________.
8. No le he vuelto a ver desde hace un mes. ________.
9. No he estado aquí desde hace veinte años. ________.
10. Están casados desde hace siete años. ________.

286 Completa *con ayer, mañana, anteayer, pasado mañana, al día siguiente, ese día*:

1. Hoy estamos a 20 de marzo: ________ empieza la primavera.
2. Nos casamos el 7 de agosto y ________, el 8, viajamos a París.
3. Los niños pueden acostarse tarde: ________ no hay colegio.
4. El día 10 de julio cumplo cuarenta años: ________ será fiesta.
5. Encontré a Pablo el martes: ________ había mucha gente en la calle.
6. Anuncian que hará frío; ________ tendré que salir de casa abrigado.
7. Nos saludamos ________, cuando paseaba por la alameda.
8. Llegó al hospital enfermo y ________ le operaron.
9. Hoy es domingo; ________ era viernes.
10. Si mañana no puedes, nos veremos ________.

43 LA PASIVA

*La clase no **ha dicho** la última palabra.*
*La última palabra no **ha sido dicha** por la clase.*

A CON LOS AUXILIARES *SER* O *ESTAR*:

1. Uso de la pasiva con *ser*:

- Para resaltar el **objeto** del verbo en vez del **sujeto agente** (primeras de pasiva):
  *Bell inventó **el teléfono.** → **El teléfono** fue inventado por Bell.*
  *Colón descubrió **América.** → **América** fue descubierta por Colón.*
- Para poner el énfasis sobre el hecho sin mencionar el **sujeto** de la acción (segundas de pasiva):
  *El general **ha sido asesinado.***
- La estructura pasiva se utiliza con los verbos que indican acción, pero es más usual en el lenguaje jurídico, para resaltar un hecho probado; en el lenguaje científico, para dar cuenta de un hallazgo y en el periodístico, para informar sobre un suceso:
  *Su recurso **ha sido desestimado** por improcedente.*
  *El gen causante del cáncer **ha sido descubierto**.*
  *Un anciano **ha sido encontrado** muerto en su casa.*

2. Para formar la pasiva con *ser* o *estar* se aplica esta fórmula: *Ser* + participio pasivo (+ preposición *por* + sujeto agente):

*Los estudiantes **son examinados**.*
*Los estudiantes **han sido examinados** por la profesora.*
*Los estudiantes **serán examinados**.*

B LA ESTRUCTURA PASIVA:

El participio pasivo concuerda siempre con el sujeto:

*Las au**las** han sido pinta**das.** Los ban**cos** han sido pinta**dos**.*

Algunos verbos admiten la preposición **de** en vez de ***por:***

*Ese actor es conocido **de** todo el mundo.*

Actualmente hay tendencia a usar más la pasiva pronominal con ***se*** + tercera persona (singular o plural):

***Se nos envía** con la misión de llegar a un acuerdo.*
(Somos enviados...)

El verbo debe concertar con el sujeto paciente cuando éste es una cosa:

Se destruyó la ciudad entera.
Se batieron varios récords.

Cuando el sujeto paciente es una persona, no concuerda:

*Se **me ha** suspendid**o** en inglés.*
*Se **nos ha** premiad**o** por aplicad**as**.*

287 **Pon en pasiva estas oraciones, según el modelo (A.1.):**

—¿Fue la casa Philips la inventora del disco compacto?
—Sí, el disco compacto fue inventado por la casa Philips.

1. ¿Descubrió Fleming la penicilina? — .
2. ¿Fue Charlton Heston el que interpretó *Ben Hur?*
   — .
3. ¿Esculpió Miguel Ángel *La Piedad?* — .
4. ¿Fue Velázquez el pintor de *Las Meninas?*
   — .
5. ¿Gutemberg inventó la imprenta? — .
6. ¿Fue Cristóbal Colón el que descubrió América?
   — .
7. ¿Cervantes fue el escritor de *El Quijote?* — .

288 **Pon estas oraciones en pasiva con *se* y después en pasiva con *ser*, según el modelo (B.):**

1989: demolición del muro de Berlín.
Se demolió el muro de Berlín en 1989.
El muro de Berlín fue demolido en 1989.

1. 1202: Introducción de la numeración arábiga en Occidente.
   .
2. 1200: Fundación de la Universidad de Salamanca.
   .
3. 1492: Descubrimiento de América.
   .
4. 1789: Inicio de la Revolución Francesa.
   .
5. 1908: Independencia de las colonias españolas.
   .
6. 1914: Inicio de la I Guerra Mundial.
   .

289 **Pon en pasiva los siguientes titulares de periódicos:**

1. El presidente tomó la decisión del ataque estadounidense.
   .
2. Han analizado el tema de la pesca extracomunitaria.
   .
3. Los sindicatos rechazaron el diálogo social.
   .
4. El Congreso ha aprobado los presupuestos para el próximo año.
   .
5. Todos deseamos la paz en el mundo.
   .

44 EL IMPERFECTO

	yo	*tenía*	*quince años*
	tú	*tenías*	*veinte años*
En la época de los Beatles	*él/ella*	*tenía*	*discos ingleses*
	nosotros	*teníamos*	*guitarras*
	vosotros	*teníais*	*una vespa*
	ellos(as)	*tenían*	*un volkswagen*

El imperfecto expresa una acción pasada, pero no señala su principio ni su fin:

Entonces ***tenía*** *yo quince años.*

- **El imperfecto es un tiempo relativo.**

Esto significa que, para que la oración tenga sentido, debe ponerse en relación con otras formas verbales o expresiones de tiempo:

Cuando llegamos*, el partido* ***concluía****.*

- **El imperfecto es la forma más usual en las descripciones:**

El día ***estaba*** *nublado.* *No* ***había*** *gente en la calle.*

- **Se usa con un sentido distinto del habitual:**

Para expresar una acción paralela a otra:

Cuando ella ***venía*** *a Barcelona, yo* ***iba*** *a Madrid.*

Para señalar una acción continua que es cortada por otra:

Estábamos *llegando, cuando* ***empezó*** *a llover.*

Para señalar un hábito o costumbre:

Por las mañanas ***paseaba*** *por el jardín.*

Para expresar cortesía:

*—****Veníamos*** *a ver al director.* *—****Queríamos*** *un café, por favor.*

Para expresar el discurso indirecto en pasado:

El profesor dijo que no ***podía*** *atenderme en aquel momento.*

Para expresar coloquialmente el futuro en las condicionales:

Si me lo ofrecieran a mí, yo ***aceptaba****.*

Para expresar contrariedad:

Ahora que ya ***estaba*** *aquí, decide marcharse.*

290 **Haz oraciones según el modelo:**

Ahora paseo poco, pero antes paseaba más.

1. Ahora hablo mucho, ______________________.
2. Ahora como poco, ______________________.
3. Ahora viajo constantemente, ______________________.
4. Ahora conduzco prudentemente, ______________________.
5. Ahora duermo mal, ______________________.
6. Ahora fumo poco, ______________________.
7. Ahora hago poco deporte, ______________________.
8. Ahora soy pesimista, ______________________.
9. Ahora trabajo más, ______________________.
10. Ahora estoy más gordo, ______________________.

291 **Responde a estas preguntas según el modelo:**

—¿Dónde vivías cuando eras niño?
—Cuando era niño vivía en Madrid.

1. ¿Qué coche tenían tus padres cuando se casaron?
   —______________________.
2. ¿Qué deporte practicabas durante el bachillerato?
   —______________________.
3. ¿Dónde esquiabas cuando te rompiste el brazo?
   —______________________.
4. ¿Hacías gimnasia al levantarte?
   —______________________.
5. ¿Dónde veraneabas de pequeño?
   —______________________.

292 **Completa los espacios con la forma adecuada del verbo que aparece entre paréntesis:**

1. ________ (ser) de noche; en invierno ________ (hacer) mucho frío.
2. Siempre que ________ (venir) a Salamanca, ella ________ (ir) a esperarlo.
3. ________ (estar) para ir al cine, cuando empezó a llover.
4. Mientras ________ (aprender) a conducir, tuve un pequeño accidente.
5. De niño apenas ________ (practicar) el deporte.
6. La señora dijo que no ________ (poder) atenderme en aquel momento.
7. Ahora que ________ (empezar) a gustarme el curso, se termina.
8. El camarero preguntó qué ________ (desear) tomar.
9. Cuando nosotros cantábamos, él también ________ (cantar).
10. Nos saludamos cuando ________ (estar) esperando el autobús.

293 **Forma libremente oraciones como la del modelo:**

Imperfecto + cuando + pretérito simple
Hacía sol cuando llegamos a París.

45 EXPRESIÓN DEL PASADO (II)

1. **El pretérito pluscuamperfecto expresa tiempo pasado y aspecto perfectivo:**

   Cuando llegaron, ***habíamos comido****.*
   Una vez que ***habíamos firmado****, nos llegó la noticia.*

   La acción *habíamos comido* es anterior a la acción también pasada, *llegaron*, pero queda sin delimitar temporalmente; podemos decir:

   Cuando llegaron, nosotros ya ***habíamos comido****.*
   Nos llegó la noticia una vez que ya ***habíamos firmado.***

   Este tiempo puede emplearse traslaticiamente en vez del indefinido para expresar la rapidez con que algo se ha producido:

   Sacó unos pasteles y, al momento, ***habían desaparecido*** (desaparecieron) *de la mesa.*

2. **El pretérito anterior también expresa tiempo pasado y aspecto perfectivo. Sólo se diferencia del pluscuamperfecto en que informa de una acción inmediatamente anterior a la otra:**

   Nos fuimos cuando ***hubo acabado*** *la fiesta.*
   Apenas ***hubo amanecido****, nos levantamos.*

3. **La oposición entre los dos tiempos se puede neutralizar con adverbios o locuciones adverbiales como *apenas, en cuanto, tan pronto como, así que, en el instante mismo,* etcétera:**

	hubo aparecido	
Nos fuimos ***apenas***	*había aparecido*	*el director del colegio.*

4. **Conjugación con la correspondencia entre tiempo y aspecto:**

   Entonces ya había cantado, cuando llegué.
   Apenas había cantado, cuando llegué.

entonces	apenas	cuando
había cantado	*hube cantado*	*llegué*
habías cantado	*hubiste cantado*	*llegaste*
había cantado	*hubo cantado*	*llegó*
habíamos cantado	*hubimos cantado*	*llegamos*
habíais cantado	*hubisteis cantado*	*llegasteis*
habían cantado	*hubieron cantado*	*llegaron*

294 **Responde a las preguntas según el modelo (1.):**

—Cuando llegó tu amiga, ¿os habías ido?
—Sí, cuando llegó, nos habíamos ido ya.

1. —Cuando encontraste trabajo, ¿habías terminado la carrera?
—Sí, __________.
2. —Cuando te marchaste al extranjero, ¿te habías casado ya?
—Sí, __________.
3. —Cuando comenzaste el curso, ¿te habían hecho la prueba de nivel?
—Sí, __________.
4. —Cuando hiciste la prueba, ¿habías hablado con el director?
—Sí, __________.
5. —Cuando te matriculaste en este curso, ¿te habían hablado de él?
—Sí, __________.

295 **Transforma estas oraciones según el modelo (2.):**

—¿Marta ha llamado al médico antes de vuestra llegada?
—No, cuando hemos llegado, ella todavía no le había llamado.

1. —¿Ha preparado Marta la comida antes de vuestra llegada?
—No, __________.
2. —¿Amador ha entrado antes de que llegara su padre?
—No, __________.
3. —¿Han comido los niños antes de la llegada de los invitados?
—No, __________.
4. —¿Ha preparado Juan las maletas antes de que vosotros salierais?
—No, __________.
5. —¿Ángeles ha presentado las cuentas antes de pedírselas tú?
—No, __________.

296 **Completa estas oraciones según el modelo (3.):**

Han ido a recoger las maletas que ***habían dejado*** *en la consigna.*

1. He recibido a los amigos que __________ (conocer) en Francia.
2. He perdido la pluma que mi madre me __________ (regalar).
3. Hemos respondido a la carta que nos __________ (escribir).
4. Hemos encontrado la agenda que tú __________ (perder).
5. Ha llamado el alumno que __________ (reclamar) sobre la admisión.

297 **Busca oraciones en las que se elimine la correspondencia entre tiempo y aspecto (4.):**

1. __________ (apenas).
2. __________ (en cuanto).
3. __________ (tan pronto como).
4. __________ (así que).
5. __________ (en el instante mismo en que).
6. __________ (no bien).
7. __________ (en un abrir y cerrar de ojos).
8. __________ (Pasado algún tiempo).

46 EL DISCURSO INDIRECTO (II)

Me dijo que ***era*** *pintor y que* ***había expuesto*** *en Madrid.*

1. El discurso indirecto (DI) en pasado:

Se utiliza principalmente para reproducir un diálogo (afirmaciones, pensamientos, órdenes...) en pasado:

Me ***preguntó (que) adónde*** *iba y yo le* ***respondí que*** *iba a París.*

Reproduce palabras dichas en presente o pasado en DD:

Palabras dichas (DD)		Palabras reproducidas (DI)
Presente:	*Yo* ***me divierto****.*	*Dijo* ***que se divertía****.*
	Voy *ahora.*	*Dijo* ***que iba*** *entonces.*
Imperfecto:	*Juan* ***tenía*** *frío.*	*Dijo* ***que*** *Juan* ***tenía*** *frío.*
Pr. simple:	***Fui*** *ayer.*	*Dijo* ***que había ido*** *ayer.*
Pr. perfecto:	***He llegado*** *hoy.*	*Dijo* ***que había llegado ese día****.*
Futuro:	***Irá*** *mañana.*	*Dijo* ***que iría*** *el día siguiente.*
Imperativo:	***Sal*** *de aquí.*	*Dijo* ***que saliera*** *de allí.*
Subjuntivo:	*Quizás* ***vaya*** *yo.*	*Dijo* ***que*** *quizás* ***iría/fuera*** *él.*
Imperfecto:	***Quisiera*** *ir.*	*Dijo* ***que hubiera querido*** *ir.*

2. Cambios que origina el discurso indirecto (DI):

Cambios de persona en el sujeto y en sus complementos:

*—****Yo me*** *divierto.* — *Dijo* ***que ella*** *se divertía.*
*—****Mi*** *hijo tiene frío.* — *Dijo* ***que su*** *hijo tenía frío.*

Cambios en los adverbios de lugar o de tiempo:

—Voy ***ahora****.* — *Dijo* ***que*** *iba* ***entonces****.*
—Salgo de ***aquí****.* — *Avisó que salía de* ***allí****.*

Cambios de modo:

—Sal rápidamente. — *Mandó* ***que saliera*** *rápidamente.*

3. Cuando se reproduce una pregunta directa, se utiliza *si*:

—¿Fuiste al teatro? — *Preguntó* ***si*** *habías ido al teatro.*

4. Las preguntas con *cuándo, cómo, dónde, cuánto, qué,* se reproducen con estas mismas palabras en el DI:

*—¿****Adónde*** *te dirigiste?* — *Preguntó* ***adónde*** *me había dirigido.*
*—¿****Qué*** *hacíais?* — *Preguntó* ***qué*** *hacíamos.*
—¿Cuántos ***vendréis*** *luego?* — *Preguntó cuántos* ***vendríamos*** *luego.*

298 **Responde según el modelo (1.):**

—¿Dicen que el profesor está enfermo?
—Sí, me han dicho que el profesor estaba enfermo.

1. —¿Dicen que el metro está en huelga?
—.
2. —¿Dicen que están en el laboratorio?
—.
3. —¿Dicen que cambiamos de clase?
—.
4. —¿Adela ha ido a revisar el examen?
—.
5. —¿Hay una nueva cafetera?
—.
6. —¿Dicen que se inaugura la autovía?
—.
7. —¿Se anulan los exámenes de febrero?
—.
8. —¿Ha dicho que ellos harán una fiesta?
—.
9. —¿Este curso de español es intensivo?
—.
10. —¿Te comunicaron que tienes allí un paquete?
—.

299 **Pon estos diálogos en discurso indirecto según el modelo (1., 2., 3.):**

—¿Oiga, está María? Soy Jaime.
—Sí, soy yo.
—Escucha: tengo que irme urgentemente a Barcelona. Dejo tu trabajo a la secretaria para que lo recojas. Está todo bien, salvo alguna cosa que te he corregido. Regresaré pasado mañana y te llamaré.
—María, ¿ha telefoneado Jaime?, ¿qué ha dicho?

1. Dijo que tenía que irse urgentemente

2. *—Hola, Isabel, soy Carlos. Acabo de llegar y voy a arreglarme rápidamente para ir al cine. Si llego tarde, espérame a la salida.*
—Isabel, ¿ha telefoneado Carlos?, ¿qué ha dicho?

3. *—Perdón, soy estudiante de español. ¿Podrías decirme dónde está el aula número 3?*
—Vaya por aquel pasillo y es la primera a la derecha.
—Gracias.

47 LAS PERÍFRASIS DE INFINITIVO

Pablo ***acaba de llegar*** *de Amsterdam.*
El niño ***empezó a llorar****.*
Ellas ***están a punto de llegar*** *a París.*

A

Las perífrasis verbales de infinitivo consisten en la unión de un verbo en forma personal (que funciona como auxiliar) + un infinitivo, para determinar el aspecto perfectivo o imperfectivo de la acción verbal. El verbo auxiliar pierde su significado, que recae en el infinitivo:

Vas a *aprenderte esto.* (*vas a* no implica movimiento).
Teresa ***rompió a llorar.*** (*rompió a* no significa rotura).

Las perífrasis de infinitivo sirven:

1. Para expresar una acción inminente en el momento previo a su inicio:

Iba a venir*, pero llovió y se quedó en casa.*
Estaba para llover*, pero al final no llovió.*

En ambos casos la acción verbal no llega a iniciarse.

2. Para indicar una acción en su punto inicial, sin considerar su desarrollo posterior:

A los seis años ***empezó a estudiar*** *idiomas modernos.*
Se ***ha echado a reír****.*

3. Para expresar el resultado de una acción pasada:

Acaba de *llegar.*
Llegó a gustarme *El Japón.*

4. Para indicar una acción en el momento previo a su conclusión, que se va a producir dentro de unos instantes:

El espectáculo ***está a punto de*** *terminar.*
El náufrago ***estaba en trance de*** *morir ahogado.*

Expresa que la acción está desarrollándose y a punto de ser culminada.

300 **Transforma estas oraciones utilizando *ir a*, según el modelo (A.):**

No metáis ruido. Luis (dormir) *la siesta.*
No metáis ruido, por que Luis va a dormir la siesta

1. No os marchéis. (hacer) el examen ahora.
 ______.
2. No distraigáis a María. (hacer) cálculos complicados.
 ______.
3. No habléis. (grabar) la conferencia.
 ______.
4. Acércame la luz, por favor. (quitarme) un pincho de un dedo.
 ______.
5. Ven conmigo. (jugar) un partido de tenis.
 ______.

301 **Transforma estas oraciones usando *acabar de*, según el modelo (A.3.):**

—¿Han llegado los estudiantes? *—Sí, acaban de llegar.*

1. —¿Ha telefoneado Beatriz? —Sí, ______.
2. —¿Ha pasado ya el autobús? —Sí, ______.
3. —¿Ha salido el director para París? —Sí, ______.
4. —¿Habéis cenado hace mucho? —No, ______.
5. —¿Ha acabado hace mucho? —No, ______.

302 **Transforma estas frases según el modelo (A.4.):**

El pájaro vuela. Las estrellas brillan. Los comercios cierran.
La gente cena. Los cines abren sus puertas.

El pájaro empieza a volar.
______
______

303 **Completa estas oraciones con los auxiliares *hay que, ir a, estar para, comenzar a:***

1. Mira, no voy a ir ahora; recuérdame que ______ ir el jueves.
2. No enciendas la luz: Pablo ______ revelar las fotos aquí.
3. —¿Qué es lo que ______ hacer tú? —Un plano de la casa.
4. ______ escuchar más música para educar el oído.
5. Fíjate en el cielo: ______ llover.
6. Este niño crece mucho. Pronto ______ andar.
7. Prepárate, el tren ______ salir.
8. No te apoyes en el muro: ______ resquebrajarse.
9. El altavoz anuncia a los pasajeros que el autobús ______ salir.
10. Luis recuerda que él ______ resolver los problemas.

B PERÍFRASIS DE INFINITIVO QUE EXPRESAN OBLIGACIÓN:

1. ***Deber*** **+ infinitivo**: expresa obligación personal o moral de cumplir una acción:

   Debo *hacerlo, porque es mi deber.*
   Debes *recibir a ese estudiante.* (mandato)
   Deberías *recibirlo.* (consejo)

   Con los tiempos de imperfecto se proyecta el desarrollo de la acción hacia el futuro:

   Debo/debería *hacer el trabajo.*

   Con los tiempos de perfecto, se señala que la acción que debía haberse realizado no se ha cumplido:

   Debí *cumplir el encargo.* ***Debía*** *haber venido.*

2. ***Haber de*** **+ infinitivo**: expresa también obligación o necesidad de realizar una acción:

   Mañana ***he de*** *trabajar como todos los días.*

3. ***Tener que***: señala la obligación impuesta o la necesidad ineludible de realizar una acción:

   Tengo que *ir a Madrid.*
   Tiene que *tomar la pastilla.*

   En segunda persona se convierte en un mandato o ruego perentorio:

   Tienes que *hacerme este favor.*
   Tenéis que *creerme.*

   En la lengua coloquial se utiliza ***tener que ver*** para expresar la relación entre dos cosas, situaciones o ideas, o, en forma negativa, la disparidad entre ellas:

   Esto ***tiene*** *mucho* ***que ver*** *con lo que ayer te explicaba.*
   Su caso no ***tiene*** *nada* ***que ver*** *con el mío.*

4. ***Haber que***: significa lo mismo que ***tener que***, salvo que expresa impersonalidad y sirve para atenuar el mandato:

   Hay que *trabajar más y con mayor empeño.*

5. ***Deber de***: expresa conjetura o probabilidad:

   Debió de *llegar muy pronto.*
   Ese del antifaz ***debe de*** *ser tu hermano.*

C PERÍFRASIS QUE INDICAN POSIBILIDAD O COSTUMBRE:

Mañana ***puede parecerle*** *la idea mejor que hoy.*
La clase ***suele resultar*** *muy entretenida.*

304 Construye oraciones según el modelo (B.1.):

Comer más despacio: *Deberías comer más despacio.*

1. Estudiar más. ______________________.
2. Hacer deporte a diario. ______________________.
3. Corregir tus ejercicios. ______________________.
4. Ver la TV. ______________________.
5. Salir de paseo. ______________________.
6. Dormir lo necesario. ______________________.

305 Utiliza *deber* o *tener que* + infinitivo, según el modelo (B.1., 3.):

María viene a Madrid porque ***tiene que ir*** *al médico.*

1. Si tienes que conducir, no ______________ beber.
2. Jorge, si llueve, ______________ llevar el paraguas.
3. El buen ciudadano ______________ pagar sus impuestos.
4. ¿Quién ______________ hacer guardia hoy?
5. No ______________ ir al cine, si has de estudiar.
6. No ______________ protestar cuando no tengas razón.
7. El director dice que tú no le ______________ dar cuenta de nada.
8. Aunque no te guste, ______________ hacerlo así.
9. Aunque no lo creas, ______________ dirigir a los músicos.
10. Mario ______________ venir a las nueve para examinarse.

306 Completa con *haber de* o *haber que*, según el modelo (B.2., 4.):

Si la universidad cierra a las ocho, ***hay que*** *salir antes.*

1. Como no hay luz, tú ______________ buscar otro lugar para dar clase.
2. Cuando estés nerviosa, ______________ tomar pocas decisiones.
3. Como de costumbre, mañana ______________ levantarme para ir al trabajo.
4. El director advirtió al alumno que ______________ estudiar más.
5. Para llegar pronto al concierto, ______________ salir antes.

307 Completa estas oraciones con *deber (de)*, según el modelo (B.5.):

María ha está hablando por teléfono, luego ***debe de estar*** *en casa.*

1. Hay luz en la oficina, luego Pablo ______________ estar allí.
2. Miguel, ______________ ir al médico a las cinco.
3. A estas horas pocas personas ______________ pasear por la calle.
4. Si hizo todo el trabajo, ______________ irse muy pronto .
5. Si crees que eso es así, ______________ obrar en consecuencia.
6. Aunque lo digan, nosotros no ______________ tomarlo en serio.
7. Aunque te provoquen, no ______________ hacerlo.
8. Para progresar en los comienzos, ______________ trabajar muy duro.
9. Mi conciencia me dice que ______________ proceder conforme a la ley.
10. No se oye nada, ______________ ser muy tarde.

48 EXPRESIÓN DEL FUTURO (II)

En el 2050 yo	*viviré en Marte.*
tú	*habitarás en Venus.*
él	*conocerá todos los idiomas.*
nosotras	*navegaremos por Internet diariamente.*
vosotros	*pasaréis las vacaciones en otra galaxia.*
ellas	*viajarán en naves espaciales.*

1. **El futuro simple se asemeja al futuro compuesto en que ambos indican una acción futura respecto al tiempo en que hablamos y se diferencian en que el simple no señala el fin de la acción (aspecto imperfectivo) mientras que el compuesto sí lo determina (aspecto perfectivo):**

   En el 2015 ***estudiaré*** *latín y griego.*
   En el 2015 ***habré estudiado*** *latín y griego.*

2. **Valores del futuro simple**.

   - El futuro posee un valor más fuerte que el temporal de futuro en expresiones como estas:

     Tú te callarás. *No matarás.* *¡Me las pagarás!*

   - Sirve para expresar la conjetura o la probabilidad en tiempo presente:

     A juzgar por el sol que hace, ***serán*** *las doce de la mañana.*
     Ahora ***estarán durmiendo,*** *porque se acostaron muy tarde.*

   - El futuro aún posee otros valores modales, normalmente en sustitución de presentes:

     — **cortesía**: *Usted me dirá en que puedo servirle.*
     — **atenuación**: *No te diré que me desagradan tus palabras.*
     — **incertidumbre**: *¿Quién llamará a estas horas?*

3. **Usos temporales del futuro:**

   - En el valor temporal del futuro de indicativo puede ser sustituido por el presente futuro:

     Mañana ***salimos*** *de viaje hacia Europa.*
     Tengo previsto *acabar dentro de dos semanas.*
     Tengo intención *de levantarme temprano el domingo.*

   - Para expresar un futuro próximo se tiende a usar el presente de las perífrasis ***ir a, haber de, tener que, estar a punto de...*** + infinitivo:

     Vamos a *ir al cine esta noche.* ***He de*** *verle esta tarde.*
     Está a punto de *salir para Sevilla.*

Pon en futuro estas frases, según el modelo (1.):

Ahora *trabajo en Japón y* ***después*** *trabajaré en España.*

1. Ahora vivo en un apartamento, pero algún día ______.
2. Actualmente no tengo mucho dinero, pero más adelante ______.
3. Por ahora voy a la universidad en tren, pero más tarde ______.
4. Ahora cometo muchas faltas en español, pero dentro de unos meses ______.
5. Por ahora no soy bilingüe, pero algún día ______.
6. Esta semana no tengo tiempo, pero la próxima ______.
7. Hoy no vengo a verte, pero mañana ______.
8. Este año no ha sido bueno, pero el que viene ______.
9. Ahora no es presidente, pero quién sabe si algún día ______.
10. No insultes y no ______ insultado.

Completa estas frases con los futuros que faltan (2.):

El próximo lunes ***estaré*** *en Tokio y el martes* ***viajaré*** *a Pequín.*

1. Durante el fin de semana no ______ mucho frío, pero ______ nubes.
2. Mi hermano ______ de viaje mañana, pero en Navidades ______ ya en casa.
3. Mis padres ______ felices cuando conozcan la noticia.
4. Los comercios ______ abiertos hasta las diez durante las Navidades.
5. En el mes de enero ______ en los Alpes y ______ alpinismo.
6. Dentro de unos días los precios ______ mucho.
7. La Bolsa probablemente ______ en los próximos meses.
8. Tus amigos ______ tenido alguna visita, porque no han venido.
9. Hoy ______ la cena más tarde, así que no ______ sobremesa.
10. En el siglo XXI nada ______ igual.

Pon en futuro estas previsiones de una vidente (3.):

La gente (habitar) en el campo. Las ciudades (estar) casi vacías. Todo el mundo (tener) una casa individual, muchas televisiones y muchos ordenadores. Ya no se (viajar): todos (ver) a nuestros amigos en sus casas. Ya no (haber) universidades, porque los estudiantes se (comunicar) con los profesores más célebres por Internet. Las personas (ser) altas, delgadas y sanas.

En el 2080, la gente habitará en el campo.

______

______

______

______

4. Otros usos del futuro:

- Para expresar indignación o fastidio:

  —*¿**Será atrevido**?* —*¡Si **será** tonto!*

- Para imaginar una evocación en el tiempo presente o en el futuro:

  *Ahora **estarán disfrutando** de un mucho sol en la playa.*
  *¿Qué **será** de nosotros en el 2050?*

- Para expresar obligación legal en el futuro:

  *Usted se **presentará** el día 15 de cada mes en la Comisaría.*
  *La orden se **publicará** en los tablones* de anuncios.

- Para expresar un mandato permanente:

  ***Amarás** a tu padre y a tu madre.*

5. No se puede utilizar el futuro:

- Para expresar una condición futura:

  *****Si vendrás** mañana, te esperaré.* (*vienes*).

- Para expresar una circunstancia temporal en el futuro:

  *****Cuando vendrás**, lo arreglaremos.* (*vengas*).
  *****Mientras irás** en coche, no harás ejercicio.* (*vayas*).

- Para expresar circunstancias de cantidad o concesión:

  Cuanto más **trabajarás, peor te irá.* (trabajes).
  Aunque **irás la próxima semana, no te recibirá.* (*vayas*).

6. Futuros irregulares por la supresión de la vocal temática e interposición de una *-d-* entre la raíz y la desinencia:

poner →	*pondré*	*pondrás*	*pondrá*	*pondremos*	*pondréis*	*pondrán*
salir →	*saldré*	*saldrás*	*saldrá*	*saldremos*	*saldréis*	*saldrán*
tener →	*tendré*	*tendrás*	*tendrá*	*tendremos*	*tendréis*	*tendrán*
valer →	*valdré*	*valdrás*	*valdrá*	*valdremos*	*valdréis*	*valdrán*
venir →	*vendré*	*vendrás*	*vendrá*	*vendremos*	*vendréis*	*vendrán*

Construye frases con el futuro próximo o con el futuro simple, según el modelo (3.):

Voy a cambiar de domicilio y enviaré la nueva dirección a los amigos.

1. Cambiar de teléfono / enviar el nuevo número a mis padres.
2. Sentarse en una terraza / cenar fuera.
3. Cambiar de barrio / ir al colegio a pie.
4. Tomar una aspirina / sentirse mejor.
5. Sacar un billete / hacer turismo.

Haz oraciones con el futuro simple según el modelo (3.):

Ir a Creta / visitar Cnosos.
Dormir en Tesalónica / comer yogur y miel.
Leer libros de Kazantzakis / escuchar las canciones de Demis Roussos. Tomar el autobús / ir al Partenón.

*En julio cuando yo vaya a Creta, **visitaré** Cnosos.*

Haz oraciones según el modelo:

Luis: preparar el desayuno,
lavar la vajilla,
hacer las maletas,
llenar el depósito,
cargar el coche.

María: hacer las camas,
ordenar el salón,
preparar los bocadillos,
ir al banco,
colocar a los niños.

El sábado, mientras Luis prepara el desayuno, María hará las camas.

A continuación,

Pon estos verbos en futuro, según el modelo:

Viajar (ellos) → Ellos viajarán.

Ver (tú) .
ir (nosotros) .
valer (eso) .
salir (yo) .
venir (tú) .
levantarse (ella) .

49 ACCIONES VERBALES EN EL TIEMPO

A PARA DETERMINAR LA FRECUENCIA:

1. **Periódica** (bimensual, trimestral, bianual, ...):

   *Beber vino una vez **al día** no hace daño.*
   ***Cada tres meses** voy al médico.*
   *Los amigos nos reunimos **semanalmente**.*

2. **Muy frecuente o habitual**:

   ***Siempre que** llueve en invierno, me acatarro.*
   ***Muchas veces** pasea solo.*
   ***En general** aquí hace sol.*
   ***A todas horas** está repitiendo lo mismo.*

3. **Poco frecuente o infrecuente** (de vez en cuando, de tarde en tarde, rara vez, pocas veces):

   *Nos visitamos **algunas veces**.*
   ***Nunca** se contenta con nada.*
   ***Casi nunca** llega puntual.*

B PARA EXPRESAR LA PRIORIDAD DE UNA ACCIÓN:

1. **Adverbios o locuciones adverbiales de *anterioridad***:

   *No había visto **previamente** a María.*
   *Ella estaba **antes** esperando a ser atendida.*
   ***Antes de** recoger el coche, pásese por caja.*

2. **Complementos preposicionales con función adverbial**:

   *Me pagarás el viaje **por adelantado**.*
   *Ha de pagar **con antelación** la consumición.*
   *Para viajar en avión, hay que presentarse en el aeropuerto con una hora de **anticipación**.*

3. **El subjuntivo precedido de *cuando* y en correspondencia con el futuro perfecto de indicativo**:

   *Cuando **haya** jugado al tenis, **habré adelgazado** medio kilo.*
   *Cuando **llegues** a casa, **habré terminado** de pintar.*
   *Cuando **hayas jugado** una final, **habrás llegado** a tu cumbre deportiva.*

315 Completa la circunstancia temporal con un complemento que indique periodicidad, como en el modelo (A.1.):

*Bebo vino **dos veces al día**.*

1. Veo la televisión ____________________.
2. Voy al médico ____________________.
3. Los amigos nos reunimos ____________________.
4. Tenemos exámenes ____________________.
5. Descanso un día ____________________.

316 Completa estas oraciones con adverbios o complementos que expresen frecuencia o hábito (A.2.):

***Siempre que** nieva, me acatarro.*

1. ____________ está repitiendo lo mismo.
2. ____________ vienes, me das una alegría.
3. ____________ aquí hace sol en verano.
4. ____________ nos vemos en el fin de semana.
5. ____________ está comiendo.

317 Responde con adverbios que indiquen poca frecuencia en la acción (A.3.):

—¿Cuántas veces a la semana vas al cine? —Pocas veces.

1. —¿Ha nevado alguna vez en verano? —____________________.
2. —¿Cuántas veces visitas a tus padres? —____________________.
3. —¿Ves mucho a tus antiguos amigos? —____________________.
4. —¿Llueve mucho en el desierto? —____________________.
5. —¿Vas tú solo al cine? —____________________.

318 Completa estas oraciones con un adverbio o complemento que indique la prioridad de una acción sobre la otra (B.1.):

Con anterioridad no había reparado en ese detalle.

1. No había visto ____________ el cuadro de Goya.
2. Ella había estado estudiando ____________ en Londres.
3. Hemos visitado Italia ____________ vosotros.
4. ____________ comprar un traje, tiene que probarlo.
5. ____________ ir al médico, deber pedir la vez.

319 Completa estas frases con el verbo en futuro anterior (B.3.):

1. Cuando hayas vivido en Madrid, ____________ conocido una buena ciudad.
2. Cuando hayas llegado a la Universidad, ____________ terminado el bachillerato.
3. Cuando hayas experimentado eso, ____________ sabido qué significa.
4. Cuando hayas ganado una copa, ____________ saboreado el triunfo.
5. Cuando hayas entrado en un museo, ____________ comprendido el arte.

C PARA INDICAR SIMULTANEIDAD DE ACCIONES:

1. **Si discurren al mismo tiempo o paralelamente**:

   Con gerundio: *Se lo comunicó* ***paseando****.*
   Con adverbios conjuntivos:

   Mientras *estoy* ***lavando****, oigo las noticias de la tele.*
   Mientras que *tú estás* ***leyendo****, yo veo las noticias.*

   Con preposición + infinitivo: ***Al entrar****, tropecé en el escalón.*
   Con locuciones adverbiales: *El atleta llegó* ***al mismo tiempo que*** *nosotros comíamos.*

2. **Si discurren gradualmente**:

   Según *vamos creciendo, nos vamos haciendo más responsables.*
   Conforme *avanzábamos, nos cansábamos más.*
   A medida que *se hacía de noche, veíamos menos.*

D PARA DELIMITAR UNA ACCIÓN POSTERIOR A OTRA, SE COLOCAN ADVERBIOS CONJUNTIVOS ANTES DE LA ACCIÓN QUE PRIMERO SE DESARROLLA:

Apenas *lo sepamos, te lo comunicaremos.*
En cuanto *llegues, llámame, por favor.*
Tan pronto como *se vaya, me meto en la cama.*
Cuando *bebo algo frío, me duele la garganta.*
Desde que *hacemos deporte, estamos mejor.*
Después de *hacer deporte, me siento cansado.*
Tras *investigar el hecho, descubrí las causas.*
Nada más *despedirnos, ocurrió el atentado.*

E PARA INDICAR ACCIONES QUE SE SUCEDEN EN EL TIEMPO:

Se utilizan las expresiones o conectores siguientes:

- Al principio: ***Primero, primeramente, en primer lugar*** *... :*

  Primero *señalo el tema que corresponde.*
  Vamos, ***en primer lugar****, a presentarnos.*

- En medio: ***Seguidamente, más adelante, después*** *... :*

  A continuación *explico el argumento.*
  Estudiaremos, ***seguidamente,*** *esos problemas.*

- Al final: ***En último lugar, por último, por fin, finalmente*** ... :

  Finalmente*, les descubro el desenlace.*
  Y ***por último,*** *analizaremos las soluciones.*

Completa estas oraciones según el modelo (C.1.):

Vimos a tu amigo cuando ***paseaba****.*

1. Roberto llegó cuando ________ a llover.
2. Cuando entramos en el restaurante, tú ________ ya allí.
3. Mientras que tú oías música, nosotros ________ canciones.
4. El campeón apareció cuando ________ los demás.
5. ________ subía las escaleras, tropecé y me caí.

Completa estas frases con las conjunciones que sean necesarias, según el modelo (C.2.):

A medida que *se acerca el verano, van siendo más largos los días.*

1. ________ van creciendo, se van haciendo mejores.
2. ________ subíamos a la montaña, íbamos viendo mejor el valle.
3. ________ aumenta la luz, va despertando la naturaleza.
4. ________ lo sepamos, te lo vamos comunicando.
5. ________ aprendes, te sientes más satisfecho.

Completa libremente la segunda parte de estas oraciones (D.):

1. Apenas lo sepamos, ________.
2. En cuanto escribamos la carta, ________.
3. Tan pronto como amanezca, ________.
4. Cuando llegue el avión, ________.
5. Desde que vivo en Madrid, ________.
6. Después de conocer Atenas, ________.
7. Tras haber investigado el hecho, ________.
8. Nada más despedirnos, ________.
9. No bien se había ido, ________.
10. Al instante de haberlo hecho, ________.

Escribe un texto en el que utilices los términos *primero, después, seguidamente, más adelante, por último, finalmente* (E.):

Primero ________.
Después ________.
Seguidamente ________.
Más adelante ________.
Por último ________.
Finalmente ________.

50 EXPRESIÓN DE LAS HIPÓTESIS

A SOBRE EL PRESENTE:

Cuando imaginamos una cosa de cuya existencia no existe certeza, formulamos una hipótesis sobre el presente. Los tiempos que se utilizan para ello, son:

1. Si es posible:

hipótesis real *si* + presente indicativo	**consecuencia** futuro de indicativo

Si hace *buen tiempo hoy,* ***saldremos*** *de paseo.*

2. Si es de realización imposible:

hipótesis irreal *si* + imperf. subjuntivo *de* + infinitivo	**consecuencia** condicional simple

Si *hoy* ***hiciera*** *buen tiempo,* ***saldríamos*** *de paseo.*
De tener *dinero,* ***podríamos*** *ir al cine.*

3. Para sugerir o proponer algo en el presente:

*¿**Y si vamos** al cine...?*

B SOBRE EL PASADO:

Cuando imaginamos una cosa que nunca ha ocurrido, formulamos una hipótesis sobre el pasado. Los tiempos utilizados son:

hipótesis *si* + pluscuamp. subj.	**consecuencia** condicional compuesto

Si ***hubiera hecho*** *buen tiempo,* ***habríamos ido*** *a la playa.*

C SOBRE EL FUTURO:

1. Si se quiere indicar certeza:

hipótesis *si* + presente *En caso de que* + Subjuntivo	**consecuencia** futuro simple

Si ***vengo*** *el próximo año, te* ***llevaré*** *de vacaciones.*
En caso de que venga *este verano, te* ***llevaré*** *al cine.*

2. Si se quiere expresar incertidumbre:

hipótesis *si* + imperfecto subjuntivo gerundio+*que*+subjuntivo	**consecuencia** condicional simple

Si ***viniera*** *el próximo año, te* ***llevaría*** *de vacaciones.*
Suponiendo que hiciera *buen tiempo,* ***iríamos*** *de paseo.*

3. Para sugerir o proponer algo para el futuro:

*¿**Y si** fuéramos al cine?*

324 Haz oraciones encadenadas, según el modelo (A.1.):

Salir sin paraguas - mojarse.
Tener frío - caer enfermo.
Faltar al colegio - suspender los exámenes.
Trabajar en verano - no salir de vacaciones.
No entrenarse - no jugar bien al tenis.

Si sales sin paraguas, te mojas. *Si te mojas, tendrás frío.*

325 Transforma estas oraciones según el modelo (A.1.):

Para ahorrar energía, instala ventanas dobles.
Si instalas ventanas dobles, ahorrarás energía.

1. Para recibir el catálogo, envía un sobre con sello.
 ____.
2. Para aumentar los beneficios, reduce los gastos.
 ____.
3. Para tener una habitación agradable, enciende la calefacción.
 ____.
4. Para evitar los atascos, sal más temprano.
 ____.
5. Para cometer menos errores gramaticales, habla lentamente.
 ____.
6. Para poder ir a la sierra, cómprate el equipo adecuado.
 ____.
7. Para aprender más rápido, concéntrate mucho.
 ____.
8. Para tener éxito, acaba todo perfectamente.
 ____.

326 Responde utilizando hipótesis, según el modelo (C.1.):

—Cuando vengas a Madrid, ¿dónde vas a vivir?
—Si viniera a Madrid, viviría en un chalé.

1. —Cuando cambies de coche, ¿cuál te comprarás?
2. —Cuando invites a Alicia a comer, ¿a dónde la llevarás?
3. —Cuando hagas una fiesta, ¿la harás en sábado, o en domingo?
4. —Cuando vayas de vacaciones, ¿a dónde irás?
5. —Cuando vengas a España, ¿en qué ciudad te instalarás?

327 Forma libremente oraciones condicionales sobre el futuro, que respondan a los esquemas siguientes:

_si_ + presente o futuro imperfecto de indicativo.
_si_ + pretérito imperfecto de subjuntivo o condicional.

51 EL SUBJUNTIVO (II)

	hable *español.*
	hables *español.*
Es bueno que	***hable*** *español.*
	hablemos *español.*
	habléis *español.*
	hablen *español.*

1. Utilizamos el subjuntivo para expresar:

la duda o probabilidad:

*Tal vez **venga** hoy.* *Quizás lo **sepa** ya.*

el mandato en las formas supletivas (2.ª persona):

*Quiero que **venga** usted ahora mismo.* *Que te **presentes** ya.*

la prohibición (en todas las personas):

*No **salgas** hoy.*
*No **venga** usted.*
*No nos **enfademos**.*
*No **chilléis** ahora.*
*No **hablen** tanto.*
*Que no **fume** aquí.*

la exhortación:

*¡Que **tengas** suerte!* *¡Ojalá **ganéis**! ¡Así **sea**!*

la hipótesis: *Si **lloviera**, lo agradeceríamos todos.*

los juicios de valor (dependientes de verbos evaluativos):

*No creo que **sea** verdad.* *Dudo que lo **haya** descubierto.*

los hechos no constatables:

*No me consta que lo **sepas**.* *No observo que **progreses**.*

2. Hay verbos que exigen el subjuntivo como modalidad oracional:

- Verbos que indican **deseo o voluntad**:

querer: *Quiero que **vengas** todos los días.*
desear: *Deseo que **asistas** a clase.*
intentar: *Intenta que **tomemos** algo fresco.*
procurar: *Procura que **terminen** pronto.*
rogar: *Te ruego que me **prestes** tu radio.*

Estos verbos pueden combinarse con otros en infinitivo cuando hay coincidencia de sujeto:

*Quiero **venir** (yo) todos los días.*

- Verbos que expresan **mandato u orden**:

mandar: *Mandé que **vinieras** al despacho.*
ordenar: *Te ordeno que **hagas** bien el trabajo.*
disponer: *Dispuso que se **hiciera** el examen.*
decidir: *Decidió que nos **marcháramos** a casa.*

328 Transforma estas oraciones según el modelo:

Debes hablar español. — *Es necesario que hables español.*

1. Debes repetir las mismas estructuras. ______.
2. Debes escuchar los discos de los ejercicios. ______.
3. Debes corregir tu acento. ______.
4. Debes aumentar tu vocabulario. ______.
5. Debes ver cine en español. ______.

329 Haz oraciones según el modelo:

Controlar el material; ver el tiempo; preparar los bocadillos; comer antes de salir; llenar el depósito; estudiar la ruta.

Antes de salir para la montaña, es necesario que ***controlemos e****l material.*

330 Describe las operaciones necesarias para sacar dinero del banco:

Introducir la tarjeta; marcar el número secreto; seleccionar la operación; indicar la cantidad; confirmar; retirar el dinero; no olvidar la tarjeta ni el resguardo.

Para sacar dinero, es necesario que ***introduzcas*** ______

331 Conjuga las resoluciones de un buen estudiante, según el modelo:

Debo estudiar gramática. Debo practicar la lengua.
Debo estudiar las preguntas del profesor.
Debo asimilar los idiotismos de otras lenguas.

Es necesario que estudie gramática.
Es necesario que estudiemos gramática.

332 Utiliza el modo que creas necesario, según el contexto (1.):

1. Ojalá ______ (llegar) esta mañana la carta.
2. No ______ (hacer) nada de lo que ______ (tener) que arrepentirte luego.
3. Que ______ (acertar) en el ejercicio.
4. Deseo que ______ (aprender) español sin dificultad.
5. Manda que te ______ (respetar) el tiempo de estudio.

- Verbos que indican **permiso o prohibición**:

permitir: *Nos permiten que **fumemos** aquí.*
aprobar: *No autorizan que **tengamos** descanso ahora.*
admitir: *Admitieron que no nos **examináramos**.*

- Verbos que expresan **sentimientos de alegría o tristeza**:

alegrarse: *Nos alegramos de que **hayas tenido** éxito.*
apenar: *Nos apena que no **vuelvas** a España.*
entristecer: *Te entristece que se **haya ido**.*

- Verbos que expresan **admiración o indignación**:

admirar: *Me admira que **te empeñes** tanto en saber español.*
maravillar: *Me maravilla que **hayas alcanzado** la cumbre.*
desagradar: *Me desagrada que **se haya divulgado** la noticia.*

- Verbos que indican **dolor moral**:

sentir: *Siento que no **puedas** asistir al homenaje.*
quejarse: *Se queja de que le **maltraten**.*
lamentarse: *Lamentarás que **se vaya** tu padre.*

- Verbos que expresan **temor**:

temer: *Temo que **llueva** esta noche.*
asustarse: *Me asusto de que **se junte** aquí tanta gente.*
atemorizar: *Me atemoriza que **haya** una tormenta.*

- Verbos que indican **duda**:

dudar: *Dudo que te **concedan** ese permiso.*

- Verbos que expresan **esperanza**:

esperar: *Espero que **ganes** algún premio.*
confiar: *Confío en que **mejore** tu situación.*

- Verbos que expresan **ruego, súplica o consejo**:

rogar: *Nos ruegan que **terminemos** pronto.*
suplicar: *Os suplico que no **alborotéis**.*
aconsejar: *Te aconsejó que lo **escribieras** otra vez.*

No es correcta, aunque está muy extendida, la supresión de ***que*** en estas construcciones:

Rogamos **cierren la puerta.*
Espero **hayan recibido mi pedido.*

3. Hay conjunciones que siempre exigen el modo subjuntivo:

- **Finales:** *Apagué la radio **para que pudieras** dormir.*
  *Dame tu foto **a fin de que pueda** matricularte.*
- **Condicionales:** ***Con tal de que te alejes**, puedes hacer lo quequieras.*
  ***Siempre que** no **llueva**, os dejo ir a la excursión.*
- **Comparativas:** *Se movía **como si fuera** agitada por el viento.*
  *Suena **igual que si estuviera** lloviendo.*
- **Temporales**: *Subimos **antes de que** el tren **echase** a andar.*
  *Ya hablaremos **después de que recojáis** la habitación.*
- **Modales:** *Murió sola, **sin que** nadie **se enterara**.*
- **Concesivas:** *Lo tendréis que hacer **aunque** no **os apetezca**.*

333 Completa estas oraciones con un verbo en subjuntivo (2.):

1. No permiten que ______ (fumar) aquí.
2. No han aprobado que los exámenes ______ (ser) en junio.
3. Admiten que te ______ (subir) de nivel.
4. Nos alegramos de que ______ (aprender) español.
5. No nos agrada que ______ (regresar) tan tarde.
6. Nos entristece mucho que ______ (llegar) noticias malas.
7. Me admira que ______ (jugar) con tanta pasión.
8. Me maravilla que ______ (tener) éxito.
9. Le molesta mucho que ______ (hacer) esas declaraciones.
10. Siento que no ______ (poder) asistir a la reunión.

334 Responde utilizando el subjuntivo, como en el modelo (2):

—¿Piensas que Pablo va tomar las vacaciones en febrero?
—No sé, pero desearía que las ***tomara*** *en julio.*

1. —¿Crees que María va a venir con nosotros?
   —______.
2. —¿Te parece que Juan se va a presentar al examen?
   —______.
3. —¿Crees que los niños irán juntos?
   —______.
4. —¿Piensas que van a llegar para coger el tren?
   —______.
5. —¿Supones que irán a ver a la abuela?
   —______.

335 Pon estas oraciones en subjuntivo o en indicativo (2.):

—Va a llover, lo temo. *—Yo también temo que vaya a llover.*

1. Reclamarán, me lo temo. —______.
2. Que le den permiso, lo dudo. —______.
3. Lo olvidará, me temo. —______.
4. Vendrá, espero. —______.
5. Llegarán tiempos mejores, confío. —______.
6. Terminad, os lo ruego. —______.
7. No os molestéis, os lo suplico. —______.
8. Escríbelo otra vez, te aconsejo. —______.

336 Utiliza el subjuntivo con estas conjunciones (3.):

1. Dejaron de cantar para que tú ______ (dormir).
2. Lo permiten con tal de que los chicos ______ (aprender) más.
3. Murió sin que nadie ______ (darse) cuenta de ello.
4. Antes de que ______ (partir), te llamarán.
5. Se movía como si ______ (estar) cansado.

52 EXPRESIÓN DE LAS RELACIONES LÓGICAS

Para indicar las relaciones lógicas entre los elementos de la oración, se utilizan diferentes conectores que indican causa, consecuencia, finalidad u oposición.

A LA CAUSA:

1. **Para preguntar por la causa se puede usar *por qué* o *cómo es que*:**

   —*¿**Por qué** no te has presentado al examen?*
   —*Porque me encontraba mal.*

   —*¿**Cómo es que** no me lo advertiste?*
   —*Porque no se me ocurrió que te interesara.*

2. **Para explicar la causa de una acción verbal, se utilizan:**

   Las conjunciones:

porque	*pues*	*puesto que*	*como*
es que	*ya que*	*a causa de que*	*pues que*
supuesto que	*como que*	*por cuanto*	*en vista de que...*

   *Estará enfermo, **porque** no ha venido a clase.*

   El infinitivo precedido de las preposiciones **de** o **por**:
   *Se ha vuelto loco **de** tanto **estudiar**.*

   El gerundio:
   ***Atendiendo** al bien común, se le debe castigar.*

   La conjunción **que**:
   *No te fíes de él, **que** es muy falso.*

3. **La explicación negativa de la causa considerada subjetiva, se expresa en subjuntivo; la de la causa real, en indicativo:**

   *No ha venido, porque le **hubieran castigado**.*
   *No grito porque **esté** harto, sino porque no **aguanto** más.*
   *No es porque **esté** lejos, sino porque **pierdo** tiempo en ir.*

4. **La constatación de una causa exige modo indicativo:**

   Como: expresa la causa antes de la consecuencia
   ***Como** no llegaste, nos fuimos.*

   Puesto que: expresa una causa conocida para los hablantes.
   ***Puesto que** estás enfermo, no vengas.*

   Que: expresa una causa evidente, determinante de la consecuencia:
   *Voy a terminar, **que** tengo que irme.*

5. **Para presentar una excusa o explicación como causa:**

   ***Es que** me equivoqué de hora.*
   ***Lo que pasa es que** no tenéis ni idea.*

337 Construye oraciones con *porque, como, puesto que* o *ya que* (A.1.):

*No voy a clase **porque** estoy con gripe.*

1. ________ he estado ausente durante dos semanas, no sé nada.
2. ________ vas a la cocina, tráeme la sal, por favor.
3. La circulación es lenta ________ hay muchas obras en el camino.
4. ________ vives lejos, tardo dos horas en llegar a tu casa.
5. Somos mortales ________ somos humanos.
6. No salgo ________ estoy con gripe.
7. El suelo está mojado ________ ha llovido.
8. ________ te gusta el fútbol, saca tú las entradas.
9. ________ no te vi, pensé que te habías ido.
10. Me voy, ________ estoy cansado.

338 Construye oraciones con cada una de estas frases, usando *a causa de* o *gracias a que* (A.2.):

Ha sido modificado todo el programa porque has llegado tarde.
*Todo el programa ha sido modificado **a causa de** tu tardanza.*

1. El partido ha sido suspendido porque llovía.
   ________.
2. Pedro ha obtenido buenas notas porque se ha esforzado mucho.
   ________.
3. No ha llegado el correo porque hay huelga de carteros.
   ________.
4. Hoy la esperanza de vida es más larga, porque la medicina ha avanzado mucho.
   ________.
5. Las comunicaciones se han multiplicado en número y en rapidez, porque se han inventado nuevas tecnologías.
   ________.

339 Completa libremente con verbos en el tiempo y modo que exija la conjunción causal (A.4.):

*No lo hizo **porque no lo sabía** hacer.*

1. Dado que no te ________ saberlo, no te lo cuento.
2. No salió de paseo, pues ________ ya de noche.
3. Puesto que no ________ luz, suspendimos las clases.
4. Como ________ miedo, cerraremos la puerta.
5. Dado que ya se han ________ las cosas importantes, poco hay que añadir.
6. Ya que tú lo ________, vamos a considerar eso también.
7. En vista de que no ________ a tiempo, nos vamos.
8. Se cansó de estudiar porque no le ________ la carrera.
9. Ya que tú lo ________, será verdad.
10. Termino, que ya ________ tarde.

B LA CONSECUENCIA:

1. **Para explicar la consecuencia de una afirmación o de una negación, se pueden emplear los conectores siguientes:**

   Es muy joven; ***por eso*** *se equivoca.*
   Está cansado, ***pues*** *ha trabajado mucho.*
   No están en casa, ***conque*** *vámonos.*
   Hay un aviso de bomba; ***por consiguiente,*** *hay que salir.*

2. **La consecuencia puede ser presentada como:**

   deducción lógica:
   La calle está mojada, ***luego*** *ha debido de llover.*

   intensificación cualitativa o cuantitativa de la acción:
   Habla ***con un*** *desparpajo* ***que*** *sorprende.*
   Dio ***tal*** *grito* ***que*** *se asustó todo el mundo.*
   Es ***tan*** *tacaño* ***que*** *no abre la boca por no gastar aire.*

3. **Los conectores para indicar las relaciones lógicas son:**

   Los marcadores de correlación:

   — **cuantitativos**: *tan/tanto...que*:
   Lee ***tanto que*** *ya no distingue realidad y ficción.*

   — **cualitativos**: *tal...que*:
   Dio ***tal*** *grito* ***que*** *espantó a las palomas.*

   — **modales:** *de modo...que*:
   Toca la guitarra ***de modo que*** *casi la hace hablar.*

   Los nexos simples: *conque por consiguiente, pues, luego*:
   Pienso, ***luego*** *existo.*

C LA OPOSICIÓN Y LA CONCESIÓN:

Dos aspectos diferentes de la realidad se pueden contraponer:

Restringiendo la afirmación de la oración precedente:
Puedes ir al baile, ***pero*** *no vengas muy tarde.*
Ahí está su coche y, ***sin embargo,*** *él no ha venido.*

Expresando la realización de la acción con dificultad:
Diré, ***no obstante****, que no tenía razón.*
Pienso, ***a pesar de todo****, que es poco inteligente.*

Corrigiendo la expresión anterior y afirmando otra:
No quiero que te enfades, ***sino que*** *reflexiones.*

Concediendo que la acción se cumpla, pese al obstáculo real o hipotético:
Continúo ***aunque*** *no estés de acuerdo conmigo.*

340 Expresa la consecuencia, según el modelo (B.1.):

Nos mojamos porque llueve. — *Llueve, luego nos mojamos.*

1. Te quemas porque hace un sol fuerte. ______________________.
2. Está cansado porque ha trabajado mucho. ______________________.
3. La gente está alegre porque hay fiesta. ______________________.
4. La calle está mojada porque ha llovido. ______________________.
5. El niño llora porque tiene hambre. ______________________.
6. Tiene mal aspecto porque está enfermo. ______________________.
7. Llora porque siente dolor. ______________________.
8. No mira la televisión porque no le gusta. ______________________.
9. Se oye ruido fuera porque hace viento. ______________________.
10. Camina despacio porque es mayor. ______________________.

341 Rellena los espacios de estas frases usando los verbos que están entre paréntesis (B.2.):

1. Dio tal puntapié a la puerta que la __________ (derribar).
2. Es tan poco hablador que ni __________ (pedir) la comida.
3. Pensaba tanto las cosas que __________ (decidir) a destiempo.
4. Se fija de tal manera en los detalles que __________ (memorizar) todo.
5. Así estaba de harto que no __________ (comer) nada.
6. Toca tan bien el piano, que __________ (parecer) música de ángeles.
7. Está que __________ (reventar) con sus éxitos artísticos.
8. Le gustaba tanto la pintura que __________ (comprar) todos mis cuadros.
9. Le prometían tantas cosas que ya no __________ (creerse) nada.
10. Tardó tanto tiempo que __________ (pensar) que se había accidentado.

342 Completa los espacios de estas frases con nexos de contraposición (C.):

1. Puedes ir al cine, __________ cuando tengas tiempo.
2. Te advirtió del error, __________ no fue suficiente.
3. Es un chico alto, __________ delgado.
4. No pintó el cuadro Pablo, __________ María.
5. Cumple tu deber, __________ no te resulte fácil.

343 Forma oraciones en las que contrapongas ideas, según el modelo (C.):

Vino en avión. Llegó tarde.
Llegaría tarde, aunque vino en avión.

____.

____.

53 LAS PERÍFRASIS DE GERUNDIO

Las perífrasis de gerundio indican una acción verbal que:

se realiza en el presente: ***Está lloviendo*** *toda la mañana.*
se realizó en el pasado: ***Estuvo cantando*** *una canción.*
se realizará en el futuro: *Mañana* ***estará nevando****.*

1. **Los auxiliares que se utilizan para formar perífrasis de gerundio son:**

acabar	*Acabaré enfadándome contigo.*
andar	*¿Andas diciendo eso por ahí?*
estar	*Están anunciando las rebajas.*
ir	*Vamos recogiendo, que es tarde.*
llevar	*¿Lleváis mucho tiempo esperando?*
continuar	*¿Continuará tomando la medicina?*
quedar(se)	*Se han quedado reclamando el dinero.*
seguir	*Seguid caminando por ese sendero.*
venir	*Viene gastando unas diez mil al mes.*
salir	*Cuando nos vea, saldrá huyendo.*
pasar	*La bala le pasó rozando.*

2. **Valores**:

- **andar** o **estar** + gerundio expresan una acción que está desarrollándose:
  Anda propagando *la mala noticia.*
  Están estudiándose *el gerundio.*
- **acabar** + gerundio expresa un desarrollo en su fase final:
  Acabará dejando *los estudios.*
- **ir** + gerundio expresa una acción que está en progresión:
  El río ***va creciendo*** *con la lluvia.*
- **llevar** + gerundio se utiliza para delimitar el inicio de una acción que perdura:
  Lleva estudiando *español tres cursos.*
- **quedarse** + gerundio expresa permanencia en la acción:
  Se quedó durmiendo *ayer todo el día.*
- **salir** + gerundio señala el comienzo inesperado de una acción:
  ¡Ahora ***sales diciendo*** *que no sabías nada!*
- **seguir** + gerundio indica la continuidad de la acción:
  Sigue estudiando *español, a pesar de su edad.*
- **venir** + gerundio expresa el desarrollo ininterrumpido de una acción:
  Viene preparándose *para el examen desde hace días.*

Completa estas oraciones con *estar, andar* o *ir,* según el modelo:

*Anda **difundiendo** la noticia.*

1. Poco a poco ____________ subiendo la temperatura.
2. Horacio, ¿aún ____________ pensando comprarte un coche?
3. Tus chicos cada vez ____________ haciéndolo mejor.
4. ____________ lloviendo fuerte este mes.
5. La verdad es que nosotras ____________ teniendo suerte desde el principio.
6. Empezad el examen e ____________ poniendo el nombre en la hoja.
7. Chicas, de momento ____________ haciendo el ejercicio hasta que venga yo.
8. Roberto ____________ teniendo cada vez más empresas.
9. Javier, mañana ____________ haciendo poco a poco esos dibujos.
10. Imagino que voy a ____________ viajando una semana sí y otra también.

Completa estas oraciones con formas de *ir, seguir* o *llevar*:

1. Si el niño ____________ teniendo fiebre, habría que hacer algo.
2. La gente ____________ diciendo por ahí que no trabajas.
3. Pablo ____________ llamándote dos meses.
4. Noto que ____________ empezando a perder peso.
5. ¿____________ pensando lo mismo que antes?
6. Por fin Mª Luisa ____________ interesándose por estos asuntos.
7. ¿____________ estudiando español en el mismo sitio de siempre?
8. ¿Aún ____________ tú queriendo a Cristina?
9. ¿Cuántos años ____________ López y Ruiz trabajando en la misma empresa?
10. Los negocios ya me ____________ saliendo mejor.

Completa estas oraciones según el contexto:

1. Alberto lleva muchos años con su novia.
   Creo que ____________ casándose con ella.
2. Germán ha estudiado español durante dos años.
   Me parece que ____________ estudiándolo.
3. Ha llovido mucho hoy.
   El agua del río ____________ aumentando.
4. Si Sergio ha estudiado español dos años,
   ____________ estudiando todo ese tiempo.
5. Alejandro ha estudiado ya dos horas y ahora continúa.
   Es que ____________ estudiando español para el examen.
6. Este año ha nevado mucho y desde enero, ininterrumpidamente.
   Este año ____________ nevando desde enero.
7. Preguntaron si alguien estaba disconforme y nadie dijo nada.
   Ahora Genaro ____________ diciendo que él no está de acuerdo.
8. Hay una persona que propaga un falso rumor y tú lo oyes.
   Alguien ____________ propagando un falso rumor.

54 LAS PERÍFRASIS DE PARTICIPIO

Las perífrasis de participio consisten en la unión de un verbo auxiliar con un participio:

*Está **decidido** que nos vamos de vacaciones el día 5.*

El participio debe funcionar como verbo y no como adjetivo.

1. Los verbos que se prestan a formar estas perífrasis son:

andar	*Ando fastidiado con el estómago.*
dar(se) por	*Te puedes dar por aprobado.*
dejar	*La noticia le dejó preocupado.*
estar	*No vengo más: está decidido.*
haber	*He escrito un poema.*
ir	*Ya va cargada la mitad del envío.*
llevar	*Lleva acumuladas más de cien multas.*
quedar	*Se quedan dormidas enseguida.*
seguir	*Sigue abierto el plazo de inscripción.*
tener	*¿Tienes guardadas todas tus cartas?*
traer	*Me traen preocupado tus notas.*

2. Valores de las perífrasis de participio:

- **andar +** participio indica la duración presente de una acción ya agotada:
  *María **anda enamorada** de Juan.*
- **dar(se) por** + participio expresa una acción como totalmente agotada:
  Me doy por vencido. (Equivale a **considerarse**).
- **dejar** + participio expresa una acción agotada en el momento inicial:
  *Os **dejo escrito** lo que tenéis que hacer.*
- **estar + participio** indica una acción agotada, anclada en un momento indeterminado del pasado:
  ***Estaba previsto** que trajerais el coche.*
- **haber +** participio indica una acción terminada que dura hasta el presente:
  ***Ha llamado** tu hermano.*
- **ir +** participio expresa una acción desarrollándose en el pasado, hacia su agotamiento presente o futuro:
  ***Van vendidos** ya cien libros.*
- **llevar +** participio indica una acción desarrollada o agotada, que puede continuar en el momento en que se habla:
  ***Llevo corregidos** ya cien exámenes.*
- **quedar +** participio señala el resultado duradero de una acción agotada:
  ***Quedan aprobados** los estatutos.*
- **tener +** participio expresa una acción agotada como resultado final:
  ***Tengo leídas** cien páginas del libro.*
- **traer +** participio señala una acción agotada, que es consecuencia de algo:
  *La posibilidad de ganar le **trae** muy **inquieto**.*

3. Reglas de concordancia:

- En las perífrasis con ***andar, ir, quedar*** y ***seguir***, el participio concuerda con el sujeto:
  ***Luisa sigue** dormid**a** desde ayer por la mañana.*
- En las perífrasis con ***dar, dejar, llevar, tener,*** y ***traer***, el participio concuerda con el CD:
  *Luis **dejó** destrozad**o tu coche.***

347 **Completa las oraciones con *tener* + participio:**

1. Vamos a quedar hoy, pero tú no ______ terminados los ejercicios.
2. Hice todo lo que me dijiste e incluso ______ hecha mi habitación.
3. He leído muchos libros; ya ______ leídos cien.
4. Ha puesto el examen hoy y ya ______ corregidos los ejercicios.
5. Acabamos las clases, pero yo no ______ estudiados todos los temas.
6. Yo, a los montañeros, les ______ dicho que no arriesguen sus vidas.

348 **Utiliza *tener* o *llevar*, según el contexto:**

1. Ignacio ______ corregidos cien exámenes en tres días.
2. El concursante ______ acertadas treinta preguntas.
3. Me parece que tú no ______ bien aprendidas las lecciones.
4. Yo ya ______ pensado lo que voy a hacer.
5. Elena sólo ______ leídas dos páginas en todo este rato.
6. Ester y Lourdes lo ______ decidido desde hace tiempo.
7. Nos denunciarán si no ______ dibujados los planos como acordamos.
8. Poco hemos hecho si no ______ aprendida la lección.
9. Aurora ______ estudiado todo el libro en un mes.
10. Te ______ dicho que hay que repasar esos ejercicios.

349 **Completa las oraciones, según el modelo, con *tener, llevar* o *ir*:**

Llevan ***escrutados*** *todos los votos.*

1. ______ escrutado sólo el 20% del censo electoral.
2. Por fin ______ escrito el libro que me encargaste.
3. ______ demasiados alumnos en mi clase.
4. El equipo visitante ______ anotados sesenta puntos.
5. La crisis económica ______ hundidas muchas empresas.
6. Más o menos ______ jugados diez partidos hasta ahora.
7. Durante el partido ______ pitadas dos faltas.
8. Hasta hora ______ construidas quinientas viviendas.

350 **Haz libremente cuatro oraciones con los verbos *andar, ir, quedar y seguir,* en las que el participio concuerde con el sujeto. Construye otras cinco con *dar, dejar, llevar, tener,* y *traer,* en las que el participio concuerde con el CD:**

Sujeto:

1. ______
2. ______
3. ______
4. ______
5. ______

C.Directo:

1. ______
2. ______
3. ______
4. ______
5. ______

55 EXPRESIÓN DE LA CANTIDAD (II)

*Con eso no hay **ni para empezar**.* *Es **un pelín** creído.*

A PARA EXPRESAR UNA CANTIDAD FRACCIONARIA:

Se utilizan las fracciones o quebrados:

- Con el número cardinal se designa el numerador y con otro, ordinal en función sustantiva, se indica el denominador:

  1/2: un medio *1/3: un tercio* *2/4: dos cuartos*

- Desde el **once** en adelante se agrega la terminación **-avo:**

  1/11: un onzavo 1/12: un dozavo 3/13: tres trezavos
  2/15: dos quinzavos 4/20: cuatro veintavos ...

- Normalmente, los fraccionarios se forman con la preposición ***de***:

  *Póngame un cuarto **de** kilo de carne, por favor.*
  *No votaron dos tercios **del** censo electoral.*

- También se utilizan las expresiones ***la mitad de, una parte de, un trozo de, un pedazo de, ...*** + el nombre:

  ***La mitad de** mi casa está inundada.*
  *Falta por pintar **una parte del** techo.*
  *Ahí tienes **un trozo del** pastel.*
  *Dame **un pedazo de** esa cuerda, anda.*

B PARA EXPRESAR UNIDADES DECIMALES:

0,1 : una décima *0,001 : una milésima*
0,01 : una centésima *0,0001 : una diezmilésima*

- En femenino, para indicar la temperatura, se utilizan:

  *Veinte grados y tres **décimas** sobre cero.*

También se usan para expresar la división temporal:

*Tres **décimas** de segundo.* *Cinco **milésimas** de segundo.*

C PARA EXPRESAR CANTIDADES MÚLTIPLOS DE OTRAS:

- Se emplean los numerales terminados en ***-ble, -ple***:

  doble, triple, cuádruple, quíntuple, séxtuple, décuple...

- Se pueden utilizar como nombres o como adjetivos:

  Juan tiene el doble de fuerza que Pablo.
  ¿Sabes dar un triple salto?

351 **Escribe en números fraccionarios las siguientes cantidades (A.):**

1. Dos cuartos de kilo de chorizo.
2. Tres cuartos de kilo de carne de ternera.
3. Medio kilo de chuletas.
4. Un cuarto de kilo de pimientos.
5. Dos quintos de cerveza.
6. Dos kilos y cuarto de pollo.
7. Cuarto y mitad de naranjas.
8. Un kilo y medio de ciruelas.
9. Tres kilos y medio de patatas.

352 **Escribe las expresiones correspondientes a estas fracciones (A.):**

1. 1/12
2. 1/20
3. 1/16
4. 5/28
5. 3/36

353 **Escribe las expresiones correspondientes a estos decimales (B.):**

1. 0,1
2. 0,0003
3. 0,100
4. 2,30
5. 0,001
6. 10,004
7. 9,50
8. 0,01

354 **Expresa las cantidades siguientes (C.):**

*El cuatro es el **doble** del dos.*

1. El treinta es el ______ del tres.
2. El veinte es el ______ del cinco.
3. El nueve es el ______ del tres.
4. El treinta y seis es el ______ del seis.
5. El cuarenta es el ______ del ocho.

D PARA EXPRESAR CANTIDADES COLECTIVAS:

1. **Se emplean las formas de los numerales, agregándoles la terminación *-ena:***

   10 : decena *12 : docena* *20 : veintena*
   30 : treintena *40 : cuarentena* *100 : centena*

2. **Además se pueden usar los nombres colectivos:**

   par(es), centenar(es), millar(es), ...
   terceto, cuarteto, quinteto, sexteto, ...

E PARA COMPARAR CANTIDADES:

1. **Con otra inferior:**

   *Hace **más** calor que el verano pasado.*
   *Este café es **más** amargo **de lo que** parece.*
   *Esta torre es **más** alta **que** aquel edificio.*

2. **Con otra superior:**

   *Aquí hay **menos** mesas **que** alumnos.*
   *Tienes **menos** dinero **del que** necesitas.*
   *Este niño es **menos** ágil **que** tu hijo.*

3. **Con otra similar:**

   *Se ha esforzado **tanto como** ha podido.*
   *Eres **tan** testarudo **como** tu hermano.*
   *Ella tiene **los mismos** años **que** yo.*
   *Este coche cuesta **igual que** el mío.*

F PARA PREGUNTAR SOBRE LA CANTIDAD:

*¿**Cuántos** kilómetros hay de Sevilla a Córdoba?*
*¿**Qué** distancia puede recorrer este coche sin repostar?*
*¿**Cuánta** gente cabe en este auditorio?*
*¿**Cuánto** cuesta un billete hasta Tokio?*
*¿**Cuál** es la capacidad de esta botella?*

354 Escribe los cheques correspondientes a estas facturas:

1. Pantalones: 6.750 ptas. — *Seis mil setecientas cincuenta.*
2. Zapatos: 14.500 ptas.
3. Abrigo: 46.000 ptas.
4. Camisa: 8.392 ptas.
5. Vestido: 26.815 ptas.
6. Jersey: 9.675 ptas.

Escribe con letra, según el modelo:

Los 40 (CUARENTA) Principales es un programa musical.

1. 24 Horas de Le Mans.
2. Las 4 estaciones, de Vivaldi.
3. 101 Dálmatas, de Walt Disney.
4. 20.000 leguas de viaje submarino, de Julio Verne.
5. Los 365 días del año.

Completa estas oraciones según el modelo:

En España hay, por lo menos, 5 (cinco) cadenas de televisión.

1. Hay en Madrid más de 2.000 ______ bares y tabernas.
2. En España hay casi 40.000.000 ______ de habitantes.
3. La jubilación se disfruta a los 65 ______ años.
4. *EL PAÍS* vende 1.000.000 ______ de ejemplares al día.
5. Una buena cena cuesta unas 6.000 ______ pesetas.

56 USOS DE *SER* Y *ESTAR*

A *SER* SE USA:

1. **Para describir características esenciales (o consideradas como tales) de las personas y de las cosas:**

cualidad (cómo es):
__Es__ una buena persona. — *__Es__ inteligente.* *__Es__ alto.*
__Es__ de un tonto subido. — *__Es__ de un bueno increíble.*
El vino __es__ blanco. — *La acacia __es__ frondosa.*

destino (para dónde/para quién es):
Este avión __es para__ Miami. — *El regalo __es para__ ti.*

nacionalidad (qué es):
__Son__ norteamericanos. — *__Somos__ brasileños.*

materia (de qué es):
El reloj __es de__ oro. — *¿__Son de__ plástico esas copas?*

origen (de dónde es):
Este café __es de__ Colombia. — *Las mejores fresas __son de__ Aranjuez.*

profesión (qué es):
Mi hermano __era__ pintor. — *Pronto __serás__ arquitecto.*

religión (*qué es*):
Mis hijos __son__ católicos. — *Mi profesor __es__ budista.*

2. **Para definir, describir, preguntar por:**

cosas:
—¿Cómo __es__ la moto? — *—La moto __es__ roja.*
—¿Cómo __es__ que se ha roto esto?
—¿Qué __es__ una metáfora? — *—¿__Es__ aquí la tómbola?*

matemáticas:
—Dos y dos __son__ cuatro.
—¿Cuánto __será__ el 28% de 3.000?

3. **Para emitir juicios de valor.**

constatación:
—__Era__ de esperar. — *—__Es__ claro como el día.*

reformulaciones:
—Esto es, __es__ decir, o __sea__ ...

valores de verdad:
—__Es__ verdad. — *—¡__Es__ cierto!*

4. **Para identificar:**

la hora y la fecha:
—¿Qué día __es__ hoy? — *—__Es__ jueves.*
—¿Qué hora __es__? — *—__Son__ las tres y veinte.*

el lugar:
—¿Qué país __es__ éste? — *—Aquello __son__ las Canarias.*

la marca:
—¿Qué coche __es__ éste? — *—__Es__ un citroën.*

el sabor:
—¿Cómo __es__ este café? — *—__Es__ demasiado amargo.*

el tiempo:
—__Es__ de día. — *—Cuando llegué __era__ de noche.*

el valor:
—¿Cuánto __es__ esto? — *—¿A cómo __son__ las postales?*

358 Responde a estas preguntas (A.1.):

1. ¿Cómo es el profesor? — .
2. ¿Para quién es la carta? — .
3. ¿De dónde es Pablo? — .
4. ¿De qué metal es el reloj? — .
5. ¿De qué nacionalidad es Mary? — .

359 Completa estas oraciones según el modelo (A.3.):

Tu amigo no apareció, como ... de esperar (era).

1. una verdad como una catedral.
2. claro como el día.
3. listo, pero vago.
4. inútil que prosigas: no te creo.
5. El profesor cumplió, como de esperar.

360 Describe o define estas cosas según el modelo (A.4.):

Tu coche: *Mi coche es rojo.*
El Moisés: *El Moisés es una estatua de Miguel Ángel.*

1. Tu moto: — .
2. El éter: — .
3. Dos al cubo: — .
4. Un metro: — .
5. La música: — .

361 Identifica estas letras y números y exprésalos verbalmente utilizando el verbo *ser*, según el modelo (A.4.):

20.10; 10-07-2000: Son las veinte horas diez minutos del día diez de julio del año dos mil.

1. 13.00:
2. 19-02-2002:
3. VW:
4. 2005:
5. 8.00 p.m.:
6. 23° C.:
7. s. XX:
8. 1500 a.C.:
9. Oslo:
10. OTAN:

5. **En expresiones como:**

Es de risa.
Es de veras.
Es para tenerlo en cuenta.
Es la monda
Es el colmo.
Es un mal rollo.

B *ESTAR* SE USA:

1. **Para describir las circunstancias de las personas o cosas:**

actitud: *Estás de acuerdo / estoy a favor / estoy en contra.*
actividad: *Está de caza / está de viaje / está de excursión.*
aspecto: *Está enfermo /sano / bien / mal / regular.*
disposición: *Está triste / feliz / de broma / de mal humor.*
estado: *Está cerrado / abierto / dormido / terminado.*
función: *Está de maestro / de médico / de jefe.*
lejanía: *Está fuera / lejos / a 100 kms.*
posición: *Está sentado / de pie / de rodillas / tumbado.*
precio: *¿A cuánto están las naranjas?*
proximidad: *Está aquí / cerca / ahí / lejos / al lado.*
situación exacta: *Está en Túnez. Está en Río.*
situación aproximada: *Está hacia Madrid / hacia allá.*
temperatura: *Estamos a dos grados bajo cero.*
tiempo: *Estamos en enero / en invierno / a fin de mes.*

2. **Para indicar el desarrollo de una acción:**

inminente, que todavía no se ha producido:
Estoy *por marcharme.*
Estoy *por dejarlo todo.*

lista para iniciarse:
Estoy *para salir.*
La obra ***está*** *para rematar.*

en desarrollo:
Está *lloviendo intensamente.*
Está *amaneciendo más tarde.*

repetida en el tiempo:
Estos últimos días ***estamos*** *levantándonos a las siete.*

durativo-progresiva:
La ley ***está*** *siendo debatida en el Parlamento.*

resultado de otra:
La cena ***está*** *lista.*

3. **En expresiones frecuentes para:**

constatar la disposición de alguien:
*¿**Estás** ya preparado?*
*¿**Estás** lista?*

expresar que alguien está informado:
Está *al día, al tanto de las noticias.*

indicar que se ha terminado de hacer algo:
*¡Ya **está**!*

362 Utiliza el verbo *estar* para responder a estas preguntas (B.1.):

1. ¿Dónde está Túnez?
2. ¿A qué distancia está Madrid de Atenas?
3. ¿Hacia dónde está El Escorial?
4. La universidad, ¿está cerca, o lejos de tu casa?
5. ¿En qué estación del año estamos?

Elige la forma correcta de *ser* o de *estar*, según proceda:

1. ¿Eres/Estás de acuerdo conmigo?
2. Tu amiga es/está de viaje por Europa.
3. La profesora es/está hoy de mal humor.
4. Tu padre es/está hoy de médico de guardia.
5. Este verano seremos/estaremos a 40º de temperatura.
6. ¿A cómo son/están esos tomates?
7. Pablo no es/está bien de su constipado.
8. Las oficinas son/están cerradas.
9. Tus amigos son/están de broma.
10. ¿Cuántos son/están a favor de la excursión?

Utiliza la forma correcta de *ser* o de *estar* (B.2.):

1. La cena ________ lista enseguida.
2. Paula ________ por abandonar la carrera.
3. Cuando nosotros ________ para salir, apareció él.
4. En este momento ________ nevando abundantemente.
5. Esta semana ________ levantándonos a las siete.
6. El tren ________ para salir.
7. Si no mejoro de salud, ________ por no examinarme.
8. El tema ________ ________ debatido por los profesores desde hace un rato.
9. Eso que dices ________ por ver.
10. No puedo creer que ________ verdad lo que Ramón ________ contado.

Forma libremente oraciones en las que puedas utilizar estas expresiones:

¡Ya está! *¿Estás?* *Está al día.* *Lo dicho, dicho está.*
¡Pues estamos bien!

1. ____.
2. ____.
3. ____.
4. ____.
5. ____.

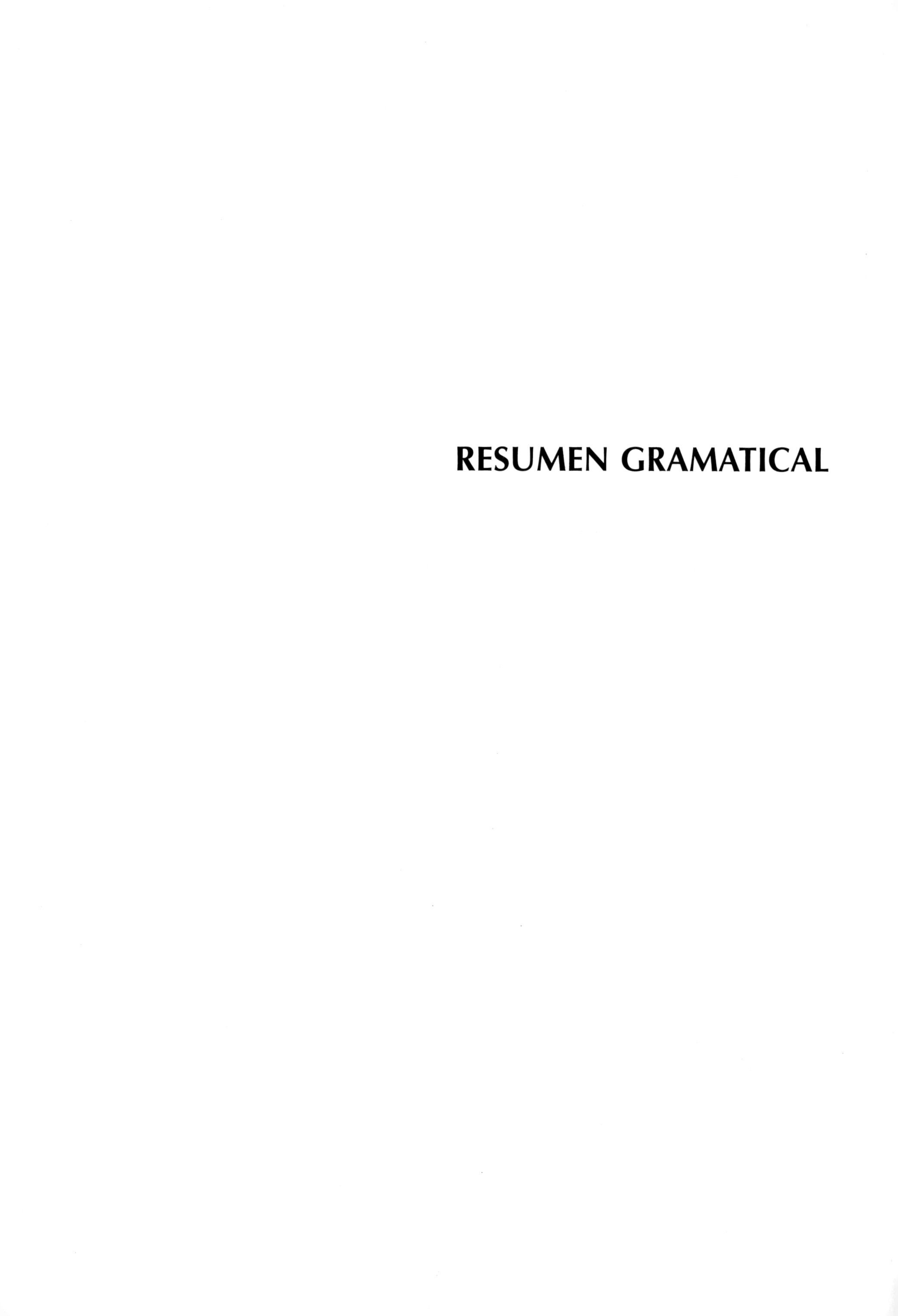

RESUMEN GRAMATICAL

1. CONJUGACIÓN VERBAL

	1.ª CONJUGACIÓN Verbos en -ar: CANTAR		2.ª CONJUGACIÓN Verbos en -er: BEBER		3.ª CONJUGACIÓN Verbos en -ir: VIVIR	
	INDICATIVO	SUBJUNTIVO	INDICATIVO	SUBJUNTIVO	INDICATIVO	SUBJUNTIVO

DESINENCIAS:

	1.ª conj.	2.ª conj.	3.ª conj.
SING. 1.ª persona:	ø	ø	ø
2.ª persona:	-s	-s	-s
3.ª persona:	ø	ø	ø
PLUR. 1.ª persona:	-mos	-mos	-mos
2.ª persona:	-is	-is	-is
3.ª persona:	-n	-n	-n

PRESENTES: REGLA DE FORMACIÓN

	Ind. (1.ª)	Subj. (1.ª)	Ind. (2.ª)	Subj. (2.ª)	Ind. (3.ª)	Subj. (3.ª)
SING. 1.ª persona:	o	e	o	a	o	a
2.ª persona:	a-s	e-s	e-s	a-s	e-s	a-s
3.ª persona:	a	e	e	a	e	a
PLUR. 1.ª persona:	a-mos	e-mos	e-mos	a-mos	i-mos	a-mos
2.ª persona:	á-is	é-is	é-is	á-is	-is	á-is
3.ª persona:	a-n	e-n	e-n	a-n	e-n	a-n

IMPERFECTOS: REGLA DE FORMACIÓN

	Ind. (1.ª)	Subj. (1.ª)	Ind. (2.ª)	Subj. (2.ª)	Ind. (3.ª)	Subj. (3.ª)
SING. 1.ª persona:	aba	ara/ase	ía	iera/iese	ía	iera/iese
2.ª persona:	aba	ara-s/ase-s	ía-s	iera-s/iese-s	ía-s	iera-s/iese-s
3.ª persona:	aba	ara/ase	ía	iera/iese	ía	iera/iese
PLUR. 1.ª persona:	ába-mos	ára-mos/ase-mos	ía-mos	iéra-mos/iése-mos	ía-mos	iéra-mos/iése-mos
2.ª persona:	aba-is	ara-is/ase-is	ía-is	iera-is/iese-is	ía-is	iera-is/iese-is
3.ª persona:	aba-n	ara-n/ase-n	ía-n	iera-n/iese-n	í-an	iera-n/iese-n

PRETÉRITO SIMPLE: REGLA DE FORMACIÓN

	1.ª conj.	2.ª conj.	3.ª conj.
SING. 1.ª persona:	é	í	í
2.ª persona:	aste	iste	iste
3.ª persona:	ó	ió	ió
PLUR. 1.ª persona:	a-mos	í-mos	i-mos
2.ª persona:	aste-is	iste-is	iste-is
3.ª persona:	aro-n	iero-n	iero-n

FUTURO SIMPLE: REGLA DE FORMACIÓN

	Ind. (1.ª)	Subj. (1.ª)	Ind. (2.ª)	Subj. (2.ª)	Ind. (3.ª)	Subj. (3.ª)
SING. 1.ª persona:	é	are	é	iere	é	iere
2.ª persona:	á-s	are-s	á-s	iere-s	á-s	iere-s
3.ª persona:	á	are	á	iere	á	iere
PLUR. 1.ª persona:	e-mos	áre-mos	e-mos	iére-mos	e-mos	iére-mos
2.ª persona:	é-is	are-is	é-is	iere-is	é-is	iere-is
3.ª persona:	á-n	are-n	á-n	iere-n	á-n	iere-n

1.ª CONJUGACIÓN Verbos en -ar: CANTAR	2.ª CONJUGACIÓN Verbos en -er: BEBER	3.ª CONJUGACIÓN Verbos en -ir: VIVIR

CONDICIONAL SIMPLE: REGLA DE FORMACIÓN

SING.	1.ª persona:	**ía**	**ía**	**ía**
	2.ª persona:	**ía-s**	**ía-s**	**ía-s**
	3.ª persona:	**ía**	**ía**	**ía**
PLUR.	1.ª persona:	**ía-mos**	**ía-mos**	**ía-mos**
	2.ª persona:	**ía-is**	**ía-is**	**ía-is**
	3.ª persona:	**ía-n**	**ía-n**	**ía-n**

FORMAS NO PERSONALES:

INFINITIVO	**a-r**	**e-r**	**i-r**
PARTICIPIO	**a-do**	**i-do**	**i-do**
GERUNDIO	**a-ndo**	**ie-ndo**	**ie-ndo**

IMPERATIVO: REGLA DE FORMACIÓN

SING.	2.ª persona:	**a**	**e**	**e**
PLUR.	2.ª persona:	**a-d**	**e-d**	**i-d**

2. VERBOS AUXILIARES: SER

	SINGULAR			PLURAL		
	1.ª persona	2.ª persona	3.ª persona	1.ª persona	2.ª persona	3.ª persona
INDICATIVO						
PRESENTE	*soy*	*eres*	*es*	*somos*	*sois*	*son*
IMPERFECTO	*era*	*era-s*	*era*	*éra-mos*	*era-is*	*era-n*
PRETÉRITO SIMPLE	*fui*	*fui-ste*	*fu-e*	*fui-mos*	*fui-steis*	*fue-ron*
FUTURO	*ser-é*	*ser-ás*	*ser-á*	*ser-emos*	*ser-éis*	*ser-án*
CONDICIONAL	*ser-ía*	*ser-ías*	*ser-ía*	*ser-íamos*	*ser-íais*	*ser-ían*
SUBJUNTIVO						
PRESENTE	*sea*	*sea*	*sea*	*sea-mos*	*seá-is*	*sea-n*
IMPERFECTO	*fuera(se)*	*fuera-s(se-s)*	*fuera(se)*	*fuera-mos(se-mos)*	*fuera-is(se-is)*	*fuera-n(se-n)*
FUTURO	*fuere*	*fuere-s*	*fuere*	*fuere-mos*	*fuere-is*	*fuere-n*
IMPERATIVO		*sé* *sea(usted)*			*se-d* *sea-n(ustedes)*	

INFINITIVO: *ser* **PARTICIPIO:** *sido* **GERUNDIO:** *siendo*

VERBOS AUXILIARES: HABER

	SINGULAR			PLURAL		
	1.ª persona	2.ª persona	3.ª persona	1.ª persona	2.ª persona	3.ª persona
INDICATIVO						
PRESENTE	*he*	*has*	*ha*	*hemos*	*habéis*	*han*
IMPERFECTO	*había*	*había-s*	*había*	*había-mos*	*había-is*	*había-n*
PRETÉRITO SIMPLE	*hub-e*	*hub-iste*	*hub-o*	*hub-imos*	*hub-isteis*	*hub-ieron*
FUTURO	*habr-é*	*habr-á-s*	*habr-á*	*habr-emos*	*habr-éis*	*habr-án*
CONDICIONAL	*habr-ía*	*habr-ía-s*	*habr-ía*	*habr-ía-mos*	*habr-ía-is*	*habr-ía-n*
SUBJUNTIVO						
PRESENTE	*haya*	*haya-s*	*haya*	*haya-mos*	*hayá-is*	*haya-n*
IMPERFECTO	*hub-iera*	*hub-iera-s*	*hub-iera*	*hub-iéra-mos*	*hub-ierais*	*hub-iera-n*
	(se)	*(se-s)*	*(se)*	*(se-mos)*	*(seis)*	*(iese-n)*
FUTURO	*hub-iere*	*hub-iere-s*	*hub-iere*	*hub-iére-mos*	*hub-iere-is*	*hub-iere-n*
IMPERATIVO		*he*			*habed*	

INFINITIVO: *haber* **PARTICIPIO:** *habido* **GERUNDIO:** *habiendo*

3. PASIVA DE LOS VERBOS

Formación: Formas personales de **ser** + participio del verbo:

*El trigo **es segado** en Castilla.*

También se usa la pasiva con **se:**

*El trigo **se siega** en Castilla.*

4. CONJUGACIÓN DE LOS VERBOS IRREGULARES

	PRESENTE	IMPERFECTO	PRET. SIMPLE	PRET. PERFECTO	FUTURO
andar	*and-o*	*and-aba*	*and-uve*	*he and-ado*	*and-aré*
caber	*quep-o*	*cabía*	*cup-e*	*he cab-ido*	*cab-ré*
caer	*ca-ig-o*	*ca-ía*	*ca-í*	*he ca-ído*	*caer-é*
conducir	*condu-zc-o*	*conduc-ía*	*cond-uje*	*he conduc-ido*	*conducir-é*
conocer	*cono-zco*	*conoc-ía*	*conoc-í*	*he conoc-ido*	*conocer-é*
construir	*constru-y-o*	*constru-ía*	*constru-í*	*he constru-ido*	*construir-é*
dar	*doy*	*d-aba*	*d-í*	*he d-ado*	*dar-é*
decir	*digo*	*dec-ía*	*dije*	*he dicho*	*d-iré*
dormir	*duerm-o*	*dorm-ía*	*dorm-í*	*he dorm-ido*	*dormir-é*

estar	*est-oy*	*est-aba*	*est-uve*	*he est-ado*	*estar-é*
hacer	*hago*	*hac-ía*	*hice*	*he hecho*	*har-é*
ir	*voy*	*i-ba*	*fui*	*he ido*	*ir-é*
nacer	*na-zco*	*nac-ía*	*nac-í*	*he nac-ido*	
ofrecer	*ofre-zco*	*ofrec-ía*	*ofrec-í*	*he ofrec-ido*	*ofrecer-é*
oír	*oigo*	*o-ía*	*o-í*	*he o-ído*	*oir-ré*
pensar	*piens-o*	*pens-aba*	*pens-é*	*he pens-ado*	*pensar-é*
perder	*pierd-o*	*perd-ía*	*perd-í*	*he perd-ido*	*perder-é*
poder	*pued-o*	*pod-ía*	*pud-e*	*he pod-ido*	*pod-ré*
poner	*pong-o*	*pon-ía*	*pus-e*	*he puesto*	*pond-ré*
probar	*prueb-o*	*prob-aba*	*prob-é*	*he prob-ado*	*probar-é*
querer	*quier-o*	*quer-ía*	*quis-e*	*he quer-ido*	*quer-ré*
referir	*refier-o*	*refer-ía*	*refer-í*	*he refer-ido*	*referir-é*
reír	*rí-o*	*re-ía*	*re-í*	*he re-ído*	*reir-é*
repetir	*repit-o*	*repet-ía*	*repet-í*	*he repet-ido*	*repetir-é*
saber	*sé*	*sab-ía*	*sup-e*	*he sab-ido*	*sab-ré*
salir	*salgo*	*sal-ía*	*sal-í*	*he sal-ido*	*sald-ré*
tener	*teng-o*	*ten-ía*	*tuv-e*	*he ten-ido*	*tend-ré*
traer	*traig-o*	*tra-ía*	*traje*	*he tra-ído*	*traer-é*
valer	*valg-o*	*val-ía*	*val-í*	*he val-ido*	*vald-ré*
venir	*veng-o*	*ven-ía*	*vin-e*	*he ven-ido*	*vend-ré*
ver	*ve-o*	*ve-ía*	*v-í*	*he visto*	*ver-é*
volver	*vuelv-o*	*volv-ía*	*volv-í*	*he vuelto*	*volver-é*

5. FORMAS DE LOS ARTÍCULOS

	DETERMINADOS		INDETERMINADOS	
	SINGULAR	PLURAL	SINGULAR	PLURAL
Masc.	***el*** *alumno*	***los*** *alumnos*	***un*** *alumno*	***unos*** *alumnos*
Fem.	***la*** *alumna*	***las*** *alumnas*	***una*** *alumna*	***unas*** *alumnas*
Neutro	***lo*** *bello*			

6. EL SUSTANTIVO

GÉNERO: ____________________

MASCULINO

-o: *niño, perro, cesto, ...*
-or: *señor, castor, error, ...*
-ma: *puma, sistema, pijama, ...*
-ante: *comandante, elefante, estante, ...*
-ento: *sargento, jumento, pimiento, ...*
-ismo: *seísmo, cristianismo, cataclismo, ...*
-aje: *paje, traje, coraje, ...*
-an: *capitán, orangután, plan, ...*
-ambre: *hambre, calambre, alambre, ...*
-cio: *nuncio, edificio, palacio, ...*

FEMENINO

-a: *niña, perra, cesta, ...*
-ad: *amistad, ciudad, caridad, ...*
-cia: *audacia, codicia, ciencia, ...*
-ción: *condición, sensación, moción, ...*
-sión: *ocasión, cesión, visión, ...*
-anza: *lanza, enseñanza, esperanza, ...*
-eza: *cabeza, dureza, pobreza, ...*
-sis: *crisis, hipótesis, metástasis, ...*
-ura: *espesura, cultura, hermosura, ...*
-tud: *aptitud, multitud, virtud, ...*

NÚMERO: ____________________

Terminados en vocal añaden **s**:

libro, rama, café, taxi, ... — *libros, ramas, cafés, taxis, ...*

Terminados en **í** o **ú** añaden **es**:

rubí, zahorí, bambú, caribú, ... — *rubíes, zahoríes, bambúes, caribúes, ...*

Terminados en **es**, **is** o **us** no varían:

un viernes, una crisis, un ómnibus, ... — *los viernes, las crisis, los ómnibus, ...*

Nombres que sólo posen la forma de plural:

las afueras, los alrededores, las nupcias, las exequias, los víveres, ...

Algunos nombres cambian de significado al pasar al plural:

la honra, el resto, el celo, ... — *las honras, los restos, los celos, ...*

DECLINACIÓN:

	MASCULINO				FEMENINO			
	SINGULAR		PLURAL		SINGULAR		PLURAL	
Nominativo	*el niño*	*el libro*	*los niños*	*los libros*	*la niña*	*la pluma*	*las niñas*	*las plumas*
Genitivo	*del niño*	*del libro*	*de los niños*	*de los libros*	*de la niña*	*de la pluma*	*de las niñas*	*de las plumas*
Acusativo	*al niño*	*el libro*	*a los niños*	*los libros*	*a la niña*	*la pluma*	*a las niñas*	*las plumas*
Ablativo	*con, en, desde, entre, hacia, hasta, para, por, según, sin, sobre, tras...*							
	el niño	*el libro*	*los niños*	*los libros*	*la niña*	*la pluma*	*las niñas*	*las plumas*

El genitivo va precedido de la preposición **de** (**del**); El nominativo y el acusativo son iguales (en el caso de animales o cosas). El dativo y el acusativo son iguales (en el caso de personas): utilizan la preposición **a** (**al**). El ablativo va precedido de las demás preposiciones.

7. EL ADJETIVO

GÉNERO Y NÚMERO:

	MASCULINO	FEMENINO
SINGULAR	alt**o**, bell**o**, negr**o**, ...	alt**a**, bell**a**, negr**a**, ...
	españo**l**... burló**n**, holgazá**n**, ... trabajado**r**, renovado**r**, ... franc**és**, pay**és**, ... andalu**z**...	españo**la**... burlo**na**, holgaza**na**, ... trabajado**ra**, renovado**ra**, ... franc**esa**, pay**esa**, ... andalu**za**...
	indígen**a**, amabl**e**, fáci**l**, marró**n**, nuclea**r**, gri**s**, velo**z**, curs**i**, ...	indígen**a**, amabl**e**, fáci**l**, marró**n**, nuclea**r**, gri**s**, velo**z**, curs**i**, ...
PLURAL	alt**os**, bell**os**, negr**os**, ...	alt**as**, bell**as**, negr**as**, ...
	españo**les**... burlo**nes**, holgaza**nes**, ... trabajado**res**, conservado**res**, ... franc**eses**, pay**eses**, ... andalu**ces**... indígen**as**, amabl**es**, fáci**les**, marro**nes**, nuclea**res**, gri**ses**, velo**ces**, curs**is**, ...	españo**las**... burlon**as**, holgazan**as**, ... trabajador**as**, conservador**as**, ... franc**esas**, pay**esas**, ... andaluz**as**... indígen**as**, amabl**es**, fáci**les**, marro**nes**, nuclea**res**, gri**ses**, velo**ces**, curs**is**, ...

CONCORDANCIA DE GÉNERO:

El adjetivo concuerda con el sustantivo:

*Un chic**o** rubi**o**.* *Un gat**o** antipátic**o**.* *Un cest**o** amarill**o**.*
*Una chic**a** rubi**a**.* *Una gat**a** antipátic**a**.* *Una cest**a** amarill**a**.*

Si hay sustantivos de ambos géneros, prevalece el masculino:

*Había hombr**es**, mujer**es**, chic**os** y chic**as** frances**es**.*
*Los melon**es**, ciruel**as**, albaricoqu**es** y cerez**as**, están muy car**os**.*

GRADOS:

POSITIVO	COMPARATIVO	ELATIVO	SUPERLATIVO ABSOLUTO
blanco	*más blanco*	*blanquísimo*	*el más blanco*
limpia	*más limpia*	*limpísima*	*la más limpia*
feliz	*más feliz*	*felicísimo(a)*	*el(la) más feliz*

IRREGULARES:

bueno(a)	*mejor*	*óptimo(a)*	*el(la) mejor*
malo(a)	*peor*	*pésimo(a)*	*el(la) peor*
pequeño(a)	*menor*	*mínimo(a)*	*el(la) menor*
grande	*mayor*	*máximo(a)*	*el(la) mayor*

8. LEÍSMO y LAÍSMO

NORMA ACADÉMICA GENERAL:

		MASCULINO	FEMENINO	NEUTRO
COSA	O.D.	*Busca tu libro y dáme**lo**.*	*Toma esta carta y ábre**la**.*	*Lo bello, debes admirar**lo**.*
	O.I.	*Pon**le** ruedas a tu coche.*	*Quíta**le** el tapón a la botella.*	*A lo perfecto aún **le** pone pegas.*
PERSONA	O.D.	*A tu profesor debes respetar**lo**.*	*A Elena, por favor, déja**la** en paz.*	
	O.I.	*Píde**le** a Fernando un bolígrafo.*	*Di**le** a tu hermana que la espero el jueves.*	

LEÍSMO:

* *Busca tu libro, cóge**le** y pon**le** sobre la mesa.*
* *A tu profesor debes admirar**le** y respetar**le**.*
* *A Elena, por favor, déja**le** en paz y no **le** molestes.*

LAÍSMO:

* *A esta botella hay que quitar**la** el tapón.*
* *A tu hermana di**la** que la espero el jueves.*

9. PRONOMBRES RELATIVOS

	SINGULAR		PLURAL	
	PERSONAS Y COSAS	PERSONAS	PERSONAS Y COSAS	PERSONAS
Nominativo	*que* *el(la) que el(la) cual*	*quien*	*que* *los(las) que los(las) cuales*	*quienes*
Genitivo	*cuyo(a)* *del(de la) que del(de la) cual*	*cuyo(a)* *de quien*	*cuyos(as)* *de los(las) que de los(las) cuales*	*cuyos(as)* *de quienes*
Dativo	*a que* *al(a la) que al(a la) cual*	*a quien*	*a los(las) que* *a los(las) cuales*	*a quienes*
Acusativo	*que* *el(la) que el(la) cual*	*a quien*	*que* *los(las) que los(las) cuales*	*a quienes*
Ablativo	*con, en, desde, entre, hacia, hasta, para, por, según, sin, sobre, tras...* *el(la) que el(la) cual*	*quien*	*los(las) que los(las) cuales*	*quienes*

10. ADJETIVOS Y PRONOMBRES

INTERROGATIVOS:

IDENTIDAD: *¿**Qué** es tu marido? ¿**Quién** es el dueño de esto? ¿**Cuál** es tu hija?*
CUALIDAD: *¿**Qué** tal estás? ¿**Cómo** es tu hermana? ¿**Cómo** está usted?*
MODO: *¿**Cómo** se hace esto? ¿De **qué** manera explicas la lección?*
TIEMPO: *¿**Cuándo** llegan tus amigos? ¿En **qué** mes son aquí las fiestas?*
CANTIDAD: *¿**Cuánto** te han cobrado? ¿A **cuántos** kilómetros está Toledo?*
LUGAR: *¿**Dónde** lo encontraste? ¿Hacia **dónde** va este autobús?*

EXCLAMATIVOS:

IDENTIDAD: *¡**Quién** se había creído que es! ¡**Quién** supiera tocar el piano!*
CUALIDAD: *¡**Qué** chico más listo! ¡**Cómo** es esto de tranquilo!*
MODO: *¡Con **qué** paciencia está hecho! ¡**Cómo** han trabajado!*
TIEMPO: *¡**Qué** tarde es ya! ¡**Cuándo** llegarán las Navidades!*
CANTIDAD: *¡**Qué** multitud! ¡**Cuánto** han subido los precios! ¡**Cuántas** flores hay aquí!*
LUGAR *¡A **dónde** vamos a llegar! ¡**Qué** cerca del museo vives!*

11. FORMACIÓN DE LOS ADVERBIOS

Los derivados de adjetivos acabados en **o** añaden **-mente** a la forma femenina del adjetivo:

*lent**o*** ⟶ *lent**a*** ⟶ *lenta**mente***
*clar**o*** ⟶ *clar**a*** ⟶ *clara**mente***

Los derivados de adjetivos acabados en **e** añaden la terminación **-mente,** sin más:

*suav**e*** ⟶ *suave**mente***
*dulc**e*** ⟶ *dulce**mente***

Si en una misma oración aparecen dos o más adverbios en **-mente,** sólo el último de ellos adopta esta forma:

*El asunto ha sido resuelto rápida, segura y eficaz**mente**.*

Cuando el adjetivo de origen lleva tilde, el adverbio la conserva:

fácil ⟶ *f**á**cil**mente***   *súbita* ⟶ *s**ú**bita**mente***

GRADOS:

	POSITIVO	COMPARATIVO	SUPERLATIVO
	eficazmente	*más eficazmente*	*eficacísimamente*
	fuertemente	*más fuertemente*	*fortísimamente*
IRREGULARES			
	bien	*mejor*	*óptimamente*
	mal	*peor*	*pésimamente*
	mucho	*más*	*máximamente*
	poco	*menos*	*mínimamente*

12. VERBOS QUE RIGEN SUBJUNTIVO

EXPRESIONES DE IMPERSONALIDAD:

Ser necesario: *Fue necesario que le **operaran(sen)** del oído.*
Ser extraño: *Es extraño que **venga** sin maletas.*
Ser posible: *Sería posible que lo **encontraran(sen)** en su casa.*
Convenir: *Conviene que **estés** allí una hora antes.*

DESEO/VOLUNTAD:

Querer: *Quiero que os **presentéis** todos en el vestíbulo.*
Anhelar: *Anhelaba que él **llegase** con los regalos.*
Ansiar: *Ansío que me **mandes** una de tus cartas.*
Esperar: *Esperamos que **hayan tenido** un buen viaje.*

SENTIMIENTO:

Alegrarse:	*Nos alegramos de que todo* ***transcurra*** *con normalidad.*
Asombrarse:	*Se asombraron de que* ***corriera(se)*** *tan rápidamente.*
Deplorar:	*Deploro que* ***hayáis llegado*** *tarde por mi culpa.*
Lamentar:	*Vas a lamentar que no te* ***admitan*** *en el club.*
Sentir:	*Siento muchísimo que los niños te* ***despierten*** *temprano.*

LENGUA Y PENSAMIENTO:

No decir:	*No digo que siempre* ***estés*** *equivocado.*
No creer:	*No creen que* ***tenga*** *suficiente fuerza de seguridad.*
No pensar:	*No pensamos que* ***vayan*** *a enfadarse por eso.*

ORACIONES DE RELATIVO:

¿Hay quién ***dé*** *más?*
No hay mal que cien años ***dure****.*
Haz lo que ***juzgues*** *oportuno.*

CON CONJUNCIONES:

Díselo ***antes de que llegue*** *a su casa.*
Te lo advierto ***para que tomes*** *precauciones.*
Ha llegado ***sin que*** *nadie lo* ***notara(se)****.*
Parece ***como si estuvieras(ses)*** *de mal humor.*

13. VERBOS QUE RIGEN INFINITIVO

INFINITIVO SIN PREPOSICIÓN:

PERCEPCIÓN:	*Oigo* ***venir*** *el tren.*	*He visto* ***llegar*** *al jefe.*
DESEO Y VOLUNTAD:	*Prefiero* ***esperar*** *aquí.*	*Se prohíbe* ***pescar*** *con red.*
CREENCIA Y TEMOR:	*Creo* ***estar*** *en lo cierto.*	*¿Temes* ***llegar*** *tarde?*
PENSAMIENTO:	*Ha decidido* ***cambiar****.*	*Niega* ***estar*** *equivocado.*
LENGUA Y CONSEJO:	*Prometió* ***asistir****.*	*¿Me aconsejas* ***comprarlo****?*
AUXILIARES MODALES:	*¿Podemos* ***entrar****?*	*¿Sabéis* ***nadar*** *sin flotador?*
IMPERSONALES:	*Es fácil* ***adivinarlo****.*	*Más vale* ***salir*** *de aquí ya.*

INFINITIVO CON *DE*:

INTENCIÓN:	*Tenemos el propósito* ***de dejar*** *el tabaco.*
SENTIMIENTO:	*Me alegro* ***de perderlos*** *de vista.*
EXPRESIONES VERBALES:	*Dar* ***de comer****.* *Acabar* ***de llegar****.* *Ser* ***de suponer****.*

INFINITIVO CON *A*:

RÉGIMEN DE UN SUSTANTIVO:	*No tienes derecho **a quejarte**.*
MOVIMIENTO:	*Me voy **a correr** los cien metros lisos.*
	*Apresúrate **a llamarle** por teléfono.*
VERBOS MODALES VARIOS:	*Se acostumbró **a dormir** de día.*
	*Nos comprometemos **a entregarlo** el lunes.*

INFINITIVO CON OTRAS PREPOSICIONES:

CON:	*Amenazan **con ir** a la huelga.*
ENTRE:	*Estoy dudando **entre ir** a tu casa o al cine.*
PARA:	***Para adelgazar** hay que comer poco pan.*
EN:	*Daos prisa **en acabar**, que nos vamos.*
POR:	*Está loca **por estrenar** la bicicleta.*
DESDE:	*Lo sabe hacer todo: **desde planchar** la ropa...*
HASTA:	*... **hasta freír** las patatas.*
SIN:	*Lo ha copiado **sin mirar** el original.*

14. USO Y SIGNIFICADO DE LAS PREPOSICIONES

A:

LUGAR:	***A** la sombra, **a** la derecha, **a** orillas, **al** lado, **a** lo lejos, ...*
TIEMPO:	***A** las diez, **al** amanecer, **a** media tarde, **a** primera hora, ...*
MODO:	***A** pie, **a** la francesa, **a** mano, **al** contado, ...*
PRECIO:	***A** mil pesetas, **a** precio de saldo, ...*
DESTINO:	***A** Barcelona, **al** oeste, **a** otro país, ...*

CON:

MODO:	***Con** prisas, **con** poco cuidado, **con** mucho gusto, **con** delicadeza, ...*
MATERIA:	*Café **con** leche, arroz **con** tomate, cubierto **con** oro, ...*
COMPAÑÍA:	***Con** sus hijos, **con** un amigo, ...*
CAUSA:	*Se marea **con** los viajes, me has disgustado **con** tu actitud, ...*

DE:

ORIGEN:	*Es **de** Inglaterra. ¿Bajas **de** tu casa? Viene **de** Milán.*
MATERIA:	*Silla **de** madera, sortija **de** oro, traje **de** pana, ...*
TIEMPO:	***De** verano, **de** noche, **de** cinco a seis, **de** cuando en cuando, ...*
CAUSA:	***De** hambre, **de** alegría, **de** miedo, **de** tuberculosis, ...*
MODO:	***De** memoria, **de** repente, **de** carrerilla, **de** cualquier manera, ...*
PERTENENCIA:	***De** mis padres, **del** ayuntamiento, **de** dominio público, ...*
LUGAR:	*A diez kilómetros **de** aquí, cerca **de** Segovia, ...*

EN:

LUGAR: ***En*** *mi casa,* ***en*** *París,* ***en*** *un armario,* ***en*** *el aire, ...*
TIEMPO: ***En*** *un instante,* ***en*** *primavera,* ***en*** *breve,* ***en*** *dos semanas, ...*
MODO: ***En*** *voz baja,* ***en*** *español,* ***en*** *absoluto,* ***en*** *efecto,* ***en*** *modo alguno, ...*
MEDIO: ***En*** *avión,* ***en*** *papel, ...*
CANTIDAD: *Lo vendió* ***en*** *cinco millones; ha puesto el récord* ***en*** *diez segundos, ...*
MATERIA: *Chapado* ***en*** *oro, bordado* ***en*** *seda, repujado* ***en*** *cuero, ...*

ENTRE:

LUGAR: ***Entre*** *Zaragoza y Soria,* ***entre*** *tu casa y la mía, ...*
COLABORACIÓN: *Lo han hecho* ***entre*** *los dos; lo estropearon* ***entre*** *todos, ...*
TIEMPO: ***Entre*** *las tres y las cuatro;* ***Entre*** *diez y quince minutos, ...*

PARA:

FINALIDAD: ***Para*** *triunfar,* ***para*** *aprender,* ***para*** *los pobres de la parroquia, ...*
LUGAR: *¿Vas* ***para*** *allá? Este es el tren* ***para*** *León. Vamos* ***para*** *dentro.*
TIEMPO: *Estará* ***para*** *las seis. Lo quiero* ***para*** *esta tarde.*
COMPARACIÓN: *Es listo* ***para*** *su edad. ¡Total,* ***para*** *lo que has trabajado...!*
UTILIDAD: *Bueno* ***para*** *la salud. Esto sirve* ***para*** *todo.*

POR:

LUGAR: *Estará* ***por*** *ahí. He pasado* ***por*** *Jaén. Se le ha visto* ***por*** *aquí.*
TIEMPO: ***Por*** *las mañanas.* ***Por*** *tres minutos.* ***Por*** *el invierno.*
AGENTE: *Detenido* ***por*** *la policía. Escrito* ***por*** *Delibes.*
CAUSA: *Cortado* ***por*** *accidente. Cierran* ***por*** *reformas.*
MEDIO: ***Por*** *tren,* ***por*** *correo,* ***por*** *fax,* ***por*** *ordenador, ...*
PRECIO: *Lo compré* ***por*** *tres mil euros. Le ha salido* ***por*** *una fortuna.*

SOLUCIONES A LOS EJERCICIOS

1. 1. estás-bien-y tú; 2. está; 3. estás; 4. está-(Yo,) bien; 5. estás-estás; 6. está-Yo,-usted.

2. 1. está-Está; 2. estás-estoy; 3. estoy-estás; 4. Estoy-está; 5. Está-Está.

3. 1. estamos-Estamos. 2. estamos-Estamos; 3. está-Está; 4. estamos-Estamos; 5. está-Estoy; 6. estamos-Estamos.

4. 1. están-Están verdes/maduros; 2. está-Está durmiendo/trabajando; 3. estás-Estoy esperando/descansando; 4. está-Está frío/templado; 5. está-Está nevada/soleada.

5. 1. está-está durmiendo; 2. está-está estudiando; 3. está-está; 4. está-está; 5. Está-está lloviendo.

6. 1. Estás/Está/Estáis/Están-estoy/está/estamos/están; 2. Estás/Está/Estáis/Están-estoy/está/estamos/están; 3. Está-está; 4. Estás/Está-estoy/está; 5. Estás/Está/Estáis/Están-estoy/está/estamos/están.

---

7. **Situación informal:**

1. te llamas; 2. llamo; 3. te llamas; 4. llamo; 6. Adiós.

Situación formal:

1. Es; 3. es; 4. (Yo) soy; 5. Mucho.

8. 1. es-Es; 2. es-Es; 3. es-Es; 4. es-Es; 5. es-Es; 6. es-Es.

9. 1. es-Es; 2. es-es; 3. es-Son; 4. eres-Soy; 5. Es-soy; 6. eres/es/sois/son-Soy/Es/Somos/Son.

10. Yo me llamo George Hagi; soy rumano, de Bucarest.
Yo me llamo Henri Duet; soy francés, de París.
Yo me llamo Herman Paul; soy alemán, de Trier.
Yo me llamo Kasi Omori; soy japonés, de Tokio.
Yo me llamo Mohamed; soy tunecino, de Túnez.

11. 1. es; 2. está; 3. está; 4. es; 5. es; 6. es; 7. está/es; 8. es; 9. está; 10. es.

12. 1. eres/es/sois/son-Soy/Es/Somos/Son; 2. está-está; 3. es-Es; 4. es-Es; 5. es-Es.

13. 1. Yo soy española/portuguesa; 2. Yo soy de Berlín/de Frankfurt; 3. Yo soy alemana/austríaca; 4. estamos fatigadas/descansadas; 5. estoy contenta; 6. estamos contentos.

14. 1. es usted; 2. tú eres/es usted; 3. tú eres; 4. es usted/eres tú; 5. Está usted/Tú estás.

15. 1. ella; 2. él/ella; 3. tú; 4. vosotros(as); 5. él; 6. nosotros(as).

16. 1. americano(a); 2. alemán(ana); 3. japonés(esa); 4. Marie/Paul; 5. Hassan/Fatima; 6. nosotros(as); 7. Vosotros(as); 8. ellos(as); 9. los(as) señores(as).

---

17. 1. alemana; 2. española; 3. inglesa; 4. rubia; 5. alta; 6. cursi; 7. contenta; 8. elegante; 9. inteligente; 10. simpática.

18. 1. Fuerte y tímida; 2. cortés y amable; 3. alta y fuerte; 4. morena y delgada; 5. rubia y baja; 6. gorda y feliz; 7. alegre y original; 8. bonita y valiente; 9. cariñosa y sensible; 10. hermosa y dócil.

19. 1. vienesa; 2. fría; 3. deliciosa; 4. azul; 5. divertida.

20. holgazana; cairota; andaluz; inglesa; alegre; hindú; débil; cortés; traidora; indígena.

---

21. 1. altos y fuertes; 2. grandes y altivos; 3. rubias y delgadas; 4. marroquíes; 5. hindúes; 6. musulmanes; 7. las mejores; 8. japoneses; 9. gentiles; 10. veloces.

22. 1. y Nuria también; 2. y Ángela también; 3. y Silvia también; 4. y Carmen también; 5. y Benjamín también; 6. y la niña también; 7. y el tuyo también; 8. y la hermana también.

23. 1. y Nuria tampoco; 2. y Ana tampoco; 3. y Sonia tampoco; 4. y Carmen tampoco; 5. y Rubén tampoco; 6. ni el papel tampoco; 7. ni la solución tampoco; 8. ni el domingo tampoco; 9. ni las niñas tampoco; 10. y lo mejor tampoco.

---

24. 1. lista-listas; 2. madrileños-catalanas; 3. solo-cansada; 4. generosa-sabios; 5. desanimado-guapas; 6. rubias-ingleses.

25. 1. estoy-solteras; 2. sí-optimista; 3. estamos-nerviosas; 4. soy-sois inglesas; 5. somos españoles-sois extranjeras.

26. Respuesta libre.

27. 1. Si una es imaginativa...; 2. Si uno(a) es impaciente...; 3. Si uno es perezoso...; 4. Si uno(a) es tolerante...; 5. Si una es discreta...

---

28. 1. No, no soy profesor; 2. No, no estamos en Madrid; 3. No, no están en clase; 4. No, no está abierta; 5. No, no es difícil; 6. No, no habla alemán; 7. No, no hacen ruido; 8. No, no está abierto; 9. No, no está en casa; 10. No, no está cerca.

29. 1. A mí también; 2. Yo también; 3. Yo también; 4. Ella también; 5. Yo también; 6. A mí tampoco; 7. A mí tampoco; 8. Yo tampoco; 9. Él tampoco; 10. Yo tampoco.

30. 1. No; 2. No; 3. No; 4. Sí; 5. Sí; 6. No; 7. No; 8. Sí; 9. Sí.

31. 1. ¿No tenemos hoy clase de español?; 2. ¿No ha venido Luisa?; 3. ¿No parece él hijo tuyo?; 4. ¿No es todavía el día 10?; 5. ¿No es hoy martes?

---

32. 1. nunca/jamás; 2. no; 3. Nunca; 4. Jamás; 5. no-nunca; 6. Nada; 7. No; 8. no-nunca/jamás; 9. no/nunca/jamás; 10. Sin.

33. 1. No/Nunca/Jamás; 2. nunca/jamás; 3. Nunca/Jamás; 4. poco; 5. nada; 6. No/Nunca/Jamás; 7. En ningún sitio; 8. No, nada; 9. No, en absoluto; 10. No/Nunca/Jamás.

34. Respuesta libre.

35. 1. No estoy decidido a votar/Estoy decidido a votar no; 2. No han dado permiso para que os duchéis; 3. Espero que no venga Enrique; 4. No han venido todos los que estaban ayer; 5. El que ha ganado el premio no es Tomás.

36. 1. una señora sola; 2. una mujer solitaria; 3. una cantante griega; 4. una amiga deportista; 5. una niña guapa; 6. una gata negra; 7. una novia celosa; 8. una profesora exigente; 9. una policía mala; 10. una estudiante aplicada.

37. 1. es una escritora peruana; 2. es una cantante japonesa; 3. es una corredora española; 4. es una doctora coreana; 5. es mayor; 6. es la emperatriz; 7. es la nuera; 8. es italiana; 9. es inglesa; 10. es sueca.

38. 1. Yo tengo una mujer ausente; 2. Yo tengo una abuela encantadora; 3. ...una gata cariñosa; 4. ...una prima inglesa; 5. ...una nieta ceutí; 6. ...una perra vegetariana; 7. ...una tía alemana; 8. ...una vecina andaluza; 9. ...una compañera hindú; 10. ...una huésped iraní.

39. 1. es una cantante española famosa; 2. es un tenista alemán; 3. es un ex presidente alemán; 4. es un pintor antiguo; 5. es un futbolista imaginativo.

---

40. 1. Una; 2. Una; 3. Una; 4. Un; 5. Un; 6. Una; 7. Un; 8. Un; 9. Un; 10. Un; 11. Una; 12. Un; 13. Un; 14. Un; 15. Una; 16. Un; 17. Un; 18. Una; 19. Una; 20. Una; 21. Una; 22. Un.

41. Una casa; Un coche; Una metrópoli; Una foto; Una alfombra; Una pluma; Un traje; Un bisturí; Un abanico; Una sombra; Un mapa; Una llave; Un rubí; Un libro; Un río; Un idioma; Una base; Una ría; Un menú; Una ropa; Una tasa; Una nieve; Un(a) radio; Un espíritu; Un vestido; Un clima; Un pase; Una moto; Una tribu; Una camisa.

42. La salud; El reloj; La miel; El avión; La labor; El césped; El sol; El panel; La solución; El rumor; La debilidad; La señal; La cárcel; La revolución; El sabor; La paz; La piel; El régimen; La unión; El dolor; La unidad; La nieve; La sesión; El mes; La tos.

43. 1. El-el; 2. El-la; 3. La-al; 4. la-el; 5. La-la; 6. el-la-el; 7. la-el; 8. el-la; 9. El-la-el; 10. la-la.

---

44. La gracia; La alabanza; El aislamiento; La decrepitud; La abundancia; La clemencia; La suavidad; La prevención; El problema; La franqueza; La soledad; La crisis; La diadema; La llanura; La asiduidad; La podredumbre.

45. Un sacacorchos; Un mediodía; Una bocamanga; Un quebrantahuesos; Una medianoche; Un tirachinas; Un quitamanchas; Un rompeolas; Un limpiabotas; Un sacapuntas; Un autoservicio; Un cortafuegos; Una vanagloria; Una casacuna; Un abrelatas.

46. El altavoz; La artimaña; El/La guardameta; El sacapuntas; El correveidile; La bocacalle; El cortaúñas; El/La guardaespaldas; El contraluz; El antebrazo; La medianoche; El rompecabezas; El guardarropa; El/La fueraborda; El destripaterrones.

47. 1. Los; 2. El; 3. Los; 4. Los; 5. El; 6. el/los; 7. los; 8. el; 9. el; 10. los.

---

48. 1. Los señores de Blas vinieron; 2. Nos recibieron los condes; 3. Los infantes nos saludaron; 4. Me presentaron a los padres; 5. Los padrinos estaban nerviosos; 6. No vinieron los suegros; 7. Estaban los yernos; 8. Los esposos venían hablando. 9. Los niños se divirtieron; 10. María jugó con los primos.

49. 1. el; 2. Los; 3. El; 4. La; 5. El; 6. La; 7. el; 8. la; 9. La; 10. La.

50. 1. Támesis; 2. Ness; 3. Himalaya; 4. Atlántico; 5. 2000; 6. olivo; 7. lunes; 8. a; 9. manzana; 10. El Corte Inglés; 11. Rin; 12. Amazonas.

51. 1. el parte; 2. un(a) guía; 3. el orden; 4. el/la guardia; 5. el capital; 6. la parte; 7. la guía; 8. el orden; 9. la capital.

---

52. 1. La-la; 2. el-el; 3. El-la; 4. Los-las-los; 5. La-una; 6. La-la-las-el; 7. Un-el; 8. La-el; 9. El/un/una/la; 10. El-la.

53. 1. La-la-el; 2. el-un; 3. la-una; 4. el-la; 5. un; 6. La-el-unos; 7. una-los; 8. El-el; 9. un/el; 10. un.

54. 1. a El; 2. al; 3. del-del; 4. de El; 5. al; 6. del; 7. al; 8. del-de El; 9. Al-al; 10. del.

55. Lo mejor... en el aula... un águila... el ala... la imagen... un alma... las heridas... la naturaleza.

---

56. los monumentos... los museos... la ciudad... la atención... el/un recorrido... el Madrid... las de París... La Habana... Los Ángeles... los meses... la nieve... la Sierra... la primavera... el verano... La Sierra... lo lejos... la/una estampa... el Madrid.

57. 1. los-el; 2. Los-la-del; 3. El-La; 4. ø-ø; 5. El; 6. ø-ø; 7. las-ø/la-ø/el; 8. ø; 9. ø-el; 10. la.

58. 1. es; 2. son; 3. encanta; 4. son; 5. son; 6. es; 7. son; 8. es; 9. son; 10. son.

59. 1. el-El; 2. una/ø; 3. un-ø; 4. un-una; 5. ø-ø; 6. ø; 7. El-del; 8. un; 9. un/el.

---

60. 1. La; 2. la; 3. la/una; 4. la; 5. Las; 6. La; 7. El; 8. la/una; 9. un; 10. una-la.

61. 1. ø; 2. La; 3. la-el/un-ø; 4. ø-ø; 5. la; 6. ø; 7. del-los; 8. las; 9. ø-ø; 10. un-los.

62. 1. Los-los-los-la; 2. ø-las; 3. los; 4. ø-la; 5. ø-el; 6. unas/ø; 7. unos; 8. un/ø; 9. el; 10. ø.

63. Respuesta libre.

---

64. 1. Unas casas blancas; 2. Unos parques verdes; 3. Unos cafés dulces; 4. Unos dominós nuevos; 5. Unos espíritus tranquilos; 6. Unas tribus salvajes; 7. Unas semanas blancas; 8. Unas mujeres maravillosas; 9. Unos días inolvidables; 10. Unas impresiones fuertes.

65. 1. Unos relojes viejos; 2. Unos reveses inesperados; 3. Unos patatuses fulminantes; 4. Los doses de copas; 5. Los tabúes tradicionales; 6. Los papás protectores; 7. Los champús suaves; 8. Los menús previstos; 9. (No se puede pluralizar: el cosmos es único); 10. Unos bíceps fuertes.

66. 1. Los atlas son detallados; 2. Las crisis fueron muy grandes; 3. Los virus eran resistentes; 4. Hay que cuidar los tórax; 5. Los ayes han sido sinceros;

6. Los jerseys son grises; 7. Los reyes estaban contentos; 8. Habrá unos brindis finales; 9. Se armaron unos buenos guirigays/guirigayes.

67. 1. Unas casas blancas; 2. Los currículum presentados; 3. Los plácet regios; 4. Los déficit presupuestados; 5. Los carnés universitarios; 6. Los chaqués alquilados; 7. Los bistés tiernos; 8. Los clisés rotos; 9. Los ínterin transcurridos; 10. Los accésit obtenidos.

68. 1. Césares; 2. Cármenes; 3. González; 4. García; 5. Menéndez y Pelayo; 6. Cicerones; 7. Luises; 8. Borbón(es); 9. Sánchez; 10. Bismark.

69. 1. Los Audi rojos son bonitos; 2. Las oficinas de Luis son espaciosas; 3. (Ya está en plural); 4. Los esquís/esquíes de Juan están rotos; 5. Las plumas Parker escriben bien; 6. Los jardines están llenos de flores; 7. Los chalés de Díaz son rojos; 8. Contemplamos nuestros Goyas; 9. (No se puede pluralizar: el Moncayo es único); 10. (No se puede pluralizar).

70. 1. los; 2. el/los; 3. ø; 4. los; 5. Los; 6. los; 7. los; 8. los; 9. El; 10. los.

---

71. 1. Chocaron en las bocacalles; 2. Se estropearon los limpiaparabrisas; 3. Los parabrisas estallaron; 4. Hay unos cortafuegos en los montes; 5. Hemos visitado las casas cuna; 6. Los sordomudos han hecho unos gestos; 7. los guardias civiles; 8. cafés teatro; 9. Rellenad estos pasatiempos; 10. esos rodapiés.

72. 1. los anales; 2. primeras nupcias; 3. tiniebla(s); 4. albricias; 5. calvas; 6. celo; 7. las honras fúnebres; 8. el parte; 9. el resto/los restos; 10. muchas letras.

73. 1. su(s) calva(s); 2. la víspera; 3. sus padres; 4. caracteres; 6. las esposas.

74. Todas se completan con *hay.*

75. Ejemplos de respuestas posibles:
1. Hay tortilla de patatas; 2. Hay varias revistas; 3. Hay un libro y un cuaderno; 4. Hay un mantel; 5. En la clase hay diez alumnas; 6. En la calle no hay nadie; 7. Por ahí hay un vigilante; 8. Hay tres personas; 9. Sólo hay un conserje; 10. Hay una secretaria.

76. 1. presento; 2. es; 3. presentarte/presentarle/presentaros/presentarles; 4. (Aquí); aquí; 5. presentarte/presentarle/presentaros/presentarles.

77. 1. ¿Conoce usted a...? 2. Le presento a...; es mío; 3. Le presento; placer; 4. complace presentarle a...; 5. presentar a...

---

78. 1. Es un libro. Es el libro del profesor; 2. Es una llave. Es la llave de Marina; 3. Es un cuaderno. Es el cuaderno de una/la alumna; 4. Es un gato. Es el gato de un/del vecino; 5. Es un vestido. Es el vestido de una amiga; 6. Es una ruta. Es la ruta del/de un autobús; 7. Son unos guantes. Son los guantes de una/la asistenta; 8. Es un coche. Es el coche de Antonio; 9. Es una línea. Es una línea del Metro.

79. 1. ¿Quién es?; 2. ¿Qué es eso?; 3. ¿Quiénes son?; 4. ¿Qué es aquello?; 5. ¿Quiénes son?; 6. ¿Qué es eso?; 7. ¿Qué es esto?; 8. ¿Quién es?; 9. ¿Qué es esto/eso?; 10. ¿Quién es?

80. 1. ¿Quién es Marañón?; 2. ¿Quién es Luis?; 3. ¿Qué es tu hermano?; 4. ¿Quién es ella?; 5. ¿Quién es?; 6. ¿Quién es ésa?; 7. ¿Quién es ella?; 8. ¿Qué es esto?; 9. ¿Quién es él?; 10. ¿Qué es este señor?

---

81. 1. Mi; 2. mío; 3. Mi; 4. mío; 5. míos; 6. Mis; 7. Mis; 8. Mi; 9. mía; 10. Mis.

82. 1. Su; 2. suyo; 3. Su; 4. suyo; 5. suyos; 6. Sus; 7. Sus; 8. Su; 9. suya; 10. Sus.

83. sus reservas... sus maletas... su llegada... su peluquero... su vestido... su amiga... su intranquilidad... su ánimo... su vida... su experiencia... sus proyectos... viaje suyo... sus amigos... su regreso.

84. 1. No, no es el suyo; 2. Sí, son las suyas; 3. Sí, son nuestros; 4. No, no son los suyos; 5. No, no es éste el suyo; 6. Sí, es suya; 7. No, éste no es el mío; 8. Sí, son los suyos; 9. Sí, es la suya; 10. No, no es ésta la nuestra.

---

85. 1. la mía; 2. los tuyos/suyos/vuestros; 3. los míos; 4. el nuestro; 5. los vuestros; 6. los míos; 7. las nuestras; 8. las vuestras; 9. las tuyas; 10. la mía.

86. 1. Es mío; 2. Es tuya; 3. No, es la nuestra; 4. No, es el suyo; 5. Son mías; 6. No, son las tuyas; 7. No, son las mías; 8. Eran míos; 9. No, son los suyos; 10. Sí, son las tuyas.

87. 1. Lo suyo (mucho); 2. Lo mío (lo que se me da bien); 3. lo tuyo (no es tu especialidad); 4. lo suyo (lo que le corresponde); 5. lo mío (mi asunto); 6. lo mío (lo que me interesa); 7. Lo nuestro (nuestra actividad); 8. lo tuyo (lo que te incumbe); 9. lo mío (lo que me ha ocurrido a mí); 10. lo tuyo (tu encargo).

---

88. 1. J. Ramón es sobrino de Manuel; 2. Antonio es el padre de Pepe; 3. Son sus hijos; 4. Son cuñados; 5. Son sus abuelos; 6. Son esposos; 7. Son cuñadas; 8. Son primos; 9. Son hermanos; 10. Son sus abuelos.

89. Respuesta libre.

90. la gente ve en la TV... multitud de personas... la gente la reconoce... pandilla de chiquillos... La gente cree... tiempo para todo el mundo.

---

91. 1. Este problema; 2. este actor; 3. Estos cuentos; 4. este vino; 5. Esta puerta; 6. Estas naranjas; 7. estas sortijas; 8. Esta película; 9. Este día; 10. estos libros.

92. 1. este acta-este papel; 2. Estos-esas; 3. esta-ese; 4. estos-estos; 5. ese; 6. Aquel; 7. este; 8. estos; 9. esa; 10. Estos/esos/aquellos.

93. 1. Esta artista es agradable; 2. Esta niña es muy seria; 3. Esta actriz...; 4. Es muy sencilla esta reina; 5. Esta duquesa, ¿es pintora?; 6. Esta nueva vendedora es eficiente; 7. Es fantástica esta bailarina; 8. Esta poeta/poetisa...; 9. Esta princesa es muy querida; 10. ¿Es muy fiera esta perra?

94. 1. Estas artistas son agradables; 2. Estas niñas son muy serias; 3. Estas actrices baten...; 4. Son muy sencillas estas reinas; 5. Estas duquesas ¿son pintoras?; 6. Estas nuevas vendedoras son eficientes;

7. Son fantásticas estas bailarinas; 8. Estas poetas/poetisas no me gustan; 9. Estas princesas son muy queridas; 10. ¿Son muy fieras estas perras?

95. 1. ese/este; 2. aquellos; 3. este; 4. aquel; 5. esa; 6. ese; 7. esta; 8. esta; 9. Esas; 10. aquellas.

---

96. 1. este-ése; 2. esta-ésa; 3. este-ése; 4. este-ése; 5. Estos-ésos; 6. Esta-ésa/aquélla; 7. Estas-aquéllas; 8. esta-ésa; 9. este-ése-aquél; 10. Esta/Esa-ésa/aquélla.

97. 1. ¿Qué es éste?; 2. ¿Quién es ésta?; 3. ¿Qué es esto?; 4. ¿Quién es éste?; 5. ¿Qué es ésta?; 6. ¿Quiénes son éstas?; 7. ¿Qué es esto?; 8. ¿Qué son éstos?; 9. ¿Qué es esto?; 10. ¿Qué es esto?

98. Respuesta libre.

99. Respuesta libre.

---

100. 1. Los Ángeles está en EE.UU.; 2. La Haya está en Holanda; 3. Las Palmas está en España; 4. Buenos Aires está en Argentina; 5. Oslo está en Noruega; 6. La Habana está en Cuba; 7. El Cairo está en Egipto; 8. Tokio está en Japón; 9. Lima está en Perú; 10. Seúl está en Corea.

101. 1. Mis padres estuvieron en el museo del Louvre, en París; 2. Mi abuelo estuvo en B.A., en Argentina; 3. Mi tío estuvo en L.H.; 4. Mi primo estuvo en S. de C., en España; 5. Mi novio estuvo en L.I.; 6. Mi profesora estuvo en M.; 7. Mi compañero estuvo en M., en los EE.UU.; 8. Mis tías estuvieron en T., en E.; 9. Mi madre estuvo en A.C., en G.; 10. Mi casa estuvo en Málaga.

102. 1. a; 2. en-en; 3. a; 4. en; 5. en; 6. a-en; 7. en; 8. en-en; 9. en; 10. en.

103. 1. a; 2. en; 3. entre; 4. a; 5. a/en.

---

104. 1. debajo; 2. delante; 3. dentro; 4. abajo; 5. arriba; 6. cerca; 7. encima; 8. detrás; 9. fuera; 10. lejos.

105. 1. lejos de; 2. a; 3. en/por/cerca de; 4. al/sobre; 5. encima de; 6. dentro de/debajo de/detrás de; 7. cerca de/delante de/detrás de/lejos de; 8. cerca de/dentro de/en/fuera de/lejos de; 9. dentro de/en/fuera de; 10. cerca de/en/fuera de/lejos de/por.

106. 1. arriba/abajo/adelante; 2. adelante/atrás; 3. allá; 4. adentro/afuera; 5. abajo/arriba/adelante; 6. atrás; 7. acá; 8. afuera.

107. Respuesta libre.

---

108. Respuesta libre.

109. 1. Tengo/tienes/tenemos/tenéis/tienen/hay; 2. Tienen-tienen; 3. Tiene-tiene; 4. Tienes/tiene/tenemos/tenéis/tienen/hay; 5. ha-ha.

110. 2. Tengo frío; 3. Tengo calor; 4. Tengo suerte; 5. Tenéis sueño; 6. tienen miedo; 7. Tengo sed; 8. Tengo dolor.

111. Respuesta libre.

---

112. 1. Sí, he tenido el honor...; 2. Sí, lo tengo a bien; 3. Sí, la he tenido; 4. No, no la tengo tomada con ninguno; 5. Se las tiene tiesas con...

113. 1. No, no tenemos perro; 2. No, no tenemos j. en el ch.; 3. No, no tienen t.; 4. No, no tienen e. de t.; 5. No, no tenemos t. para d.; 6. No, no tengo ocasión de p.e.; 7. No, no tenemos r.; 8. No, no tengo paciencia; 9. No, no tenemos el j.l.; 10. No, no tenemos el t.d.

---

114. 1. Era un señor viejo con las piernas largas; 2. Es un piso soleado con una terraza pequeña. 3. Era una señora rubia con gafas negras; 4. Es un coche negro con un maletero grande; 5. Son cinco ejercicios con ejemplos fáciles; 6. Deme un whisky doble con dos vasos; 7. Es una casa nueva con dos habitaciones; 8. Había una mesa rectangular con diez personas; 9. La semana última hubo un viaje agradable; 10. Por mera casualidad tuvo un acierto fácil.

115. 1. guerras civiles; 2. buenas acciones-hombres nobles; 3. productos lácteos; 4. mesas redondas; 5. cuna alta; 6. buenas razones; 7. pobre hombre; 8. mera casualidad; 9. ciertos rumores; 10. casa blanca.

116. Respuesta libre.

117.

Farmacia:	noventa y uno, cuarenta y cinco, cero tres, cero dos, cero uno.
SAMUR:	cero sesenta y uno.
Estación:	noventa y uno, trescientos veintiocho, noventa, veinte.
Radio Taxi:	noventa y uno, cuatrocientos setenta y cinco, sesenta y uno, sesenta y dos.
Telefónica:	cero cero dos.
Policía:	cero noventa y dos.
Insalud:	ciento doce.
Bomberos:	cero ochenta.
Inf. horaria:	cero noventa y cuatro.

118. Respuesta libre.

119. 1. hay treinta/treinta y un; 2. hay veinticuatro; 3. hay sesenta; 4. hay siete; 5. hay sesenta; 6. hay doce.

120. 1. Es el noventa y tres punto nueve; 2. Es el cien punto siete; 3. Es el noventa y cinco punto uno; 4. Es el cien punto siete; 5. Es el noventa y nueve punto cinco.

121. Ciento veintinueve más cuarenta y seis, igual a ciento setenta y cinco; noventa y ocho menos veintitrés, igual a setenta y cinco.
Cuarenta y cuatro multiplicado por ocho da trescientos cincuenta y dos; ochenta y uno dividido por nueve da nueve.

---

122. 1. Sí, es en el segundo; 2. ...en el veinticuatro; 3. ...con los terceros; 4. ...el distrito postal veintiocho cero treinta y cuatro; 5. ...la página treinta y uno(a); 6. ...la tercera; 7. ...el quinientos aniversario; 8. ...el ciento cincuenta ejercicio; 9. ...la tercera; 10. ...en el quinto.

123. 1. primero/tercero; 2. primer/tercer; 3. primer/tercer; 4. primer/tercer; 5. primera/tercera; 6. primeros; 7. primer; 8. tercer; 9. tercer; 10. Primero.

124. 1. primer; 2. tercer mes del año; 3. tercera estación del año; 4. el quinto día; 5. el décimo mes; 6. la segunda estación; 7. la cuarta estación; 8. el quinto mes; 9. el cuarto.

125. 1. cuarto; 2. novena; 3. quintos; 4. décimo; 5. segundos.

---

126. Hoy es domingo quince. Estamos a quince. Estamos en agosto; Hoy es lunes once. Estamos en marzo; Hoy es sábado diecisiete. Estamos en junio; Hoy es jueves once. Estamos en enero; Hoy es viernes doce. Estamos en diciembre; Hoy es miércoles diecinueve. Estamos en febrero.

127. 1. La Coruña, diecinueve de febrero de mil novecientos ochenta y tres; 2. Barcelona, once de marzo de mil novecientos setenta y ocho; 3. Salamanca, diecisiete de junio de mil novecientos cuarenta y seis; 4. Sevilla, veintidós de agosto de mil novecientos doce; 5. Nueva York, trece de diciembre de mil novecientos trece.

128. nació el 5 de mayo... El verano último... los domingos... A finales de agosto... salimos por la mañana y regresamos por la tarde... en otoño y en invierno.

129. 1. nació el catorce de marzo de mil ochocientos setenta y nueve; 2. ...el trece de junio de mil ochocientos ochenta y uno; 3. ...el diez de julio de mil quinientos noventa y nueve; 4. ...el veinticinco de noviembre de mil setecientos cuarenta y seis; 5. ...el cuatro de noviembre de mil novecientos treinta y ocho.

130. Respuesta libre.

---

131. 1. Son las nueve horas y diez minutos: las nueve y diez; 2. Son las doce horas y veinticinco minutos: las doce y veinticinco; 3. Son las quince horas y cuarenta y cinco minutos: las cuatro menos cuarto; 4. Son las dieciocho horas y treinta minutos: las seis y media; 5. Son las quince horas y doce minutos: las tres y doce; 6. Son las cuatro horas y quince minutos: las cuatro y cuarto; 7. Son las cero horas y dieciséis minutos: las doce y dieciséis; 8. Son las veinte horas y treinta y cinco minutos: las ocho y treinta y cinco; 9. Son las veinticuatro horas y cero minutos: las doce; 10. Son las dos horas y treinta minutos: las dos y media.

132. 1. tarde; 2. tarde; 3. tarde; 4. retraso; 5. temprano; 6. retraso; 7. temprano; 8. adelanto; 9. retraso; 10. puntual.

133. Respuesta libre.

134. 1. son-son; 2. hace-hay; 3. hace-hay; 4. son; 5. hay-hace.

---

135. 1. Una/cierta; 2. cualquier/algún; 3. cierta/alguna; 4. un/cierto/cualquier/algún; 5. Cualquier; 6. un/otro; 7. otra; 8. otros; 9. Algún/Cualquier; 10. otra.

136. 1. mucha/poca/bastante; 2. mucho/poco/tanto/bastante; 3. mucho/bastante; 4. poca; 5. tanto; 6. más; 7. bastante/mucho-mucho/bastante; 8. ø; 9. ø-ø; 10. mucho.

137. 1. Todas; 2. todo; 3. ningún; 4. Cada; 5. sendos; 6. tal-tal; 7. Todos; 8. Ningún/cada; 9. ninguna; 10. cada.

138. 1. Sí, están todos atentos; 2. No, no está contento ninguno; 3. Sí, todos son reciclables; 4. Sí, los he hecho todos; 5. Sí, tenemos todos los días; 6. Sí, he aprendido bastante; 7. Sí, están todos guardados; 8. Sí, estoy dispuesto.

---

139. 1. alguien-nadie; 2. algo-nada/alguien-nadie; 3. Alguien-nadie; 4. Alguien-nadie; 5. algo-nada.

140. 1. no... nada; 2. no... nadie; 3. no... nada; 4. no... nada; 5. no... nada.

141. 1. Quienquiera; 2. ninguno; 3. ninguno; 4. algunas/muchas; 5. alguna; 6. ninguna; 7. uno(a); 8. Quienquiera; 9. cualquiera; 10. Algunos.

142. 1. uno(a); 2. uno; 3. una; 4. Uno; 5. Uno.

---

143. Respuesta libre.

144. 1. ¿lo comienzas a las nueve también?; 2. ¿lo acabas también a las seis?; 3. ¿comes también mientras lo ves?; 4. ¿cenas muy ligeramente también?; 5. ¿tampoco la ves?

145. 1. —Sí, cenamos con ellos. —No, no cenamos con ellos; 2. —Sí, entro tarde. —No, no entro tarde; 3. —Sí, vive ahora aquí. —No, no vive ahora aquí; 4. —Sí, sí lo pasamos aquí. —No, no lo pasamos aquí; 5. —Sí, las tienen ahora. —No, no las tienen ahora.

146. 1. Fumáis; 2. Llora; 3. escuchas; 4. Dibujas; 5. Hablas; 6. trabajan; 7. estudiamos; 8. Canto; 9. Mira; 10. Practicas.

---

147. Respuesta libre.

148. La especie humana existe desde hace dos millones de años; El Banco Mundial existe desde 1944; La Tierra existe desde hace cuatro mil millones de años.

149. 1. durante; 2. desde hace; 3. durante; 4. durante; 5. en.

150. Yo hago gimnasia durante dos horas/dos horas al día. Tú haces *footing* una/durante una hora al día. Ella hace natación media/durante media hora al día. Hago respiración durante doce minutos...

---

151. 1. ahí; 2. allí; 3. aquí/ahí/allí; 4. ahí; 5. allí; 6. aquí; 7. ahí/allí; 8. aquí; 9. allí-aquí; 10. allí.

152. 1. en; 2. por; 3. en; 4. en; 5. en; 6. por; 7. por; 8. En-en; 9. en; 10. en.

153. 1. abajo; 2. la derecha-la izquierda; 3. detrás; 4. atrás; 5. delante; 6. en medio; 7. fuera/lejos; 8. dentro; 9. arriba; 10. detrás.

---

154. 1. cerca; 2. lejos; 3. entre; 4. cerca; 5. allí; 6. aquí; 7. aquí; 8. entre; 9. aquí; 10. allí-aquí.

155. 1. para/hacia; 2. hacia/para; 3. desde; 4. desde; 5. desde-hacia; 6. cerca de-hacia; 7. desde; 8. hacia/para/de/desde; 9. desde/de; 10. de/desde-para/hacia.

156. 1. Fue andando de P. a S.; 2. va en barco de B. a N.; 3. vas en avión de R. a P.; 4. fue en coche desde B. a F.; 5. anduvo/dio una vuelta por la ciudad; 6. ha nadado bajo el agua toda la mañana; 7. moto; 8. tren; 9. se subió al barco/al avión; 10. tomar/coger el tren.

---

157. 1. más alto que; 2. menos naturales que; 3. más independientes que; 4. menos peligrosos que; 5. menos salvaje que; 6. igual de misterioso que; 7. más rápido que; 8. más tiempo que; 9. igual de ciegamente que; 10. menos ecológica que.

158. 1. tantos libros como; 2. tanto como; 3. tan eficiente como; 4. tan responsable como; 5. tan barato como; 6. tanto como; 7. tan veloz como; 8. tanto como; 9. tanto como; 10. tanto la gaseosa como.

159. Respuesta libre.

---

160. 1. Sí, pienso que es importantísimo; 2. ...que es grandísimo; 3. ...que es antiquísima; 4. ...que es alegrísima; 5. ...que es acogedorcísima.

161. 1. El oro tiene más valor que la plata; 2. El hierro es menos resistente que el acero; 3. La seda es más suave que el lino; 4. La g. es más ecológica que la e.; 5. La l. es más caliente que el p.; 6. Las p. son menos caras que las m.; 7. El t. es más peligroso que el p.; 8. El p. es menos escaso que el u.; 9. La m. de e. es menos buena que el o.; 10. La m. es menos buena que el c.

---

162. 1. un angelito; 2. una lechuga; 3. un tomate; 4. el pan; 5. una gallina; 6. un bombo; 7. una torre; 8. una cuba.

163. Respuesta libre, empleando los superlativos:
1. antiquísima; 2. jovencísima; 3. sucísimo; 4. celebérrimo; 5. importantísimo; 6. óptimo; 7. de primer orden; 8. pésima; 9. amabilísima; 10. especialísimo.

---

164. ...desayuna ø pan con ø mantequilla y ø mermelada. ...ø café con leche. ...solamente ø zumo de naranja. ...ø carne con ø ensalada o ø pescado con ø guarnición.
...tomamos ø vino o ø agua mineral... ø coca-cola. ...tomar ø sopa y ø fruta... prefieren ø patatas fritas con ø salsa ...algunas veces, ø dulces. ...se come ø fruta; sobre todo, ø naranjas... aportan ø vitamina C... aligerar ø kilos o no coger ø peso.

165. Respuesta libre.

166. Respuesta libre.

167. Respuesta libre.

---

168. Quiero doscientos gramos de queso, trescientos de mortadela, un kilo de chorizo, medio de jamón York y cuarto de kilo de jamón serrano.

169. 1. Con ese dinero no hay ni para empezar; 2. ...te has pasado un pelín; 3. ...no cabía ni un alma; 4. ...no se oía ni una mosca; 5. ...no le hizo ni pizca de gracia; 6. ...ni un pelo de tonta; 7. ...me importa un pimiento/un rábano lo que digan esos.

170. Respuesta libre.

171. Respuesta libre.

---

172. 1. Sí, voy a la montaña en invierno; 2. Sí, voy alguna vez; 3. Sí, voy con frecuencia; 4. Sí, voy al campo; 5. Sí, voy el lunes; 6. Sí, ahora vengo del teatro; 7. Sí, voy al monte hoy; 8. Sí, ahora voy a la calle; 9. Sí, vengo de la universidad; 10. Sí, voy al cine los miércoles.

173. Todas las frases siguen la misma estructura:
Cuando tengo... voy al...

174. 1. Ellos van a Inglaterra en transbordador; 2. ¿vais a Alemania en tren?; 3. Él va a Canarias en barco; 4. vamos a México en avión; 5. ¿Tú vas a Roma en coche?; 6. Ella va a la universidad a pie; 7. Yo voy a la montaña a caballo; 8. Tú vas al campo en bicicleta; 9. Nosotros vamos a la ciudad en moto; 10. Ella va al pueblo en autobús.

175. 1. ...en coche ...a la universidad en autobús ...va al colegio a pie; 2. ...fuimos a Grecia ...Fuimos en avión ...vinimos en barco por El Pireo y fuimos a la Acrópolis en taxi; 3. ...fueron a Holanda en vuelo ...la ciudad ...a pie, en bicicleta y en metro.

---

176. 1. ...pero antes leía menos; 2. ...pero antes comía más; 3. ...pero antes viajaba menos; 4. ...pero antes conducía peor; 5. ...pero antes dormía más; 6. ...pero antes fumaba más; 7. ...pero antes la veía más; 8. ...pero antes iba menos; 9. ...pero antes me gustaba menos; 10. ...pero antes lo era menos.

177. Respuesta libre, utilizando las palabras entre paréntesis.

178. 2. Mis padres los conocían a todos; 3. Mis padres comían productos frescos; 4. ...viajaban a caballo; 5. ...cocinaban con leña; 6. ...veían las estrellas; 7. ...respiraban aire puro; 8. ...contemplaban un horizonte lejano; 9. ...preferían la ciudad; 10. ...tenían libre todo el tiempo.

---

179. Ayer, mis hijos se levantaron a las ocho... Desayunaron tranquilamente... Se despidieron, salieron y a las nueve tomaron el autobús que les llevó al colegio. Empezó a llover y me di cuenta de que habían sido... Ni siquiera llevaron un chubasquero que les protegiera del agua.

180. Me preparé rápidamente... estaba en la calle. Había muy poca gente. Era de noche todavía. Cogí el metro hasta Sol. Llegué a las siete...; era un poco tarde y hacía frío. Solamente había cinco... comenzó a moverse la gente.

181. Respuesta libre.

182. Respuesta libre.

---

183. Respuesta libre.

184. 1. cierra; 2. meriendo; 3. enciende/encendió/encendía/encenderá/había encendido; 4. empiezo; 5. muestra/mostraba/mostró; 6. cuenta/ha contado/contará; 7. cuesta/costaba/costó/costará/ha costado/habrá costado; 8. defiende/defendió/ha defendido/defenderá; 9. siento; 10. Tendía/tendió/había tendido/tiende.

185. Respuesta libre, empleando los datos entre paréntesis.

---

186. 2. Que digamos lo mismo que ellas; 3. Los niños reconocen a sus madres; 4. Las niñas nacerán en verano; 5. Las plantas florecen...; 6. Desconocemos vuestros nombres; 7. Conducimos unas motos; 8. Su forma de ser nos seduce; 9. Ellas introducen los textos en los ordenadores; 10. Traducimos los textos al español.

187. 2. Me lo pongo; 3. Lo asgo; 4. Huyo; 5. Sobresalgo; 6. Me lo pongo; 7. Me pongo en; 8. Arguyo así; 9. Me mantengo...; 10. Lo concluyo porque...

188. 1. caigo; 2. conduzco; 3. quepas; 4. traigo/trae/traen/traemos; 5. roe/royo/roía/ha roído/había roído/roerá; 6. sé; 7. soy/era/he sido; 8. cabe/cabía/cabrá; 9. voy; 10. iba.

189. Respuesta libre.

---

190. 1. Caben/quepan/cabrán/cabrían; 2. Puede/Podría; 3. podemos/podremos/podríamos/habríamos podido/hubiéramos(semos) podido; 4. pon; 5. haz; 6. salgo/sales/sale/salimos/salís/salen; 7. Quiero/quería/querría/quisiera; 8. Haz; 9. pueden/podrán; 10. queremos/queríamos/querríamos/quisiéramos.

191. 1. saldría; 2. pondré; 3. salió/ha salido/sale/saldrá; 4. vale; 5. tienes/tendrás/tendrías; 6. venimos/vinimos/vendremos; 7. venía/viene/vendrá; 8. Hacéis/Habéis hecho/Haréis; 9. dice; 10. valía/vale/valdrá/valdría.

192. 1. Hice-pude/Hago-puedo/Haría-pudiera/Haré-pueda/He hecho-he podido; 2. dice-ha hecho/dijo-había hecho/dirá-ha hecho...; 3. ando-tengo/anduve-tuve/he andado-he tenido/ande-tendré; 4. está-ha tenido/estuvo-tuvo/estará-tendrá...; 5. conducía(s)-podía(s).

193. 1. anochece/anochecía/anochecerá; 2. lloverá; 3. consta/constaba; 4. conviene/convendrá/convendría; 5. duelen/dolían/han dolido; 6. gusta/gustó/gustaría/gustará...; 7. arrecia; 8. sucede/ha sucedido; 9. nieva; 10. Ocurre-ha abolido.

---

194. 1. El lunes yo me despierto...; 2. Me visto...; 3. Me lavo...; 4. Me acuesto...; 5. Me acuerdo...

195. 1. También se acuestan...; 2. También se pasea...; 3. También se interesa...; 4. También se bañan; 5. También me afeito...

196. se llama... Nos parecemos... nos vestimos... nos interesamos... se enfada... no nos arrepentimos... nos cansamos... se presta... se queja... me enfurezco... se lamenta.

197. 1. A mí no me interesa...; 2. Ella no se perfuma nada; 3. Nosotros no nos sentamos en ningún bar; 4. Ella no se mira nunca...; 5. No te enfureces fácilmente; 6. Ellos no se ríen de nosotros; 7. El abuelo no se cae nunca...; 8. No me acuerdo de ninguna regla...; 9. No me siento cansado; 10. No me avergüenza que...

---

198. 1. La conozco...; 2. las riega...; 3. lo leo...; 4. la llevó...; 5. los invita...

199. 1. Sí, lo voy a comprar; 2. Sí, lo cojo; 3. Sí, los hago; 4. Sí, la compro; 5. Sí, la dejé.

200. Respuesta libre.

201. 1. Sí, trabaja...; 2. No, nos invita...; 3. No, la conozco...; 4. Sí, las perdí...; 5. No, me espera...

202. 1. No, no las he oído; 2. No, no la he escuchado; 3. No, no los invito; 4. No, no lo cojo; 5. No, no me lo devolvió; 6. No, no se la he entregado; 7. No, no lo he probado; 8. No, no lo he visitado; 9. No, no la he visto; 10. No, no le he contestado.

---

203. 1. Sí, la telefoneé; 2. Sí, le escribo; 3. Sí, les respondo; 4. Sí, se las regalo; 5. Sí, se la doy; 6. Sí, les grito; 7. Sí, les pegué; 8. Sí, se los envío; 9. Sí, se lo presenté; 10. Sí, les sonrío.

204. 1. Él/ella no me las presentó; 2. Él/ella no me llevó; 3. Él/ella no me los prestó; 4. Tú no me los contaste; 5. Él/ella no me acompañó; 6. Yo no se la agradecí; 7. Nosotros no quedamos...; 8. Él/ella no me despidió; 9. Yo no me volví...; 10. Yo no le dije.

205. 1. Ella le presentó...; 2. Ella le llevó; 3. Ella le prestó; 4. Ella le contó...; 5. Ella le acompañó; 6. Ella le agradeció; 7. Vosotros quedasteis; 8. Ella le despidió; 9. Ella se volvió; 10. Tú le dijiste.

206. 1. Tú se la escribes; 2. Ella se las regala; 3. Tú se los cuentas; 4. Yo se los escribo; 5. Él se la propuso; 6. No se las hace; 7. No se la prestó; 8. Se lo dieron; 9. Se las dirigió; 10. Se la agradeció.

---

207. 1. No, yo no lo soy; 2. Sí, es ella; 3. No, no es él; 4. Sí, están ellos; 5. Sí, nosotros los tenemos.

208. 1. Ella, también; Ellos, tampoco; 2. Ellos, tampoco; 3. Ella, también; Ella, tampoco; 4. Ellos, tampoco; Ellos, también.

209. Respuesta libre.

210. 1. vosotros; 2. tú; 3. ellos; 4. nosotros; 5. ella.

211. 1. ellos; 2. Nosotros-nosotros; 3. tú; 4. tú; 5. ellas.

---

212. 1. Sí, es para mí; 2. No, no era para ti; 3. Sí, es para vosotras; 4. No, no es para nosotros; 5. Sí, es para ella; 6. No, no es a vosotros; 7. Sí, a ellos; 8. No, no le preguntó a ella; 9. Sí, nos mirasteis a nosotros; 10. No, no nos vio.

213. 1. Él va contigo; 2. Viene con ella; 3. sí mismo; 4. contigo/conmigo/con nosotros(as)/con vosotros(as)/con ellos(as); 5. contigo; 6. él; 7. vosotros; 8. ellos; 9. mí/ti/ella/nosotros(as)/vosotros(as); 10. vosotros.

214. 1. A él; 2. A ellos(as); 3. A mí; 4. A ti; 5. A él/ella; 6. A ellos(as); 7. A ti; 8. A vosotros(as); 9. A nosotros(as); 10. A ellos(as).

---

215. 1. Sí, es una persona a la que veo a menudo; 2. Sí, es un CD que voy a escuchar; 3. No, son unas gafas que no uso permanentemente; 4. No, es un asunto que no me interesa; 5. Sí, es al responsable al que busco.

216. 1. A quien; 2. que; 3. que; 4. Quien; 5. las que/quienes; 6. quienes/los que; 7. que; 8. quien; 9. que; 10. Quien/El que.

217. Respuesta libre.

218. 1. que; 2. cuyo estado ignoramos; 3. donde; 4. donde; 5. que; 6. cuya solución sea posible; 7. que; 8. el que; 9. cuya salud se ocupa; 10. donde/en que.

---

219. 1. al cual/al que; 2. la que/la cual; 3. que/la cual; 4. la que/la cual; 5. del cual/del que.

220. 1. Sí, es un tema que estudio...; 2. Sí, es la obra a la que/la cual me referiré; 3. Sí, es un período que me interesa mucho; 4. Sí, son unos conciertos a los que/a los cuales asisto; 5. Sí, es un museo que me gusta frecuentar.

221. 1. Vas a la universidad, que es nueva; 2. Mi padre vive en un chalé en el que/en el cual/donde a veces duermo; 3. J.L.G. dirigió *El Abuelo,* que ganó un óscar; 4. Tengo dos amigos, con los cuales/con los que juega Ruth; 5. Nos veremos en Madrid, a donde iré en enero.

222. Respuesta libre.

---

223. Respuesta libre, empleando:
1. Tomad; 2. Bebed; 3. Pasad; 4. Haced; 5. Vivid; 6. Cuidad; 7. Dadle; 8. Enganchaos.

224. 1. Toma; 2. Bebe; 3. Pasa; 4. Haz; 5. Vive; 6. Cuida; 7. Dale; 8. Engánchate.

225. 1. Danos un sello; 2. Dale un lápiz; 3. Dale un cuaderno; 4. Dales un ordenador; 5. Dame una explicación.

226. 1. No vayas; 2. No lo tomes; 3. No las escribas; 4. No los invites.

---

227. 1. Querría/Quisiera dos, por favor; 2. Querría/Quisiera una tostada, p.f.; 3. Desearía quedarme; 4. Quisiera/Querría escuchar música, p.f.; 5. Lo quisiera caliente, p.f.

228. 1. ¿Me podría traer la carta, por favor?; 2. ¿Puede hacer el favor de traerme vino?; 3. Quisiera agua mineral, p.f.; 4. ¿Me trae la cuenta, p.f.?

229. Respuesta libre.

230. Respuesta libre.

231. Respuesta libre.

---

232. 1. pongas; 2. llegues; 3. aprendas; 4. bebas; 5. se porten; 6. estudies; 7. digas; 8. vengáis; 9. estuviera; 10. fuese.

233. 1. hubiera(se) dormido mucho; 2. resultara(se); 3. anochezca; 4. viera(se); 5. termines; 6. aprendan.

234. 1. Siempre que/Con tal de que; 2. antes de que; 3. como si; 4. Para que/A fin de que; 5. En cuanto; 6. sin que; 7. A fin de que/con objeto de que.

235. Respuesta libre.

---

236. 1. ¿dónde trabajas?; 2. ¿cuándo acabas?; 3. ¿cuándo meriendas/merendarás?; 4. ¿dónde están?; 5. ¿dónde está?; 6. ¿dónde está?; 7. ¿cuándo viene/vendrá?; 8. ¿dónde están?; 9. ¿dónde lo busco?; 10. ¿cuándo la tenemos?

237. Respuesta libre.

238. 1. Dónde; 2. Dónde; 3. De dónde; 4. Cómo; 5. Cuánto; 6. Cómo; 7. dónde; 8. Cuánto; 9. Cuándo; 10. Quiénes/Qué.

---

239. 1. ¿Con qué escribo?; 2. ¿Qué tomo?; 3. ¿De qué es?; 4. ¿Cómo me gusta?; 5. ¿Qué es la pluma?; 6. ¿Cuál es mi nombre?; 7. ¿Cuántos años tiene?; 8. ¿Qué es mejor?; 9. ¿Qué es María?; 10. ¿De dónde es Pablo?

240. 1. qué; 2. Qué; 3. Qué; 4. Qué; 5. qué/quien; 6. Cuál; 7. Cuál; 8. quién; 9. qué; 10. Qué.

241. 2. Cuál; 3. quién; 4. Qué; 5. Quiénes; 6. Qué; 7. A cuál; 8. Qué; 9. A quiénes; 10. Cuántos.

---

242. 1. No, ya no; 2. No, nunca; 3. No, nunca; 4. No, nada; 5. No, a nadie; 6. No, ninguna; 7. No, ya no; 8. No, jamás; 9. No, nunca; 10. No, ya no.

243. 1. Pedro no ayuda a ninguno; 2. Jorge no ayuda a nadie; 3. Pablo no ayuda nunca/jamás; 4. Tomás no nos dice nada; 5. Jaime no mira a nadie.

244. Esta tarde no me reúno contigo. No compro ninguna cosa. No preparo el dinero. Nadie me telefonea. No hay nada que haga ruido en la cocina. No me pongo nervioso. No tengo nada que hacer. No tengo preocupaciones. No he perdido nada. No me duele la espalda. No me levanto tarde.

---

245. 1. Nunca; 2. No-nunca; 3. jamás-tampoco; 4. No-tampoco; 5. Tampoco-jamás.

246. 1. No ha venido nadie; 2. No he notado nada; 3. No ha llamado nadie; 4. No veo a nadie; 5. No, tampoco.

247. 1. Ni tú ni yo...; 2. Nadie-ni-ni/No-nadie-ni; 3. sin; 4. Ni...; 5. No.

248. 2. Cuesta más de...; 3. Sólo posee...; 4. No acabó de...; 5. Le faltó poco para llegar; 6. Llegó con el tiempo justo; 7. Sólo gastó...

249. Respuesta libre.

---

250. 1. Dice que si está Alicia; que es Carlos; que está en Sevilla; que sale a las siete en el AVE; que si puede desayunar con él; que qué hace Alicia a mediodía.
2. Le pregunta si tiene una guía; le pide que le telefonee al H.P. y que pregunte el precio; le pide que llame también al Ritz y al Meliá. Le da las gracias.

251. Dice que es el nuevo vecino. Dice que no tiene llaves. Dice que no puede entrar. Dice que si puede usted abrirle la puerta.

252. María pregunta a Ángel que si está libre el domingo. Ángel le responde que va a ir a un concierto. M. le pregunta que adónde va. A. contesta que va al Teatro Real. M. le pregunta que si va solo. A. le responde que sí. M. le dice que, entonces, la espere en el Metro.

---

253. 1. despidiendo; 2. pudriendo; 3. durmiendo; 4. corrigiendo; 5. impidiendo; 6. rehuyendo; 7. releyendo; 8. atrayendo; 9. desoyendo.

254. 1. Leo escuchando; 2. hace... comiendo; 3. sueña mirando; 4. explica escribiendo; 5. salió diciendo; 6. trabaja regando; 7. pinta cantando; 8. come vigilando.

255. 1. discute alterándose; 2. dijo adiós sonriendo; 3. marchó cerrando la puerta; 4. cruzó la calle mirando; 5. salió apagando la luz; 6. entró saludando; 7. se despertó llorando; 8. pasó el día estudiando; 9. Terminó el día lloviendo; 10. subió protestando.

256. 1. saludándolos; 2. sonriéndoles; 3. riñéndoles; 4. insultándolas; 5. empujándolos; 6. gritándoles; 7. hablándoles; 8. repitiéndosela.

---

257. 1. ¿Cómo llegó Mario? —Caminando; 2. ¿Cómo empezó la primavera? —Nevando; 3. ¿Cómo terminó el discurso? —Celebrándolo; 4. ¿Cómo regresó a casa? —Chorreando; 5. ¿Cómo se aprende el camino? —Caminando; 6. ¿Cómo conoció la ciudad? —Paseando por ella; 7. ¿Cómo pasó el avión? —Rozando los edificios; 8. ¿Cómo terminamos el año? —Cantando; 9. ¿Cómo descansa? —Durmiendo; 10. ¿Cómo apareció? —Sonriendo.

258. 1. Habla comiendo; 2. Estudia escuchando música; 3. Conduce mirando; 4. Cocina hablando; 5. Ríe llorando; 6. Salta cantando; 7. Lee pronunciando; 8. Toca leyendo; 9. Limpia sonriendo; 10. Medita discurriendo.

259. 1. una caja que contenía...; 2. ...y se rindieron al día siguiente; 3. ...un político que hablaba con torpeza; 4. ...un perro que es cojo; 5. ...y se dirigieron a Lisboa.

260. Respuesta libre.

---

261. ...acaban de componer ...comienzan a elaborarlo ...obligados a trabajar ...quejándose de que ...no renuncian a escribir ...Sueñan con encontrar ...se desviven por lograrla ...se exponen a que ...pagar por triunfar.

262. 1. en; 2. por; 3. de; 4. a; 5. en.

263. 1. Estoy desolado por haber llegado tarde; 2. Estoy contrariado porque hubo...; 3. Estoy sorprendido por haber sido invitado; 4. Estoy feliz de/por irme de viaje; 5. Estoy cansado de/por haber oído un discurso.

264. 1. comienza a hacer; 2. acaba de hacer; 3. termina de realizar; 4. trata de seguir; 5. huye de exponerse; 6. lucha por/para conseguir; 7. se decide a trabajar; 8. se presentará a/para ser elegido.

---

265. Primero irán a Sierra Nevada. Volverán a casa de... Pasados unos días, irán/vendrán/marcharán/volverán a Madrid y a continuación irán/(se)marcharán a Berlín. Piensan venir/irse/salir/marchar(se)/volver(se) para comenzar...

266. Respuesta libre.

267. Respuesta libre.

268. 1. BIEN; 2. BIEN; 3. El tren se salió; 4. volverá el mal tiempo; 5. cayó del árbol; 6. María lleva abrigo...; 7. BIEN; 8. ...y volveré; 9. BIEN; 10. BIEN.

---

269. 1. Prepara el dinero porque vamos a llegar...; 2. Sube un poco el volumen porque va a comenzar...; 3. Guardad la baraja porque va a llegar el director; 4. Dame arroz porque van a salir...; 5. Abre el paraguas porque va a llover.

270. Respuesta libre.

271. Respuesta libre.

272. Respuesta libre.

---

273. 1. podrían; 2. sería; 3. estaría; 4. viera; 5. sentiría; 6. fueras/fueses; 7. Serían; 8. vendría; 9. llegaría; 10. abandonaría.

274. 1. llegaría-hubiera; 2. aseguró-vendría; 3. faltaría-dijera; 4. prometiera-cumpliría; 5. atrevería.

275. Respuesta libre.

276. Respuesta libre.

---

277. 1. ha comprado-ha cogido; 2. se ha puesto-ha cogido; 3. Hemos tomado-hemos comido; 4. Has leído-has visto; 5. Ha escrito-ha echado; 6. Has terminado-te has puesto; 7. Hemos perdido-hemos llamado; 8. Hemos salido-nos hemos instalado.

278. He hecho una reclamación; he puesto un telegrama; he cubierto un puesto; he resuelto...; he roto...; he visto...; he descubierto...; he dicho un refrán.

279. Respuesta libre.

---

280. Respuesta libre.

281. 2. Luisa ha tenido gripe la semana pasada; 3. El niño ha tenido clase esta mañana; 4. Laura no ha estado contenta últimamente; 5. Me he quedado en casa algunos días.

282. Respuesta libre.

283. Respuesta libre.

---

284. 1. desde hace; 2. desde hace; 3. desde; 4. Desde; 5. hace; 6. desde; 7. hace; 8. Desde hace; 9. Hace; 10. hace.

285. 1. Hace una hora que los niños duermen; 2. Hace tiempo que no como...; 3. Hace dos días que Lisa...; 4. Hace medio año que no veo...; 5. Hace una hora que el jefe...; 6. Hace cinco años que veraneo aquí; 7. Hace media hora que te estoy esperando; 8. Hace un mes que no le he vuelto a ver; 9. Hace veinte años que no he...; 10. Hace siete años que están casados.

286. 1. mañana; 2. al día siguiente; 3. mañana; 4. ese día; 5. ese día; 6. mañana; 7. ayer/anteayer; 8. al día siguiente; 9. anteayer; 10. pasado mañana.

---

287. 1. Sí, la penicilina fue descubierta por Fleming; 2. Sí, *Ben Hur* fue interpretada por C.H.; 3. Sí, *La Piedad* fue esculpida por M.A.; 4. Sí, *Las Meninas* fue pintado por V.; 5. No, la imprenta fue inventada por los chinos en el s. XI; 6. Sí, América fue descubierta por C.C.; 7. Sí, *El Quijote* fue escrita por C.

288. 1. Se introdujo la numeración arábiga. La n.a. fue introducida en Occidente; 2. Se fundó/Fue fundada la U. de Salamanca; 3. Se descubrió/Fue descubierta América; 4. Se inició/Fue iniciada la R.F.; 5. Se independizaron/Fueron independizadas las c.e.; 6. Se inició/Fue iniciada la I G.M.

289. 1. La decisión del ataque estadounidense fue tomada por el presidente; 2. El tema de la p.e. ha sido analizado; 3. El diálogo social fue rechazado por los sindicatos; 4. Los pr. para el pr. año han sido aprobados por el C.; 5. La paz en el mundo es deseada por todos.

---

290. 1. Ahora hablo mucho, pero antes hablaba menos; 2. ...pero antes comía más; 3. ...pero antes viajaba pocas veces; 4. ...pero antes conducía alocadamente; 5. ...pero antes dormía mejor; 6. ...pero antes fumaba más; 7. ...pero antes hacía más; 8. ...pero antes era optimista; 9. ...pero antes trabajaba poco; 10. ...pero antes estaba más delgado.

291. Respuesta libre.

292. 1. Es-hace; 2. viene-va/venga-irá; 3. Estaba/Estabas/Estábamos/Estabais/Estaban; 4. aprendía; 5. practicaba(s); 6. podía/pudo/había podido/hubiera podido; 7. empieza/empezaba; 8. deseaba/deseabas/deseábamos/deseabais/deseaban; 9. cantaba/cantó; 10. estaba/estabas/estábamos/estabais.

293. Respuesta libre.

---

294. 1. Sí, cuando lo encontré, la había terminado ya; 2. Sí, cuando me marché, me había casado ya; 3. Sí, cuando lo comencé, me habían hecho la prueba ya; 4. Sí, cuando la hice, ya había hablado con él; 5. Sí, cuando me matriculé, ya me habían hablado de él.

295. 1. No, cuando hemos llegado, ella todavía no la había preparado; 2. No, cuando él ha entrado, su padre todavía no había llegado; 3. No, cuando han comido, los invitados todavía no habían llegado; 4. No, cuando las ha preparado, nosotros todavía no habíamos salido; 5. No, cuando las ha preparado, yo todavía no se las había pedido.

296. 1. había conocido; 2. había regalado; 3. habías/habíais/habían escrito; 4. habías perdido; 5. había reclamado.

297. Respuesta libre.

---

298. 1. Sí, me han dicho que el metro estaba en huelga; 2. Sí, me han dicho que estaban...; 3. Sí, me han dicho que cambiábamos...; 4. Sí, me han dicho que había ido...; 5. Sí, me han dicho que había...; 6. Sí, me han dicho que se inauguraba...; 7. Sí, me han dicho que se anulaban...; 8. Sí, me han dicho que la harían; 9. Sí, me han dicho que era intensivo; 10. Sí, me comunicaron que lo tenía.

299. 1. Dijo que tenía que irse urgentemente a Barcelona; que dejaba mi trabajo a la secretaria para que yo lo recogiera. Añadió que estaba todo bien, salvo alguna cosa que me había corregido. Aseguró que volvería pasado mañana y que me llamaría.
2. Ha dicho que acababa de llegar y que se iba a arreglar para ir al cine. Ha dicho que si llegaba tarde, yo le esperase a la salida.
3. Me ha dicho que era estudiante de español y me ha preguntado si le podría decir dónde estaba el aula 3. Yo le he dicho que fuera por aquel pasillo y que era la primera a la derecha. Me ha dado las gracias.

---

300. 1. No os marchéis, que vais a hacer el examen ahora; 2. No distraigáis a M., que tiene que hacer cálculos complicados; 3. No habléis, porque voy/vamos a grabar la conferencia; 4. Acércame la luz, p.f., que voy a quitarme...; 5. Ven conmigo, que vamos a jugar...

301. 1. Sí, acaba de telefonear; 2. Sí, acaba de pasar; 3. Sí, acaba de salir; 4. No, acabamos de cenar; 5. No, acaba de terminar.

302. Las estrellas empiezan a brillar; los comercios empiezan a cerrar; la gente empieza a cenar; los cines empiezan a abrir sus puertas.

303. 1. hay que; 2. comienza a; 3. comienzas a; 4. Hay que; 5. está para; 6. comenzará a; 7. está para; 8. comienza a/está para; 9. está para; 10. está para.

---

304. 1. Deberías estudiar más; 2. Deberías hacer deporte a diario; 3. Deberías corregir...; 4. Deberías ver la TV; 5. Deberías salir...; 6. Deberías dormir lo necesario.

305. 1. debes; 2. debes; 3. debe/tiene que; 4. tiene que; 5. debes; 6. debes; 7. tienes que; 8. tienes que/debes; 9. tienes que; 10. tiene que/debe.

306. 1. has de; 2. has de; 3. he de; 4. hay/había que; 5. hay/habría que.

307. 1. debe de; 2. debes; 3. deben de; 4. debió de; 5. debes/deberías; 6. debemos/deberíamos; 7. debes; 8. debo/debes/debe/debemos/debéis/deben; 9. debo; 10. debe de.

---

308. 1. ...viviré en un piso/un chalé; 2. ...tendré una fortuna; 3. ...iré en moto/coche; 4. ...no cometeré ninguna; 5. ...hablaré varios idiomas; 6. ...te dedicaré un par de horas; 7. ...vendré; 8. ...será mucho mejor; 9. ...lo será; 10. ...serás insultado.

309. 1. hará-habrá; 2. se irá-estará; 3. serán/se sentirán; 4. estarán/permanecerán; 5. nevará-haremos; 6. subirán/bajarán; 7. se mantendrá; 8. habrán; 9. tendremos-habrá; 10. será.

310. 1. Las ciudades estarán casi vacías. Todo el mundo tendrá una casa... Ya no se viajará: todos veremos a nuestros amigos... Ya no habrá universidades... los estudiantes se comunicarán... Las personas serán altas...

311. 1. Voy a cambiar de teléfono y enviaré el nuevo número...; 2. Voy a sentarme en una terraza y cenaré fuera; 3. Voy a cambiar de barrio e iré...; 4. Voy a tomar una aspirina y me sentiré mejor; 5. Voy a sacar un billete y haré turismo.

312. 1. Dormiré en Tesalónica. Comeré yogur y miel. Leeré libros de Kazantzakis. Escucharé las canciones de D.R. Tomaré el autobús e iré al Partenón.

313. Respuesta libre.

314. 1. Tú verás; nosotros iremos; eso valdrá; yo saldré; tú vendrás; ellas se levantará.

---

315. Respuesta libre.

316. 1. Continuamente; 2. Siempre que/Cada vez que; 3. Casi siempre/A menudo; 4. Frecuentemente; 5. Siempre/Incesantemente.

317. 1. Pocas veces; 2. Raras veces; 3. Casi nunca; 4. Raramente; 5. En pocas ocasiones.

318. 1. antes; 2. anteriormente; 3. antes que; 4. Antes de; 5. Previamente a.

319. 1. habrás conocido; 2. habrás terminado; 3. habrás sabido; 4. habrás saboreado; 5. habrás comprendido.

---

320. 1. empezaba/comenzaba; 2. estabas; 3. cantábamos; 4. llegaban; 5. Cuando.

321. 1. Según; 2. A medida que; 3. Según; 4. A medida que; 5. A medida que.

322. Respuesta libre.

323. Respuesta libre.

---

324. Si tienes frío, caerás enfermo; si caes enfermo, faltarás al colegio; si faltas, suspenderás los exámenes; si suspendes, tendrás que trabajar en verano; si trabajas, no saldrás de vacaciones; si no sales, no te entrenarás; si no te entrenas, no jugarás bien al tenis.

325. 1. Si envías un sobre con sello, recibirás el catálogo; 2. Si reduces los gastos, aumentarás los beneficios; 3. Si enciendes la calefacción, tendrás una h.a.; 4. Si sales más temprano, evitarás los atascos; 5. Si hablas lentamente, cometerás menos e.g.; 6. Si te compras el equipo adecuado, podrás ir a la sierra; 7. Si te concentras mucho, aprenderás más rápido; 8. Si acabas todo perfectamente, tendrás éxito.

326. Respuesta libre.

327. Respuesta libre.

---

328. 1. Es necesario que repitas las mismas estructuras; 2. Es necesario que escuches...; 3. Es necesario que corrijas...; 4. Es necesario que aumentes...; 5. Es necesario que veas cine en español.

329. Respuesta libre.

330. Respuesta libre.

331. Respuesta libre.

332. 1. llegue; 2. hagas-tengas; 3. aciertes; 4. aprendas; 5. respeten.

---

333. 1. fumes/fumemos/se fume; 2. sean; 3. suba/subamos/suban; 4. aprendas/aprenda/aprendáis/aprendan; 5. regreses/regrese/regreséis/regresen; 6. lleguen/hayan llegado; 7. juegues/juegue/juguéis/jueguen; 8. tengas/tenga/tengamos/tengáis/tengan; 9. haga/hagas/hagamos/hagáis/hagan/haya hecho/hayas hecho...; 10. puedas/pueda/podamos/podáis/puedan/hayas podido/haya podido...

334. 1. No sé, pero me gustaría que viniera; 2. No sé, pero me gustaría que se presentara; 3. No sé, pero preferiría que fueran; 4. No sé, pero desearía que llegaran; 5. No sé, pero estaría bien que fueran.

335. 1. Yo también temo que reclamen; 2. ...que se lo den; 3. ...que lo olvide; 4. ...que venga; 5. ...que lleguen; 6. ...que terminéis; 7. ...que no os molestéis; 8. ...que lo escribas otra vez.

336. 1. durmieras(ses); 2. aprendan; 3. se diera(se); 4. partas; 5. estuviera(se).

---

337. 1. Como; 2. Ya que; 3. puesto que/ya que; 4. Como; 5. puesto que; 6. porque; 7. porque; 8. Puesto que; 9. Como; 10. porque.

338. 1. A causa de la lluvia se ha suspendido el partido; 2. Pedro ha obtenido b.n. gracias a su esfuerzo; 3. A causa de la h. de c. no ha llegado el correo; 4. Gracias a los avances de la medicina, la e. de v. es hoy más larga; 5. Las comunicaciones se han... gracias a la invención de nuevas tecnologías.

339. 1. interesa/apetece/conviene; 2. era/se hizo; 3. había/teníamos; 4. tenemos/sentimos/nos da; 5. discutido/debatido/solucionado...; 6. propones/indicas/deseas/sugieres...; 7. llegáis/llega/llegamos...; 8. gustaba/entusiasmaba/interesaba; 9. dices/aseguras/afirmas...; 10. es/se hace/va siendo.

---

340. 1. Hace un sol fuerte, luego te quemas; 2. Ha trabajado mucho, así que está cansado; 3. Hay fiesta y, por eso, la gente está alegre; 4. Ha llovido; por tanto, la calle está mojada; 5. El niño tiene hambre y, entonces, llora; 6. Está enfermo, así que tiene mal aspecto; 8. Siente dolor y, claro, llora; 8. No le gusta la TV, de modo que no la mira; 9. Hace viento, por lo cual se oye ruido fuera; 10. Es mayor y por eso camina despacio.

341. 1. derribó; 2. pide; 3. decidía; 4. memoriza; 5. comió/comía; 6. parece; 7. revienta; 8. compraba/compró; 9. se creía; 10. pensé/pensamos/pensaron.

342. 1. pero; 2. mas; 3. pero/aunque; 4. sino; 5. aunque.

343. Respuesta libre.

---

344. 1. está/va; 2. estás/andas; 3. están/van; 4. Está; 5. estamos; 6. id; 7. id; 8. va/está; 9. ve; 10. estar/andar.

345. 1. sigue; 2. va; 3. lleva; 4. voy; 5. sigues; 6. va; 7. sigues; 8. sigues; 9. llevan; 10. van.

346. 1. acabará/terminará; 2. sigue/continúa; 3. está/va; 4. ha estado/ha pasado; 5. está; 6. ha estado; 7. sale; 8. ha estado.

347. 1. tienes; 2. tengo/tenía; 3. tengo/tendré; 4. tiene; 5. tengo; 6. tengo.

348. 1. lleva; 2. tiene/lleva; 3. llevas/tienes; 4. tengo; 5. lleva; 6. tienen; 7. llevamos/tenemos; 8. tenemos; 9. lleva; 10. tengo.

349. 1. Llevo/Lleva/Llevamos/Lleváis/Llevan/Va; 2. tengo; 3. Tengo; 4. tiene/lleva; 5. lleva; 6. van/llevo/llevas/lleva/llevamos/lleváis/llevan; 7. van; 8. van/llevo/llevas/lleva/llevamos/lleváis/llevan.

350. Respuesta libre.

---

351. 1. 2/4 Kg. de chorizo (1/2 Kg. de chorizo); 2. 3/4 Kg. de carne de ternera; 3. 1/2 Kg. de chuletas; 4. 1/4 Kg. de pimientos; 5. 2/5 de cerveza; 6. 2 1/4 Kg. de pollo; 7. 1/4 y mitad de naranjas; 8. 1 1/2 Kg. de ciruelas; 9. 3 1/2 Kgs. de patatas.

352. 1. un doceavo; 2. un veinteavo; 3. un dieciseisavo; 4. cinco veintiochoavos; 5. tres treintaiseisavos.

353. 1. una décima; 2. tres diezmilésimas; 3. cien milésimas (una décima); 4. dos unidades, treinta centésimas; 5. una milésima; 6. diez unidades, cuatro milésimas; 7. nueve unidades, cincuenta centésimas; 8. una centésima.

354. 1. décuple; 2. cuádruple; 3. triple; 4. séxtuple; 5. quíntuple.

---

355. 1. seis mil setecientas cincuenta; 2. catorce mil quinientas; 2. cuarenta y seis mil; 4. ocho mil trescientas noventa y dos; 5. veintiséis mil ochocientas quince; 6. nueve mil seiscientas setenta y cinco.

356. 1. Veinticuatro horas; 2. Las cuatro estaciones; 3. Ciento un dálmatas; 4. Veinte mil leguas; 5. Los trescientos sesenta y cinco días.

357. 1. más de dos mil bares y tabernas; 2. casi cuarenta millones de habitantes; 3. se disfruta a los sesenta y cinco años; 4. vende un millón de ejemplares al día; 5. cuesta unas seis mil pesetas.

---

358. Respuesta libre.

359. 1. Es; 2. Está; 3. Es; 4. Es; 5. era.

360. Respuesta libre.

361. 1. Son las trece horas; 2. Diecinueve de febrero del año dos mil dos; 3. Volkswagen; 4. Dos mil cinco; 5. Son las ocho de la tarde (post meridiem); 6. Veintitrés grados centígrados; 7. Siglo veinte; 8. Año mil quinientos antes de Cristo; 9. Capital de Noruega; 10. Organización del Tratado del Atlántico Norte.

---

362. Respuesta libre.

363. 1. Estás; 2. está; 3. está; 4. está; 5. estaremos; 6. son/están; 7. está; 8. están; 9. están; 10. están.

364. 1. está/estará; 2. está/estaba/estuvo; 3. estábamos; 4. está; 5. estamos; 6. está/estaba/estará; 7. estoy; 8. está siendo; 9. está; 10. sea-está.

365. Respuesta libre.

ÍNDICE GENERAL